Le Diable de verre

Helene TURSTEN

LE DIABLE DE VERRE

Traduit du suédois par Hélène Hervieu

Titre original
Glasdjävulen

© Helene Tursten, 2002
Publié par un accord avec l'agence littéraire Leonhardt & Hoier A/S, Copenhague.

© Michel Lafon Publishing, 2010, pour la traduction française
7-13, boulevard Paul-Émile-Victor – Île de la Jatte
92521 Neuilly-sur-Seine Cedex
www.michel-lafon.com

À Hilmer et Cecilia

Un grand merci à

Magnus Tuneld chez Mactun Data de Karlstad
pour toute son aide concernant les données informatiques

Peter Jernfält pour la correction des termes
concernant les armes

Tous les policiers en poste ou à la retraite
que j'ai pu interroger

Helene Tursten

Prologue

Tout avait marché comme sur des roulettes. Peut-être un peu trop, d'ailleurs, il s'en rendait compte à présent. Il s'était cru en sûreté. Persuadé qu'ils ne parviendraient jamais à mettre la main sur lui. Ce qui, de fait, avait bien semblé être le cas. Du moins jusqu'à maintenant.

Ce n'était vraiment pas de chance. Il s'en était fallu d'un rien.

Dans la grande ville, il était anonyme. On le laissait tranquille, ici. C'est tout ce qu'il demandait, qu'on le laisse tranquille.

Les longues promenades dans la nature l'avaient aidé à panser ses plaies intérieures. Il avait repris la gym. Il avait passé la soirée de la veille dans une salle de sport, et mis son corps à dure épreuve. Ça faisait du bien. Il était en train de se forger un nouveau corps et une nouvelle existence.

Tout indiquait qu'il était dans la bonne direction. Et puis il avait fallu qu'elle surgisse dans sa vie.

Elle était tout ce dont il avait toujours rêvé. De longs cheveux bruns, des yeux noisette et un sourire ravageur. Ah, son corps chaud et souple qui se pressait contre le sien quand il la tenait dans ses bras…

Dès le départ, ils avaient su qu'ils devaient se cacher. Si sa famille à elle découvrait cette relation, il pouvait arriver n'importe quoi. Son père et ses frères se chargeraient eux-mêmes de régler cette affaire. Il l'avait plusieurs fois priée instamment de redoubler de prudence et de n'en parler à personne.

Et maintenant, c'en était fini. Elle n'avait pas eu la force d'affronter les questions de sa famille et avait fini par tout déballer. Alors, mieux valait habiter ailleurs pendant un moment, en attendant que les choses se calment. Dans l'immédiat, il pourrait toujours loger chez son père et sa mère. Mais au fond, il savait que cela ne changerait rien. Sa famille à elle et ses proches refuseraient toujours de comprendre à quel point ils s'aimaient.

Leur vengeance, voilà ce qu'il craignait. Elle viendrait, inévitablement. C'était leur tradition et leur culture quand ils jugeaient que l'honneur de leur famille avait été bafoué. Il connaissait cette mentalité et ne se faisait aucune illusion. Il y aurait vengeance.

Il tourna et roula sur le chemin de graviers qui menait à la petite maison. Pour la énième fois, il pesta contre l'absence de réverbères. La commune ne voyait pas l'intérêt de faire cette dépense, étant donné que les trois petites maisons au bout de la rue étaient aussi des maisons de campagne. Il se gara sur le sol recouvert de graviers, juste derrière la barrière. Les phares éteints, il se retrouva plongé dans l'obscurité. Il était plus de onze heures, en cette froide soirée de mars. Des nuages noirs obstruaient le ciel, il allait sans doute pleuvoir ou même neiger dans la nuit. Ici, au cœur de la forêt, où les arbres poussaient serrés les uns contre les autres, aucune lumière ne filtrait. Il y avait bien une lampe au-dessus de la porte d'entrée, mais elle n'éclairait pas jusqu'à l'endroit où il s'était garé.

Il descendit de la voiture et s'étira. Comme d'habitude, il prit une profonde inspiration et emplit ses poumons du bon air de la forêt. Il aurait dû être habitué, à force, mais il avait toujours l'impression que le silence cognait contre ses tympans. Pourtant le silence n'était pas total. Une brise légère caressait la cime des arbres, et au loin un chien aboyait. Si on dressait l'oreille, on pouvait aussi entendre la vague rumeur des voitures sur la route principale. Dans le lointain, on percevait également le vrombissement d'un avion à l'approche, avant son atterrissage à l'aéroport de Landvetter.

Les craintes éprouvées dans la voiture le rattrapèrent, et il jeta un regard inquiet autour de lui. Tout paraissait comme d'habitude, calme et silencieux. Il porta son attention sur la petite maison rouge sang de bœuf.

Elle appartenait à ses parents, qui y venaient l'été. En s'installant ici à la fin de l'hiver, il s'était senti en sécurité. Son regard parcourut la façade de la maison. Tout paraissait tel qu'il l'avait laissé en partant ce matin. Comment aurait-il pu imaginer les événements qui allaient bouleverser cette journée ? Cela avait été une catastrophe pure et simple. Ce qui ne devait surtout pas arriver était arrivé.

Il sortit son sac de sport et le carton de nourriture posés sur le siège arrière, verrouilla la voiture et se dirigea vers l'entrée du cottage. Il prit les clés dans la poche de sa veste, ouvrit la porte et se faufila dans le minuscule vestibule. Éclairée par la lumière extérieure, sa silhouette se découpa nettement dans l'embrasure.

Putain, ce que je dois être visible ! se dit-il.

Au même moment, il crut percevoir un léger mouvement dans l'obscurité profonde. *Qui est là ? Non ! Pas comme ça !* voulut-il crier, mais aucun son ne sortit de ses lèvres

La seule chose qu'il crut voir dans la faible clarté du vestibule fut une main noire qui tenait fermement un fusil. Le reste de la silhouette était dissimulé par la pénombre. *Des gants*, eut-il le temps de penser, heureux comme un enfant d'être encore capable de faire cette déduction.

Comme hypnotisé, il fixa l'œil noir du canon.

Une flamme d'un millième de seconde.

Puis les ténèbres.

Chapitre 1

Le téléphone mobile d'Irene Huss, inspecteur à la brigade criminelle, sonna sur son bureau.

– Allo ? C'est Sven. Est-ce que Tommy est là ?

– Non. Il interroge l'homme interpellé dans l'affaire du meurtre de Speedy. Il ne sera certainement pas de retour avant cinq heures.

– S'il compte faire cracher le morceau à Asko Pihlainen, il a du pain sur la planche, grogna le commissaire Sven Andersson. Autant dire qu'il en a au moins pour jusqu'à cinq heures du matin !

Bien que le chef ne pût la voir, Irene approuva de la tête.

– Puis-je t'être utile à quelque chose ? demanda-t-elle.

Irene espérait vaguement trouver un dérivatif à tous ces rapports qui, pour une raison incompréhensible, avaient une fâcheuse tendance à s'amonceler sur son bureau. Sans doute parce qu'elle détestait cette partie de son travail et la repoussait toujours à plus tard.

– Viens dans mon bureau, on pourra parler.

À peine le commissaire avait-il fini sa phrase et raccroché qu'Irene avait bondi de sa chaise. Elle se voyait donc au regret de repousser le traitement de ces rapports...

Enfoncé dans son fauteuil qui gémissait sous son poids, Andersson avait l'air soucieux. Il adressa un signe de tête à Irene quand elle entra et l'invita d'un geste à prendre place sur la chaise des visiteurs. Il resta un long moment silencieux, comme s'il ne savait pas par quel bout commencer. Le silence devenait pesant, ce qui expliquait sans doute pourquoi sa respiration d'asthmatique paraissait résonner dans la pièce. L'air songeur, il fit craquer les articulations de ses doigts. Son double menton appuyé contre ses paumes, il fixait vaguement un point situé au-dessus de la tête d'Irene. Enfin, il tapa des mains sur le bureau et se leva péniblement en disant :

– Bon, je crois qu'on va y aller, toi et moi.

Sans autre explication, il alla chercher son manteau accroché à côté de la porte.

– On y va tout de suite, lança-t-il par-dessus son épaule.

Irene se leva et alla chercher sa veste dans son bureau.

Je suis exactement comme Sammy, pensa-t-elle en se moquant d'elle-même. *Il suffit d'agiter la laisse et de prononcer le mot magique de « sortir », et j'accours sans même demander où on va.*

– J'avais d'abord pensé envoyer une patrouille, mais c'est si difficile d'en trouver une de disponible ! Et puis l'idée de l'envoyer dans les forêts autour du lac de Norssjön… non. Autant m'en occuper moi-même, dit le commissaire Andersson en prenant le volant et en se dirigeant sur Boråsleden.

Irene faillit lui dire que l'expression « s'en occuper lui-même » était un peu usurpée, puisqu'il n'allait pas tout seul là-bas, mais connaissant son chef elle se retint. Elle n'avait pas envie de le reprendre sur ses termes, car au fond elle l'aimait bien.

– Il faudrait peut-être que je te donne quelques explications, dit soudain Andersson.

– Ce serait bien, en effet, répondit Irene.

Elle essaya de ne pas adopter un ton trop ironique et dut y parvenir, car il poursuivit :

– Mon cousin m'a appelé. Il est le directeur d'une école privée ici, en ville.

C'était une surprise pour Irene d'apprendre que Sven Andersson avait un cousin. Cela faisait presque quinze ans qu'ils travaillaient ensemble, et comme elle ne l'avait jamais entendu parler de sa famille jusque-là, elle s'était faite à l'idée qu'il était un célibataire divorcé, sans enfants, sans proche famille, sans amis dignes de ce nom. Oui, un loup solitaire, c'était encore le terme qui le décrivait le mieux.

14

– Georg, donc, mon cousin, est très inquiet. Un des professeurs n'est pas venu travailler hier. Il ne répond pas au téléphone. Personne ne répond non plus chez ses parents. Georg est inquiet, car il semblerait que ce professeur traverse une période difficile et qu'il soit à deux doigts de la dépression. Il m'a donné l'impression de craindre que le type se soit suicidé.

– Mais pourquoi, dans ce cas, y aller à deux de la brigade ? Il serait plus normal d'appeler une voiture de patrouille, ce qui était du reste ta première idée, lui fit remarquer Irene.

Elle jeta un regard en biais à Andersson et vit qu'une rougeur gagnait son cou et lui montait aux joues.

– C'est moi qui décide de ce qui est normal ou non, dit-il d'un ton tranchant.

Sur ce, il tourna résolument la tête vers sa vitre.

Elle aurait dû fermer sa grande gueule. Il allait se renfrogner et ne plus dire un mot.

On n'entendait plus que le bruit des essuie-glaces. La pluie qui tombait depuis la nuit ne semblait pas vouloir s'arrêter. Irene finit par prendre la parole :

– Est-ce que tu sais au moins où on va ?

– Oui. Il faut prendre la direction de Hällingsjö et, après quelques kilomètres, Norssjön sera indiqué sur un panneau. Il faudra tourner, et après je te montrerai.

– Comment se fait-il que tu connaisses si bien le chemin ?

– J'y suis allé, un jour, pour une fête aux écrevisses [1].

– Chez le professeur ? s'étonna Irene.

– Non, chez ses parents.

Elle avait bien senti que quelque chose clochait dans cette histoire et en avait désormais la confirmation. Son chef avait ses raisons pour agir comme il le faisait, mais une chose était claire : il était, d'une manière ou d'une autre, personnellement impliqué dans cette affaire.

Une fête aux écrevisses chez ses parents... Voilà que le commissaire avait des amis, maintenant ! Il avait un cercle de

_____

1. La fête aux écrevisses est célébrée au début du mois d'août en Suède. Cette coutume annonce l'ouverture de la pêche aux écrevisses, signant aussi la fin du court été suédois.

relations et il allait à des fêtes, ça alors ! À moins qu'il ne s'agisse aussi de membres de sa famille. En tout cas, Irene était bien décidée à ne pas lâcher le morceau.

– Tu ne connaissais pas du tout le professeur ? reprit-elle.

– Non. Je ne l'ai jamais rencontré. Seulement sa sœur.

– Elle aussi est professeur ?

– Je ne sais pas. Elle était petite.

Il prit une profonde inspiration et tourna son visage vers Irene.

– Ne te fatigue pas, je vois bien ce que tu cherches à savoir. Écoute, c'était il y a dix-sept ans. Je venais de divorcer, et mon cousin pensait que j'avais besoin de me changer les idées et de rencontrer des gens nouveaux. C'est comme ça que je me suis retrouvé à cette fête aux écrevisses. Ce sont des connaissances de Georg et de Bettan – sa femme.

Il y eut un silence pendant qu'Irene réfléchissait. Elle devait avouer que cette excursion improvisée avait réveillé son instinct de policier. Au-delà de la disparition du professeur, c'était la vie privée du commissaire qui piquait sa curiosité. Dire qu'ils se connaissaient depuis longtemps et qu'elle n'avait jamais rien su de sa vie !

– Tu les rencontres parfois ? demanda-t-elle.

– Non.

Apparemment, aucun lien de sympathie réciproque ne s'était noué entre eux.

– Et ils font quoi, les parents de ce professeur ?

– Son père est doyen de plusieurs paroisses. Quant à sa mère, elle doit être femme au foyer. Les femmes de pasteur ont pas mal de charges à la maison. Elles doivent organiser le café après l'église, enfin ce genre de choses…, dit Andersson d'un ton vague.

Irene résolut de ne pas abandonner la partie avant d'en savoir davantage sur la vie sociale de son chef, dont elle avait tout ignoré jusqu'à ce jour.

– Comment était la fête ? Je veux dire… chez un pasteur. Les fêtes aux écrevisses, ça se tient d'habitude dans un cadre un peu moins solennel.

Pour la première fois au cours de ce trajet en voiture, le commissaire fit la grimace.

16

– C'était tout, sauf solennel ! Le doyen a fini la soirée complètement saoul et s'est endormi dans un hamac. Sa femme avait déjà débarrassé et jeté toutes les serviettes en papier, plusieurs heures auparavant, et elle était rentrée se coucher dans la maison. Elle n'avait pas l'air de tenir l'alcool. Faut dire qu'on était tous passablement éméchés.

– Vous étiez nombreux ?

Andersson prit le temps de compter intérieurement.

– Neuf, non dix, moi inclus. C'est ici que tu dois tourner.

Il lui montra du doigt le panneau indiquant la bifurcation vers Hällingsjö. Irene s'engagea sur ce chemin, et Andersson lui demanda de tourner à gauche peu après l'embranchement.

– Continue tout droit sur quelques kilomètres jusqu'à ce qu'on arrive à Norssjön, dit-il.

Irene s'était mise en pilotage automatique, son cerveau étant trop occupé à analyser les informations qu'elle avait reçues.

– Cette maison d'été est grande ? demanda-t-elle.

– Non, tout à fait ordinaire. Georg et Bettan étaient venus avec leur caravane, et c'est là qu'on a dormi. Bettan enseigne dans l'école que dirige Georg. Ce devait être une idée à elle de m'emmener à cette fête. Cela va mieux depuis qu'on se voit moins, mais il fut un temps où elle essayait à tout prix de me faire rencontrer des femmes professeurs, plus barbantes les unes que les autres.

– Et ça a marché pour toi, lors de cette fête ? voulut savoir Irene.

Andersson émit un faible gloussement. Ils restèrent silencieux jusqu'à l'embranchement pour Norssjön. Une forêt dense se dressait des deux côtés de la route étroite et asphaltée. Ici et là, on apercevait au loin une maison isolée ou un petit chemin de gravillons qui se perdait dans la végétation.

– Roule plus doucement, maintenant. C'est ici, dans le coin, dit soudain Andersson.

Aux yeux d'Irene, tout n'était que futaie autour d'eux, tout se ressemblait. Elle n'en revenait pas qu'Andersson reconnaisse les lieux après tant d'années.

– C'est là. Tourne, dit-il.

Elle comprit comment il s'était repéré. Un écriteau peint en blanc à la main indiquait un étroit sentier de gravillons.

Se détachant en lettres bleu pâle sur le fond blanc, on pouvait lire « La Maison du bonheur ». Au pied du panneau, on devinait une sorte de plate-bande.

Irene s'engagea sur le chemin. Il était plein de trous et mal entretenu. Les sapins poussaient tout contre le sentier. Enfin, trois petites maisons apparurent au milieu des arbres. Irene commença à freiner, mais le commissaire dit :

– Non, continue.

Ils parcoururent encore une centaine de mètres. Ensuite, le sentier s'arrêtait définitivement, et Irene aperçut une barrière et une maison rouge sang de bœuf. Elle gara la voiture de police banalisée devant la clôture.

Ils descendirent du véhicule et s'étirèrent. Ici, le silence régnait en maître, à part le doux bruissement de la pluie. Une Skoda noire, assez récente, était garée de l'autre côté de la barrière. Elle était étonnamment sale, et le pare-brise portait la marque d'un caillou qui avait provoqué un bris en étoile.

Ils se dirigèrent vers la maison en marchant sur des pierres plates et glissantes, recouvertes de mousse. Il n'y avait aucun signe de vie dans la maison. Le commissaire voulut tourner la poignée de la porte, mais elle était fermée.

– La lumière extérieure est allumée, remarqua-t-il à voix haute.

Irene entreprit de faire le tour de la maison pour jeter un coup d'œil par les fenêtres à croisillons.

Elle ne tarda pas à le découvrir en regardant à travers la première fenêtre.

– Sven ! cria-t-elle.

Le commissaire descendit à pas lourds du perron et vint la rejoindre. Elle se contenta de pointer un doigt vers l'intérieur de la maison, sans rien dire.

C'était une minuscule cuisine, mais par la porte ouverte ils apercevaient le corps d'un homme couché sur le dos, dans l'entrée. Les jambes et l'abdomen étaient cachés, en revanche le thorax et la tête étaient bien visibles. Ou plus exactement, ce qui restait de la tête. Assez pour constater qu'il était mort. Le devant de son T-shirt clair, sous la veste ouverte, portait une grande trace de sang coagulé. Une des mains reposait sur le seuil de la cuisine. Juste devant la pièce, un carton contenant de la nourriture s'était renversé, et une partie des courses avait roulé sur le sol.

Andersson, la mine sombre, se tourna vers Irene :

– Appelle les renforts. Il s'agit de tout sauf d'un suicide.

Chapitre 2

Plus tard dans l'après-midi, Irene et le commissaire Andersson mirent les autres inspecteurs au courant du crime perpétré dans la maison de campagne. Irene commença :

– Selon toute vraisemblance, le corps que nous avons retrouvé est celui de Jacob Schyttelius. Nous n'avons pas réussi à contacter ses parents pour l'identifier, mais son directeur nous a donné un signalement qui correspond en tout point à celui de la victime. Il avait trente et un ans. Sven et moi l'avons retrouvé ce matin à onze heures trente, tué par balles, dans une maison de campagne. Nous avons trouvé la clé de la porte d'entrée sous un grand pot posé sur les marches du perron. La porte était donc fermée. Le corps était allongé dans le vestibule et ne paraît pas avoir été bougé après le meurtre. Une balle de gros calibre a touché la région du cœur, et une partie de la tête a explosé sous un autre impact. Nous n'avons retrouvé aucune arme sur place. En attendant la police scientifique, nous avons inspecté rapidement la maison. Elle comporte deux petites chambres à coucher dont l'une fait office de bureau. Il avait installé une table avec un ordinateur, et quelqu'un a dessiné un symbole sur l'écran. Il semblerait que ce signe ait été tracé avec du sang.

– Quel genre de symbole ? intervint Fredrik Stridh.

– Une étoile à l'intérieur d'un cercle. Svante affirme qu'il peut s'agir d'un signe magique. Le genre dont se servent les sorcières et les satanistes au cours de leurs rituels. Il a déjà rencontré ces symboles dans des affaires similaires, entre autres lors d'incendies d'églises. Les techniciens sont là-bas en train de procéder aux relevés.

– Des satanistes ! Ah, c'est toujours les mêmes qui foutent la merde ! pesta Jonny Blom.

Irene haussa seulement les épaules et fit un signe de tête à Hannu Rauhala qui, discipliné, avait levé la main pour demander la parole :

– Pourquoi habitait-il dans une maison de campagne ?

– D'après le directeur de l'école où il travaillait, il venait de divorcer et il était rentré à Göteborg après avoir passé plusieurs années à la campagne. On ne trouve pas à se loger en ville si facilement, c'est pourquoi il a opté pour la maison de campagne de ses parents. C'est donc là-bas qu'il a vécu tout cet automne et cet hiver. Il a été vu pour la dernière fois hier après-midi, à la fin des cours, vers quatre heures et demie. On a retrouvé un sac de vêtements de sport humides, ce qui laisse à penser qu'il venait de s'entraîner. Nous avons aussi trouvé une carte de membre d'un club de gym dans son portefeuille et nous allons vérifier s'il y est allé après le travail. Il a fait ses courses au supermarché Hemköp de Mölndagsvägen et nous allons aussi les interroger pour savoir s'ils se souviennent de lui. Il travaillait dans une école quelque part près de Heden. Ses parents n'habitent pas loin de la maison de campagne, mais comme je vous l'ai dit nous n'avons pas encore réussi à les joindre. Le père a la charge d'une église dans une petite localité qui s'appelle Kullahult. Nous réfléchissons à la manière dont nous allons annoncer aux parents que leur fils a été assassiné. La procédure normale, c'est de venir avec un pasteur pour annoncer un décès. Mais comment fait-on quand l'homme à qui on doit délivrer le message est lui-même pasteur ou, plus exactement, doyen ?

Irene marqua une pause dans son exposé pour regarder ses collègues autour de la table de réunion. Il était un peu plus de cinq heures de l'après-midi, et le commissaire Andersson avait convoqué tous les inspecteurs de son service qu'il avait pu joindre.

Comme d'habitude, Jonny Blom somnolait sur sa chaise. Quand sa tête penchait dangereusement vers l'avant, Irene pouvait voir que sa calvitie sur le sommet de son crâne gagnait de plus en plus de terrain. Il ne se donnait même plus la peine de chercher à la dissimuler par des mèches fixées avec du gel.

À côté de lui se trouvait l'homme le plus jeune de la brigade. Par contraste, il n'en paraissait que plus vif, et sa chevelure plus vigoureuse. Fredrik Stridh commençait surtout à montrer des dons autres que sa belle énergie, et Irene l'appréciait chaque jour davantage.

Assis à la droite d'Irene, Hannu Rauhala gardait le silence, mais elle savait qu'il enregistrait tout. Sa femme, Birgitta, l'autre inspecteur féminin de cette brigade, était encore en congé de maternité et ne reviendrait pas avant quelques mois. À son retour, Hannu pensait demander un congé de paternité pour prendre le relais auprès de son fils. Quelques jours plus tôt, des rumeurs à ce sujet avaient couru dans le service, et le commissaire Andersson était entré dans une grande colère. « Les petits enfants ont besoin de leur maman », avait-il grommelé, furieux, ou encore « C'est pas aux hommes de jouer les nounous ».

Tommy Persson n'était pas là, mais il devait arriver d'un moment à l'autre. Il avait passé une bonne partie de la journée à interroger un homme soupçonné de meurtre. C'était une banale affaire de drogue se terminant par le meurtre d'un dealer, Ronny Olofsson, dit « Speedy ». Ce dernier aurait gardé une grosse somme d'argent qu'il aurait dû remettre à son grossiste. Vu l'importance du montant, la punition ne s'était pas fait attendre : exécution pure et simple.

Speedy avait reçu une balle dans la tête, tôt un samedi matin. Les seuls témoins avaient été quelques ornithologues dans une voiture. Deux de ces observateurs d'oiseaux avaient vu le visage du meurtrier. Il portait une grande cicatrice qui partait de la racine du nez et descendait sur la joue droite. Lorsque les enquêteurs avaient pris connaissance de ce signalement, ils avaient immédiatement su qui ils devaient arrêter.

Le suspect, Asko Pihlainen, avait déjà écopé de plusieurs peines pour coups et blessures, trafic de drogue, menaces envers des témoins et vols de voitures. Mais c'était la première fois qu'il se trouvait directement impliqué dans un meurtre, ce qu'il persistait à nier. Jamais il n'avait mis les pieds sur le lieu du crime, d'ailleurs il avait un témoin pour affirmer qu'au moment du meurtre il jouait au poker chez son voisin.

Et c'était bien là le problème. Effectivement, le voisin et deux femmes soutenaient qu'Asko avait joué aux cartes avec eux à cinq heures du matin, ce fameux samedi. Comme ils n'en démordaient pas, on était dans une impasse.

Irene n'enviait pas Tommy dans cette affaire. Asko Pihlainen était connu pour nier systématiquement les faits qui lui étaient reprochés, et les témoins à charge finissaient toujours par se rétracter. Asko n'avait pas encore appris l'identité des ornithologues, mais ce n'était qu'une question de temps.

Irene poussa un soupir et décida de se concentrer sur le cas qui l'occupait. Elle répéta donc sa question :

— Pensez-vous que nous devons venir avec un autre pasteur chez les parents de Jacob Schyttelius ?

— Oh, s'il est pasteur lui-même, il devrait pouvoir s'en sortir tout seul, dit Jonny Blom.

Hannu demanda la parole.

— C'est le genre de cas où il faut l'appui d'un professionnel. Quand on est soi-même touché, cela n'a rien à voir.

Fredrik Stridh fit signe qu'il était du même avis.

— Très juste ! Comme il est pasteur, on peut au moins supposer qu'il est religieux.

Il s'interrompit quand les autres se mirent à rire, et poursuivit malgré tout son raisonnement :

— Je veux dire par là qu'un homme religieux a peut-être encore davantage besoin de parler à un pasteur que d'autres.

— Fredrik a raison de soulever ce point. Je suis aussi d'avis de venir accompagnés d'un pasteur chez le couple Schyttelius, déclara Irene.

Pour la première fois depuis le début de l'exposé, le commissaire Andersson prit la parole :

— Il s'appelle Sten. Sten Schyttelius. Je ne me souviens plus de son prénom à elle.

Fredrik Stridh leva les sourcils.

— Vous les connaissez ?

— Pas vraiment. Des amis d'amis.

Son ton sec indiqua que le sujet était clos. Fredrik comprit le message et s'abstint de poser d'autres questions, mais il posa sur son chef un regard long et pénétrant.

Andersson s'éclaircit la voix et lança :

– Irene, trouve un pasteur et va chez les Schyttelius. Prends aussi quelqu'un d'autre avec toi.

Fredrik se proposa spontanément. Jetant un coup d'œil moqueur dans la direction de Hannu, il expliqua :

– C'est normal de rendre service à un copain. Hannu a un entraînement ce soir. Et devinez de quoi ?

Il avait pris un air si mystérieux que la curiosité d'Irene en fut piquée. Certes, le Finlandais blond platine aux yeux bleu glacier paraissait très en forme, mais elle ne s'était jamais demandé quel sport il pratiquait. Les collègues autour de la table suggérèrent la musculation, l'haltérophilie, l'endurance avant les championnats de Finlande de sauna, le championnat de Koskenkorva du dernier-à-rouler-sous-la-table, mais tout le monde avait faux.

– Les bébés nageurs ! annonça Fredrik.

Une légère rougeur monta aux joues de Hannu. Mais sa voix ne trahit aucune émotion quand il demanda :

– Comment le sais-tu ?

– Je suis bien enquêteur, non ? Écoute, Birgitta m'a appelé tout à l'heure. Comme tu n'étais pas à la maison, elle m'a prié de te rappeler que vous aviez entraînement pour les bébés nageurs ce soir. Je dois avouer que j'avais oublié de te faire la commission. Eh bien, maintenant c'est fait, n'oublie pas ta séance de bébés nageurs ! dit Fredrik en riant.

Sa raillerie fut interrompue par le commissaire :

– Bon. Trouve leur adresse et va voir les parents. Je reste ici, au bureau. La presse ne va pas tarder à s'emparer de l'affaire.

Irene eut de la chance. Le pasteur de la paroisse voisine était chez lui. Il s'appelait Jonas Burman, et sa voix au téléphone était enjouée. Quand il apprit la raison de cet appel, il se déclara aussitôt prêt à apporter son soutien quand les policiers annonceraient aux parents la mort de leur fils. Il expliqua à Irene, dans les grandes lignes, comment arriver jusqu'à son domicile, à Slättered. Il les guiderait ensuite jusqu'au presbytère de Kullahult où habitaient le doyen Schyttelius et son épouse.

Les indications pour le trajet étaient parfaites, et ils trouvèrent sans difficulté la maison de Slättered. Devant la barrière, une haute silhouette les attendait, tournant le dos à la bise glaciale. Le vent avait forci, ces dernières heures, et amené des tourbillons de pluie mêlée de neige, même si celle-ci fondait dès qu'elle touchait le sol mouillé. Irene freina et mit la voiture au point mort. Fredrik et elle descendirent saluer Jonas Burman.

Il se révéla beaucoup plus jeune que sa voix au téléphone ne l'avait laissé supposer. Sous l'effet du vent, ses cheveux blonds, assez longs, se trouvaient plaqués sur son visage. Quand Irene lui serra la main, elle la trouva froide, mais la poignée était franche. C'était une main fine avec de longs doigts, qui lui faisait penser à celle d'un musicien. Agrandis par les verres de ses lunettes à la fine monture rectangulaire, les yeux bleus de Jonas Burman avaient quelque chose de réconfortant.

Ils prirent place dans la voiture et partirent. En route, Fredrik mit le pasteur au courant de ce qui était arrivé à Jacob Schyttelius. Jonas Burman écouta en silence, sans l'interrompre. Quand Fredrik eut terminé, le pasteur dit :

– J'ai rencontré Jacob quelquefois. C'était un garçon très… très gentil. Pourquoi quelqu'un aurait-il voulu l'abattre ? C'est incompréhensible. Peut-être un cambriolage qui a mal tourné ?

– Aucune idée. Nous allons faire des recherches pour trouver comment et qui est derrière tout ça. Mais pour l'instant, nous ne disposons pas de la moindre piste. Ses parents savent peut-être quelque chose, répondit Fredrik.

– Vous n'allez quand même pas les interroger ce soir ? s'inquiéta Jonas.

– Non. Seulement si eux-mêmes en ont le courage. Sinon, nous attendrons une autre occasion, le rassura Fredrik.

Le pasteur montra du doigt un panneau en disant :

– C'est ici qu'on tourne.

L'écriteau indiquait : « Kullahult 2 ».

Située sur une hauteur et dominant le bourg, l'église blanche à la façade éclairée se voyait de loin dans le crépuscule.

26

– Le presbytère est tout à côté de l'église. Vous n'avez qu'à continuer dans cette direction, leur précisa Jonas Burman.

Quand ils furent arrivés au pied de la colline, il les fit s'engager sur un chemin de gravillons, et Irene découvrit un peu au-dessus d'eux le mur d'enceinte du cimetière. Comme la route grimpait tout droit, au lieu de contourner la colline, ils laissèrent ce mur derrière eux.

Puis ils aperçurent une grande maison blanche au cœur de ce qui ressemblait à un parc. Irene franchit les grilles ouvertes, et les pneus crissèrent sur le gravier.

– C'est étrange que…, commença Burman sans finir sa phrase.

Dès que la voiture fut garée, il regarda autour de lui. On n'entendait que le murmure du vent et de la pluie dans les cimes des arbres.

– D'habitude, Sten et Elsa allument toujours les lumières dans le jardin à la tombée de la nuit. Et aussi plein de lampes dans la maison. C'est une maison très isolée, du fait qu'elle est située derrière la colline de l'église, poursuivit-il.

Quand ils sortirent de la voiture, les flocons de neige molle vinrent leur fouetter le visage. L'obscurité s'épaississait sous les grands arbres et les buissons. Haute et impénétrable, une haie de sapins sombres faisait le tour du jardin. Les vitres noires de la maison n'invitaient vraiment pas à entrer.

– Seraient-ils partis ? demanda Fredrik.

– Non. Nous autres, pasteurs, nous prévenons toujours, lors de nos réunions, si nous avons l'intention de partir, répondit Burman.

– Même si c'est juste pour la journée ?

– Oui. Nous avons un tableau pour déterminer quel pasteur est de garde, puisque nous n'avons qu'un pasteur dans chaque paroisse. Dans la semaine, l'un de nous est toujours disponible au cas où il arriverait quelque chose. Mais on prévient systématiquement les autres si on s'absente, même si on n'est pas de garde. Il y a encore deux autres paroisses qui participent à ce système. Au total, donc, quatre pasteurs. Cela fonctionne bien.

Irene n'oublia pas de prendre la lampe de poche au fond de la boîte à gants, avant de se diriger vers l'entrée imposante. Quatre piliers en bois soutenaient un toit qui protégeait les marches et le perron de la pluie et de la neige, ce qui renforçait encore l'impression de belle demeure d'autrefois. La porte d'entrée était constituée de deux beaux battants ouvragés. Irene tendit la main pour frapper avec le butoir, mais s'arrêta à mi-chemin.

L'un des battants était entrouvert.

Elle alluma sa lampe de poche pour voir s'il y avait des traces d'effraction, mais la porte semblait intacte. Doucement, elle la poussa avec sa lampe, mais avant d'entrer elle avertit le pasteur :

– Cela ne veut pas dire grand-chose qu'une porte soit ouverte ou qu'une maison soit sombre et ait l'air abandonnée. Mais compte tenu de ce qui s'est passé dans cette famille, je préfère que vous ne touchiez à rien à l'intérieur. Ni l'interrupteur ni la rampe de l'escalier, ni quoi que ce soit. Restez simplement à nos côtés. Ce serait bien que vous puissiez nous guider dans la maison.

Jonas Burman ne répondit rien et se contenta de la suivre quand elle franchit le seuil. Irene promena sa lampe de poche autour du cadre de la porte et trouva l'interrupteur. Elle appuya légèrement dessus du bout de la lampe.

Un petit lustre en cristal illumina le grand vestibule. Sur le sol se trouvait un tapis de couleur gaie. Juste à côté de la porte d'entrée trônait un coffre en bois au couvercle bombé, où la date 1796 disparaissait sous des motifs peints représentant des papillons et des fleurs. Cet objet était magnifique et devait dater de cette époque-là. Le miroir au-dessus paraissait tout aussi ancien, avec son lourd cadre doré et la glace divisée en sections cloisonnées. À côté, une horloge scandait le temps qui passe, de son tic-tac sourd.

Jonas mit ses mains en porte-voix et cria :

– Ohé, Sten et Elsa ! C'est Jonas !

Il laissa retomber ses mains, et tous trois tendirent l'oreille. Seul le silence leur répondit.

Il ne faisait pas très chaud dans le vestibule, sans doute en raison de la porte entrouverte. Avec un soupir résigné, le pasteur se plaça au milieu de l'entrée et expliqua, en montrant du doigt :

– Sous l'escalier qui mène à l'étage, il y a des toilettes. En haut se trouvent les chambres et des pièces plus petites. Je crois me souvenir qu'il y a aussi une salle de bains et des toilettes séparées. Ici, à droite, vous avez la salle à manger et le séjour.

Encore que nous autres, à la campagne, on l'appelle simplement comme autrefois « la salle ». Étant donné l'âge respectable de cette demeure et la superficie de cette pièce, ce terme est tout à fait approprié.

Puis, montrant la porte de l'autre côté de l'entrée :

– Par là, c'est la cuisine. La porte à côté de l'escalier mène au bureau. En traversant cette pièce, on arrive à la bibliothèque.

Ils optèrent pour aller d'abord à la cuisine, celle-ci était spacieuse et dégagée. À première vue, Irene se crut revenue au siècle dernier, mais elle vit que le réfrigérateur et la cuisinière étaient neufs. Il y avait aussi un lave-vaisselle assez récent. Les portes des placards étaient de style rustique, en bois sombre. Au plafond, les poutres étaient apparentes, et une grande table trônait au milieu du parquet mat raboté. Irene compta jusqu'à douze chaises autour de la table. Tout paraissait vieux et authentique. Elle ne put s'empêcher de demander au pasteur :

– Il n'y a vraiment que deux personnes qui vivent ici ?

– Oui. C'est le problème, avec ces grandes demeures du temps passé. Elles coûtent une fortune à chauffer, et c'est trop grand pour une famille normale. Les pasteurs d'autrefois avaient souvent beaucoup d'enfants et des domestiques. Les maisons des pasteurs servaient aussi de maison pour les fidèles. C'est pourquoi on les construisait si grandes.

Irene ne savait pas trop ce que recouvrait exactement le terme « maison pour les fidèles », mais elle s'abstint de poser la question. En ouvrant les portes à l'autre extrémité de la cuisine, ils découvrirent une pièce minuscule qui avait dû être une chambre de servante, et une buanderie avec tout l'équipement moderne. Dans un coin ronronnait un grand congélateur. Cette buanderie avait une autre porte qui donnait vers l'arrière de la maison. Irene tourna la poignée, mais la porte était fermée, puis elle jeta un rapide coup d'œil dans le congélateur. Il était rempli à moitié de petits sacs joliment fermés et de boîtes en plastique. Ils retraversèrent la cuisine en laissant la lumière allumée.

Une inspection rapide du bureau et de la bibliothèque de Schyttelius leur révéla que ces pièces étaient vastes et meublées de mobilier ancien. Les murs de la bibliothèque étaient recouverts de rayons de vieux livres. Tout respirait la poussière et le vieux cuir.

La salle à manger et la grande pièce étaient en enfilade. Hautes de plafond, elles étaient difficiles à chauffer, et Irene comprit pourquoi la porte entre le vestibule et ces pièces était fermée. La température était ici beaucoup plus basse que dans le reste de la maison. Les deux grands poêles en faïence ne semblaient pas avoir servi depuis longtemps. L'ameublement était spartiate, avec un seul canapé long et droit qui devait permettre jusqu'à dix personnes de s'asseoir – mais assurément sans aucun confort –, et le long des murs s'alignaient des chaises assorties au canapé. Le centre de la pièce était occupé par un grand tapis aux couleurs passées, qui avait dû être magnifique du temps de sa splendeur. Dans la salle à manger se trouvait une longue table peinte en blanc, et seulement six chaises. Irene en conclut que la famille devait recevoir ses invités dans la cuisine.

En revenant dans le vestibule, ils éprouvèrent une impression de chaleur et de convivialité. Ils montèrent l'escalier et arrivèrent dans un grand espace, meublé de façon étonnamment moderne, avec des canapés en cuir sombre et, contre un mur, une télévision grand écran. Suspendues aux murs, trois têtes d'élan fixaient les visiteurs de leurs yeux éteints.

Ils se séparèrent. Irene alla à gauche, et les hommes partirent inspecter le côté droit de l'étage. En entrant dans la première pièce, elle eut la surprise de découvrir une salle de billard. Il n'y avait de place pour rien d'autre, si ce n'est encore quelques têtes d'animaux et des oiseaux empaillés en guise de décoration murale. Tout au fond, on apercevait des chaises et une table. Quel ne fut pas son étonnement de voir un chariot de bar bien rempli, à côté des chaises ! En y regardant de plus près, elle constata qu'il y avait des alcools et des liqueurs qu'elle ne connaissait même pas et dont les étiquettes étaient écrites dans des langues étrangères. Apparemment, les Schyttelius devaient voyager souvent et rarement revenir les mains vides.

Irene alla à la porte située de l'autre côté de la pièce. Avant même de l'ouvrir, elle vit une clé fichée dans la serrure. La porte n'étant pas verrouillée, elle n'eut qu'à baisser la poignée avec la lampe de poche pour l'ouvrir. Elle appuya sur l'interrupteur.

L'ampoule jetait un faible éclairage, malgré le verre dépoli et un peu brisé du plafonnier.

Il faisait vraiment glacial dans cette pièce. Il n'y avait pour tout mobilier que des armoires de rangement modernes et un grand bureau. Avec un ordinateur dessus. Irene fit le tour de la table et jeta un coup d'œil sur l'écran. Son cerveau refusa alors d'enregistrer ce qu'elle vit. Elle commença à reculer vers la porte.

Sur l'écran, une étoile dans un cercle semblait avoir été tracée avec du sang.

Chapitre 3

– Le pasteur Jonas Burman et moi avons trouvé Sten et Elsa Schyttelius dans leur chambre à coucher. J'ai essayé de l'empêcher de s'approcher, mais étant donné sa grande taille, il a malheureusement réussi à jeter un coup d'œil par-dessus mon épaule et s'est évanoui sur place. C'était un vrai bain de sang, raconta Fredrik Stridh.

Il marqua une pause et regarda ses collègues dans la salle de réunion. Outre Irene et lui-même, le commissaire Andersson, Tommy Persson et Hannu Rauhala étaient présents autour de la table. Jonny Blom était déjà rentré chez lui quand la police fut informée du double meurtre au presbytère. Hannu allait partir à la séance de bébés nageurs mais, mis au courant, il avait préféré rester.

– Dès que j'ai allongé Burman sur le canapé, Irene a surgi. Elle avait trouvé un ordinateur avec un symbole en étoile tracé sur l'écran, comme celui que Sven et elle avaient trouvé dans la maison de Jacob Schyttelius, ajouta Fredrik.

– Est-ce que l'étoile était exactement la même ? l'interrompit Andersson.

Irene fit oui de la tête.

– Exactement.

Fredrik s'éclaircit la voix.

– Sten et Elsa Schyttelius ont été abattus à bout portant par une arme de gros calibre. Sten Schyttelius est un chasseur.

– Comment le sais-tu ? s'étonna Andersson.

– Jonas Burman nous l'a dit. Les murs du presbytère étaient couverts de trophées et d'animaux empaillés. Burman travaille depuis deux ans dans la paroisse de Slättered, alors il en sait assez long sur la famille. Ils ont aussi une fille qui s'appelle Rebecka et qui réside à Londres. Il ne l'a rencontrée qu'une seule fois, lors d'un repas de Noël ou quelque chose dans le genre.

– Il faut immédiatement lui donner un garde du corps ! s'écria Irene.

– Pourquoi ? demanda Andersson.

– Mais à cause de ce qui est arrivé aux membres de sa famille ! Elle est la dernière en vie. Nous ignorons encore le motif des meurtres, mais il semblerait bien qu'on ait décidé de rayer la famille Schyttelius de la carte.

– Mais elle habite à Londres…, commença le commissaire.

Il fut interrompu par Tommy Persson.

– Il semblerait que les Schyttelius aient été abattus à peu près au même moment que leur fils. Le meurtrier a plus d'un jour d'avance sur nous. Il peut être déjà à Londres à l'heure qu'il est.

Le commissaire grommela quelques mots inaudibles, puis hocha la tête :

– O.K. Tu as raison. Nous devons trouver son adresse et contacter au plus vite nos collègues de Londres. Tu peux t'en charger, Hannu ?

C'était clairement un ordre et non une question. Le commissaire fit un signe de tête à Fredrik pour que ce dernier poursuive son exposé.

– Il n'y avait aucun signe de lutte dans la chambre à coucher. Irene et moi pensons qu'on leur a tiré dessus dans leur sommeil. Chaque corps repose la tête sur l'oreiller – enfin, ce qu'il reste de la tête. Et tous deux ont été abattus de face.

– Et les voisins n'ont rien entendu ? demanda le commissaire.

– Nous nous heurtons au même problème qu'à la maison de campagne : de fait, personne n'habite à proximité de l'église. Le presbytère est situé à l'arrière de la colline dominée par l'église, il est donc dans une zone isolée, expliqua Irene.

– Nous avons retrouvé une arme qui pourrait être celle du crime, poursuivit Fredrik.

Enfin une information intéressante, pensa le commissaire, qui s'écria dans un élan d'impatience :

– Tu ne pouvais pas le dire plus tôt ! C'était quoi ?

– Un Husqvarna 1900. On l'a retrouvé sous le lit. J'ai vu le canon qui dépassait. Mais, bien sûr, on n'y a pas touché.

– Je vois. Notre bon vieux Husqvarna, soupira le commissaire.

Irene comprenait pourquoi il soupirait. Dès qu'il s'agissait d'armes à feu en Suède, on pouvait être quasiment certain d'avoir à faire à un Husqvarna, une marque réputée pour ses nombreux modèles de pistolets et de fusils, auxquels on recourait très souvent pour des homicides ou pour commettre un suicide. L'explication était toute simple : c'était l'arme de chasse la plus répandue dans le pays.

– Svante Malm m'a appelé juste avant qu'on revienne au commissariat. La police scientifique a trouvé une armoire forte, non verrouillée, de marque Zugil, dans le bureau du pasteur, dit Fredrik.

– Le bureau du premier étage ou celui du rez-de-chaussée ? voulut savoir Irene.

– Celui du premier étage avec l'ordinateur. Svante dit qu'il viendra faire son rapport demain matin pour nous dire s'ils ont trouvé quelque chose. Ses hommes sont encore dans la maison de campagne, mais ils devraient en avoir terminé dans la soirée.

– Quel âge avaient les Schyttelius ? demanda Tommy.

– Respectivement soixante-quatre et soixante-trois ans. L'homme allait prendre sa retraite cet été, répondit Fredrik en regardant ses feuilles. J'ai demandé l'âge de Rebecka à Jonas Burman, mais il ne sait pas exactement. Autour de vingt-cinq ans, m'a-t-il dit.

– Que fait-elle à Londres ? s'enquit Irene.

– D'après Jonas Burman, elle travaillerait comme consultante informatique.

– C'est une mine de renseignements, ce Burman, marmonna le commissaire.

– Oui. Il était en état de choc, mais il a répondu de son mieux à mes questions. Un type bien.

– Qu'est-ce qu'il a dit d'autre ? demanda Tommy.

– Pas grand-chose. Il trouve qu'on devrait parler avec la diaconesse. Elle a travaillé avec Schyttelius pendant plusieurs années et elle s'appelle…

Il feuilleta ses notes jusqu'à trouver ce qu'il cherchait :

– Rut Börjesson. Et puis nous devons aussi interroger les personnes inscrites sur le registre de la paroisse.

– O.K. J'ai déjà quatre gars qui font du porte-à-porte pour interroger les gens à Kullahult et, depuis cet après-midi, deux autres qui font la même chose autour de Norssjön. Ils m'appelleront dès qu'ils auront du nouveau. Demain, après notre debriefing du matin, trois d'entre vous iront à Kullahult pour procéder aux interrogatoires proprement dits. Et Hannu et Jonny iront à Norssjön, décréta le commissaire en mettant un terme à la réunion.

L'horloge sur le tableau de bord de la vieille Saab indiquait 22 h 41 quand Irene s'arrêta devant son garage. Leur lotissement avait sa propre rangée de parkings à l'extrémité de la zone habitée. Elle ouvrit la lourde porte du box et gara la voiture, non pas par crainte d'un vol (qui voudrait d'une voiture de treize ans d'âge ?), mais pour éviter que la voiture ne soit trop glaciale quand elle la reprendrait le lendemain matin.

Une fois la porte refermée, elle sentit le poids de la fatigue sur son dos et ses épaules. Il lui faudrait y remédier le lendemain. Mais elle se rendit compte qu'elle n'aurait guère le temps de faire du sport. Les interrogatoires prendraient probablement toute la journée et une partie de la nuit. La seule solution consistait à faire un footing au petit matin, même si ce n'était pas son heure de prédilection. En vérité, elle était toujours très lente à se mettre en route ; mais puisqu'elle n'avait pas le choix, elle irait courir dès le réveil.

Passé quarante ans, il faut savoir se discipliner si on veut faire du sport. Elle était fière d'être en forme et faisait de l'exercice dès que l'occasion s'en présentait. Vingt ans auparavant, elle avait remporté la médaille d'or du championnat d'Europe de jiu-jitsu, ce qui avait assis sa notoriété à l'école de police de Ulriksdal. Un an plus tard, elle avait rencontré Krister et était tombée presque aussitôt enceinte. La naissance des jumelles avait transformé pour un temps sa silhouette, mais elle s'était très vite remise au sport. En ce moment, elle avait une séance d'étirement une fois par semaine, faisait du footing et entraînait un groupe de femmes policiers à la pratique du jiu-jitsu tous les dimanches. D'anciennes blessures se réveillaient, et elle devait désormais courir avec une genouillère. Mais elle avait absolument besoin de se dépenser pour se sentir bien mentalement et physiquement.

En ouvrant la porte de sa maison, elle fut accueillie avec enthousiasme par Sammy. Le chien lui fit la fête et essaya de lui lécher le visage quand Irene se pencha pour caresser sa douce fourrure dorée. Ce qu'il y a de bien avec les chiens, c'est qu'ils sont heureux quelle que soit l'heure à laquelle vous revenez. *Jamais*, pensa Irene, *ils ne vous font de reproches parce que vous rentrez tard.*

Un mot de Krister posé sur la table l'informa que des lasagnes végétariennes l'attendaient dans le réfrigérateur. Irene soupira. L'équilibre alimentaire de la famille avait été parfait, selon elle, jusqu'au jour où Jenny avait décidé de devenir végétarienne, quelques années auparavant. Au même moment, Krister avait voulu faire un régime et, finalement, avait adopté avec enthousiasme les nouvelles habitudes alimentaires de sa fille. De fil en aiguille, les Huss avaient fini par manger végétarien trois fois par semaine, et de la viande et du poisson les autres jours. Ces jours-là, Jenny finissait les restes ou bien se préparait sa propre nourriture. Irene poussa un nouveau soupir, à la pensée d'un steak bien saignant accompagné d'un bon gratin dauphinois parfumé à l'ail.

Elle se servit une part de lasagne qu'elle glissa au micro-ondes, et but un verre de lait debout devant le plan de travail. Après une douche rapide, elle monta à l'étage. Elle ouvrit la porte des chambres des filles et vit qu'elles dormaient déjà. Encore un an de lycée, et elles quitteraient probablement le nid familial à tire-d'aile. Irene eut un pincement au cœur. Ils ne seraient bientôt plus que tous les deux, Krister et elle. Avec Sammy.

Elle entra en tâtonnant dans la chambre. Elle entendit la respiration profonde de Krister, il allait ronfler d'une minute à l'autre. Évidemment, Sammy s'était déjà installé sur le lit à la place d'Irene. Couché sur le dos, les pattes en l'air, leur chien faisait semblant de dormir. Irene était trop fatiguée pour lui faire comprendre gentiment que ce n'était pas sa place et poussa l'animal résolument par terre. Vexé, Sammy sortit de la pièce et s'allongea sur le tapis devant la télévision.

Au moment de fermer les yeux, Irene vit défiler les images sanglantes des meurtres perpétrés dans la maison de campagne et au presbytère. Qui pouvait souhaiter l'anéantissement de la famille Schyttelius ? Et pourquoi ? Rebecka Schyttelius était-elle elle aussi en danger ? Il y avait tout lieu de le croire. Mais peut-être que la menace était locale, alors la jeune femme se trouvait en sécurité à Londres. Pourquoi le meurtrier avait-il tracé un symbole sur les écrans d'ordinateur avec du sang ?

Les questions se bousculèrent dans la tête d'Irene avant qu'elle sombre dans un sommeil agité.

Chapitre 4

Svante Malm donnait l'impression de ne pas avoir fermé l'œil depuis ces dernières vingt-quatre heures. Son visage aux traits chevalins et d'habitude si jovial était gris de fatigue ; même ses taches de rousseur paraissaient plus pâles. Il cligna des yeux et passa plusieurs fois la main dans ses cheveux roux, qui devenaient poivre et sel. C'était un effort désespéré pour donner un semblant d'allure à sa coiffure qui partait dans tous les sens, mais il ressemblait ainsi davantage encore à un punk vieillissant.

Aucun de nous ne rajeunit, songea Irene, *encore heureux que nous ayons Fredrik*. Elle jeta un coup d'œil dans sa direction. Le dos bien droit, il dégageait une telle énergie qu'elle en devenait presque insolente. Sa chemise de coton bleu clair rappelait la couleur de ses yeux, et il sentait bon la lotion corporelle et l'après-rasage. Elle avait beau prendre une bonne douche après son footing matinal, elle n'arrivait jamais à avoir les yeux aussi pétillants ni la mine resplendissante de celui qui se nourrit de jus de fruits et de muesli.

Svante Malm manifesta des signes d'impatience, il était temps que la réunion commence. Il s'éclaircit la gorge et déclara :

– J'ai parlé avec Åhlén. Il sera là d'un moment à l'autre et vous fera un compte-rendu détaillé de ce que nous avons trouvé jusqu'ici dans le presbytère. Le professeur Stridner nous a fait l'amitié de venir en personne hier soir pour examiner les corps. Selon elle, leur mort remonterait à moins de vingt-quatre heures. Il faisait froid dans leur chambre à coucher, dix-sept degrés tout

39

au plus, et cela, bien sûr, a une influence sur les corps. Elle nous a promis de procéder aux autopsies dès ce matin.

Il marqua une pause, le temps de prendre une gorgée de café. Irene remarqua que sa main tremblait légèrement quand il porta la tasse à ses lèvres. La police scientifique et technique était encore plus en sous-effectifs que d'habitude, en raison des ravages de la grippe. Deux nouveaux malades étaient à déplorer dans le service de la police de Göteborg, et il n'y avait pas de remplaçants pour ces postes-là.

— Les victimes ont toutes les deux reçu au moins une balle à bout portant dans le front. On n'obtient pas un joli petit trou en tirant sur quelqu'un entre les deux yeux avec un gros calibre. L'arrière du crâne a été arraché, et ils sont morts sur le coup. Aucun signe de lutte. Si l'on se fonde sur les blessures, le fusil retrouvé sous le lit est probablement l'arme du crime. Il n'y avait aucune empreinte digitale dessus, le meurtrier devait porter des gants.

— Comment est-il entré ? voulut savoir le commissaire Andersson.

— La porte était ouverte quand Irene et Fredrik sont arrivés sur le lieu du crime, la clé était dans la serrure.

Tommy émit un léger sifflement et dit :

— Ce qui signifie que le meurtrier avait une clé de la maison.

— Pas forcément, rétorqua Andersson. Irene et moi avons trouvé la clé de la maison de campagne sous un pot de fleurs posé sur les marches du perron. Est-ce qu'il y en avait un sur les marches du presbytère ?

Irene essaya de se souvenir mais, avant qu'elle puisse répondre, Fredrik lui coupa l'herbe sous le pied :

— Il y avait un grand pot en céramique blanche avec des aiguilles de pin ou quelque chose dans le genre, sur les marches à l'extérieur. La clé pouvait très bien être en dessous.

Le commissaire acquiesça en haussant les épaules. Certes, on ne savait rien des habitudes de cette famille, mais la plupart des Suédois manquent cruellement d'imagination dès qu'il s'agit de cacher un double de clé, et ils finissent toujours par le glisser sous un pot de fleurs.

— Le reste de la maison n'a subi aucun dommage apparent. Ce qui nous amène à parler de l'ordinateur. Le laboratoire a procédé à un test rapide. Le symbole a été tracé sur l'écran avec du sang humain. Nous saurons plus tard de quel sang il s'agit. Mais quand j'ai voulu démarrer l'ordinateur, il était complètement mort. Il y a bien eu un son quand je l'ai allumé, mais l'écran est resté noir. Nous l'avons rapporté ici. Ljunggren est un pro en informatique. Åhlén a aussi apporté l'autre ordinateur, celui de la maison de campagne. Juste avant de venir ici, j'ai essayé de l'allumer, et il s'est passé la même chose qu'avec l'autre : on entend bien un bip, mais l'ordinateur refuse de s'allumer.

Svante sortit quelques Polaroid d'une enveloppe et les passa à Tommy Persson.

– Voici des photos du symbole.

On fit circuler les photos parmi les policiers. Irene se sentit mal à l'aise devant l'étoile à cinq branches entourée d'un cercle. Svante avait écrit « maison de campagne » et « presbytère » dans l'un des coins supérieurs. Pour autant qu'Irene pût en juger, les deux symboles étaient presque identiques.

– Ces étoiles sont appelées des « pentagrammes ». Un pentagramme est une étoile à cinq branches qui peut être dessinée avec cinq traits sans avoir à lever la main. Une branche pointe vers le haut, deux vers le bas et deux sur les côtés.

Svante se leva pour faire descendre l'écran blanc du plafond et tourner le rétroprojecteur. Puis il traça une étoile à cinq branches avec de l'encre bleue.

– Voici un pentagramme. Comparez-le avec les photos. Est-ce que vous voyez des différences ?

– Oui. Sur les écrans des ordinateurs, ils sont à l'envers, fit aussitôt remarquer Fredrik.

– Précisément. Maintenant je vais faire la même chose avec mon dessin.

D'un léger mouvement, il fit pivoter l'image de cent quatre-vingt degrés.

– Est-ce que vous voyez un changement ? L'étoile a maintenant deux branches vers le haut et une vers le bas. Dessinée ainsi, elle devient un symbole magique. J'ai déjà eu plusieurs fois l'occasion de rencontrer ce symbole dans le passé. Et maintenant je vais colorier les deux branches supérieures et l'inférieure.

Il coloria rapidement les trois branches et l'espace au milieu de l'étoile avec un feutre rouge. On distinguait à présent un triangle avec la pointe dirigée vers le bas. Svante prit une nouvelle gorgée de café avant de poursuivre :

– C'est le visage du diable, avec deux cornes et un bouc.

Il marqua une pause pour voir l'effet produit par ses mots. Tous les policiers le regardèrent avec surprise, mais le commissaire Andersson parut soudain sortir de sa léthargie :

– Mais c'est quoi encore, ces histoires ? Le visage du diable, et puis quoi encore ? Tu crois qu'on va gober ça ? s'emporta-t-il.

Svante esquissa un sourire.

– Écoutez, j'ai déjà vu ce signe, deux fois lors de l'incendie d'une église et une fois à l'occasion d'un meurtre. Le meurtre n'a jamais été élucidé, mais tout indique qu'il s'agissait d'un sacrifice satanique. Je fais ici référence au Meurtre pourpre, vous vous souvenez ?

Tous, à l'exception de Fredrik, firent signe que oui. Svante le regarda et lui dit :

– Tu es trop jeune, ça remonte à plus de vingt ans. Le cadavre de la victime a été retrouvé dans un appartement. Les voisins ont appelé la police quand, avec la chaleur de l'été, ils ont commencé à sentir une drôle d'odeur. Arrivés sur place, nous avons découvert un appartement tout à fait ordinaire avec une entrée, une cuisine et un salon tout ce qu'il y a de banal. Mais la chambre à coucher était un concentré d'horreur. Le sol, les murs, le plafond, tout était peint en noir. La fenêtre était dissimulée derrière un épais rideau noir, et les murs étaient couverts de divers symboles, et aussi de fouets et de masques. Il y avait des chandeliers partout, avec des bougies en cire noire. Un grand récipient en céramique, rempli d'étranges objets, était placé au centre de la pièce. Il y avait pêle-mêle des ossements, des touffes de cheveux humains et de poils d'animaux, une peau de serpent et je ne sais plus quoi encore. L'homme gisait sur son lit. Égorgé. L'arme du crime n'a jamais été retrouvée, mais tout laisse à penser qu'il s'agissait d'un couteau de chasse à large lame. Très affûté. Le meurtrier avait dessiné sur le ventre de sa victime un pentagramme.

– Pourquoi l'a-t-on appelé le « Meurtre pourpre » ? s'étonna Fredrik.

– La victime portait un manteau pourpre. Et en dessous, il était nu.

– Mais pourquoi pourpre ? Est-ce que cette couleur a une signification particulière ? demanda Irene.

– Le noir, le blanc et le rouge sont les couleurs utilisées lors des messes noires. Avec parfois des touches d'argent. Le rouge en question s'apparente plutôt à une sorte de pourpre. Le cercle autour du pentagramme symbolise un serpent qui se mord la queue. Mais j'ignore ce que cela signifie exactement.

– Et les voisins, ils n'avaient rien entendu ? voulut savoir Irene.

À l'époque du Meurtre pourpre, elle-même était remplaçante au sein d'une patrouille et conduisait une voiture de police à Angered. Tout ce qu'elle savait du meurtre, elle l'avait appris par la presse.

– Rien. Mais le meurtre s'est déroulé pendant les vacances, quand la plupart des gens étaient partis. En outre, ce type était un peu bizarre, le genre à rester dans son coin. C'est tout juste s'il adressait la parole à ses voisins. Mais il n'embêtait personne. Jusqu'au jour où il a commencé à sentir…

– Nous serions donc sur la piste de satanistes ? De ceux qui assassinent des pasteurs ? Mais pourquoi assassiner leur fils ? C'était un professeur et non un pasteur. Et pourquoi Mme Schyttelius ? insista Jonny.

Svante eut un geste las.

– Je ne dis pas que le meurtrier est un sataniste. Je dis seulement que le symbole sur les écrans d'ordinateur est censé être magique et qu'il apparaît souvent dans un contexte occulte et satanique.

Il montra du doigt l'étoile bleue avec les trois branches coloriées en rouge projetée sur l'écran et poursuivit :

– Je l'ai aussi vu peint sur des portes d'églises, plus précisément des églises incendiées par des satanistes. Dans un seul cas, nous avons pu arrêter les incendiaires. Quand la vieille église de Kålltorp a brûlé, on a réussi à interpeller les auteurs, deux filles et deux garçons. Ils ont déclaré être des satanistes confirmés et l'avoir fait en l'honneur du diable. L'enquête a mis en évidence le rôle d'un meneur plus âgé qui leur avait donné l'ordre de mettre le feu à l'église. Nous n'avons jamais pu mettre la main sur lui. Les jeunes n'avaient jamais su son vrai nom, ni vu son visage.

— Ils ont quand même dû voir sa tête, objecta Jonny.

— Non. Il portait toujours un masque argenté sur le visage quand ils le rencontraient. Ils avaient leur propre « église » comme ils l'appelaient, en fait un vieil entrepôt du côté de Ringön. Un emplacement parfait, à l'écart. La congrégation était constituée d'une dizaine d'adolescents, et quatre d'entre eux s'étaient vu honorés de la mission de brûler l'église en question. Après l'incendie, personne — ni eux ni nous — n'a pu retrouver le meneur. On aurait dit qu'il avait disparu de la surface de la Terre. Les adolescents ont été confiés aux services sociaux, et cette congrégation-là s'est dissoute. Mais une autre peut très bien avoir été fondée depuis. Peut-être que le meneur est revenu et a repris ses activités, qu'est-ce qu'on en sait ?

— Est-ce que le pentagramme était écrit avec du sang ? voulut savoir Tommy Persson.

— Oui. Les jeunes avaient tué un chat et tracé le symbole avant de mettre le feu. Ils avaient utilisé le sang d'un hamster pour l'autre incendie d'église.

— Quelle était l'autre église où tu as vu le pentagramme ?

— C'était l'église de Norssjön, celle qu'on ouvre en été.

— Norssjön ! s'exclama Irene… là où se trouve la maison de campagne des Schyttelius.

Svante Malm acquiesça.

— Très juste. Mais l'église qui a brûlé il y a presque deux ans se trouvait de l'autre côté du lac. C'était une modeste église en bois qui ne servait qu'en été, elle n'avait ni chauffage ni électricité.

— Il ne s'agissait donc pas d'un court-circuit, conclut le commissaire.

— Non. Un témoin qui ramait cette nuit-là sur le lac a entendu, autour de minuit, des voix venant de l'église. On aurait dit un chant. Peu après, il a vu des flammes s'élever du bâtiment et croit avoir aperçu des silhouettes s'agiter autour du feu. Selon lui, elles dansaient. Le témoin, qui avait plus de soixante-dix ans et souffrait de problèmes cardiaques, s'est malheureusement rendu compte qu'il ne pouvait rien faire pour éteindre les flammes. En revanche, il s'est dépêché de rentrer et a prévenu les pompiers. Mais le temps qu'ils arrivent, l'église avait presque entièrement brûlé. Par un fait étrange, la porte en avait réchappé, et j'ai donc vu, pour la deuxième fois, un pentagramme inversé.

– Écrit avec du sang de hamster, ajouta le commissaire.

– Oui. Les sacrifices d'animaux font partie de leurs rituels. Il existe un autre élément dans le meurtre du presbytère qui peut faire penser à des satanistes : un crucifix suspendu à l'envers dans la chambre à coucher des Schyttelius. Les satanistes tiennent souvent les crucifix la tête en bas. Il se peut que ce crucifix se soit trouvé dans la chambre à coucher avant le meurtre et que le meurtrier ait profité de l'occasion pour le mettre à l'envers.

Irene essaya de rassembler ces dernières informations, mais elle n'arrivait pas à reconstituer les pièces du puzzle. Elle leva la main et demanda à Svante :

– Il te paraît donc plausible que quelqu'un ait tiré sur ces trois victimes dans le cadre d'un rituel satanique ?

Svante secoua la tête.

– Non. Les rituels et les couteaux sont des éléments clés dans ces meurtres. Il n'est pas rare d'y voir aussi des épées. Ou du poison. On trouve d'habitude différents symboles peints ou gravés sur la victime pour signifier qu'elle appartient désormais au diable. Les satanistes croient très fort au pouvoir du sang : ils en boivent et font des sacrifices rituels. Certes, il y avait du sang partout sur les lieux du crime hier, mais rien pour indiquer à coup sûr que ces meurtres relèvent d'un rituel satanique.

– À part le pentagramme et la croix, corrigea Tommy.

– Exactement.

Svante dut étouffer un bâillement de la main. On frappa à la porte, et avant que quiconque ait réagi, son collègue, Bosse Åhlén, passa la tête par l'entrebâillement.

Sans accorder un regard à l'assistance, il se dirigea droit vers le bureau où Svante était assis. Irene savait que Åhlén avait quelques années de moins qu'elle, mais sa calvitie précoce et son embonpoint le faisaient paraître beaucoup plus âgé. Sinon, le plus extraordinaire, chez lui, c'est qu'il avait sept enfants dont un petit dernier de quelques mois seulement. Sans doute était-ce pour cette raison qu'il avait l'air si fatigué. Mais le travail de cette nuit aussi avait laissé des traces.

Il ôta ses lunettes et se frotta les yeux avec le pouce et l'index, avant d'essuyer ses verres sur le revers de son imperméable à la propreté douteuse. Après les avoir replacées sur son nez en forme de patate, il prit enfin la parole.

– Rapport de la maison de campagne à Norssjön. La victime a été abattue à bout portant par une arme de gros calibre. Un coup dans la région du cœur et un autre dans la tête. On a retrouvé le cadavre avec sa veste sur lui et ses chaussures aux pieds. Ses vêtements n'ont pas été fouillés. Un carton du supermarché Hemköp contenant de la nourriture ainsi qu'un sac d'affaires de sport ont été retrouvés à côté de lui. Tout semble indiquer que la victime a été abattue au moment où elle a franchi la porte d'entrée. Celle-ci s'ouvre vers l'extérieur, de sorte que le meurtrier n'a pas eu besoin de déplacer le corps pour la refermer. Aucune arme n'a été retrouvée sur le lieu du crime ou alentour. Mais nous allons passer tout le terrain au peigne fin.

– Est-ce que Ljunggren a pu jeter un coup d'œil à l'ordinateur ?

– Oui, il est complètement mort… ou plus exactement inutilisable. Selon Ljunggren, quelqu'un a reformaté le disque dur en utilisant la méthode du Pentagone.

– La méthode du Pentagone ? C'est quoi encore, cette histoire ! s'écria Andersson.

– On peut taper à coups de marteau sur un ordinateur, le démonter ou le brûler pour détruire les informations contenues dans son disque dur. Mais selon Ljunggren, cela ne sert à rien, car on peut toujours récupérer au moins une partie des données.

– Mais qui peut réussir ça ? interrompit Andersson.

– Oh, tous les bons hackers. Ljunggren dit qu'il existe en Norvège une entreprise experte en ce domaine. Ça coûte la peau des fesses, mais dans certains cas ça vaut la peine d'essayer. Le plus souvent, on leur envoie des ordinateurs qui ont brûlé pendant des incendies. On a du mal à imaginer qu'ils puissent récupérer les moindres données sur le disque dur. Selon le Pentagone, dont les ordinateurs regorgent d'informations classées top secret – le contraire serait étonnant –, il n'y a qu'une manière de procéder. On installe un logiciel de formatage qui écrit au hasard des 1 et des 0 à la place des données existantes. Et on lance ce programme plusieurs fois. Après cela, plus personne ne peut reconstituer les dossiers dans l'ordinateur. Normalement, quand on supprime ou quand on reformate un disque, les informations présentes – les 1 et les 0 qui ne sont pas placés au hasard – restent là. La suppression ou le reformatage, détruit la « carte » où sont situées toutes les informations sur le disque dur. Mais, théoriquement, on peut récupérer ces données si on s'y connaît.

– Et où se procure-t-on ce genre de programme de formatage ? voulut savoir Tommy.

– Ça s'achète dans les magasins spécialisés en informatique, mais ça doit pouvoir se télécharger sur le Net. Ce sont aussi des outils qu'on utilise pour réparer des dossiers. Mais celui qui le veut peut remplacer tout le contenu du disque dur par des 1 et des 0 et réinstaller plus tard le système pour que l'ordinateur fonctionne... mais avec un disque dur vide.

– Combien de temps ça prend pour effacer tout un disque dur ?

– D'après Ljunggren, il faut compter entre une et deux heures, tout dépend de la taille du disque.

Tommy, en pleine concentration, plissa le front. Soudain, son visage s'éclaira, et il demanda vivement :

– Est-ce que vous avez retrouvé dans la maison de campagne un CD contenant un logiciel de formatage ?

– Non.

Tommy se tourna vers Svante Malm.

– Et au presbytère ?

Le technicien secoua la tête.

– Ça veut dire que le meurtrier est resté une ou deux heures auprès de ses victimes, le temps que leurs ordinateurs soient reformatés.

– À moins qu'il n'ait eu le temps de le faire avant les meurtres. Jacob Schyttelius a été abattu en rentrant le soir. Le meurtrier a très bien pu s'introduire chez lui dans la journée, ce qui lui aurait laissé tout le temps nécessaire, objecta Fredrik Stridh.

– Et il peut aussi avoir téléchargé directement le programme sur Internet au lieu de l'avoir sur lui, renchérit Åhlén.

– Nous savons donc que le meurtrier a bel et bien détruit les ordinateurs sur les deux lieux du crime, conclut Irene à haute voix.

– Et qu'il a dessiné sur l'écran le visage du diable, ajouta Tommy.

47

– Du diable !… s'exclama Andersson, agacé. Ce n'est qu'une fausse piste. Un pasteur n'a rien à voir avec des satanistes !

– Ne dites pas ça. L'église d'été à Norssjön a été incendiée par des satanistes. Et Schyttelius avait une maison près du lac, rappela Irene.

– Tu veux dire que Schyttelius lui-même était un sataniste et qu'il a brûlé cette église ? l'interrompit Jonny Blom.

– Bien sûr que non. Je trouve juste étrange que cette église se trouve à proximité de la famille Schyttelius et que le symbole peint sur la porte de l'église se retrouve sur les écrans d'ordinateurs.

– Sauf que c'était écrit avec du sang de hamster et non du sang humain, grommela le commissaire.

– Toute la question est de savoir s'il y a un lien entre les deux. Le pentagramme est, d'après Svante, utilisé pour toutes sortes de rituels. Il est possible que celui qui a tracé les pentagrammes sur les ordinateurs ne connaisse pas la signification de ce symbole sur la porte de l'église, dit Irene en continuant à réfléchir tout haut.

– On se met le doigt dans l'œil, je vous dis ! Laissez tomber ces histoires d'ordinateurs avec les symboles ensanglantés et toutes ces foutaises, et concentrez-vous plutôt sur les meurtres ! s'emporta Andersson.

Irene s'inquiéta de voir le visage de son chef devenir aussi rouge. Elle savait qu'il détestait ne pas avoir la moindre piste sérieuse pour commencer une enquête et en être réduit à des hypothèses. Dans certains cas compliqués comme le meurtre des Schyttelius, il n'y avait justement ni piste ni motif apparent. Les enquêteurs avaient la désagréable sensation que le meurtrier se jouait d'eux. Irene n'était pas si sûre que ce fût le cas dans cette affaire. Peut-être le meurtrier voulait-il faire passer un message ? Mais cela venait en contradiction avec le fait qu'il avait fait taire les seuls témoins qui auraient pu livrer quelques clés – les ordinateurs.

Andersson prit une profonde inspiration pour se calmer et faire baisser sa tension.

– On s'est mis d'accord avec la police de Borås, c'est nous qui allons enquêter sur ces crimes. La paroisse et la plupart des communes lui appartenant sont de notre ressort, sans compter que cette affaire s'annonce compliquée. Irene, Tommy et Fredrik, vous irez à Kullahult interroger le personnel et les voisins. Jonny et Hannu parleront avec les gens qui habitent près de la maison de campagne. Cela devrait aller vite là-bas, vous pourrez ensuite rejoindre les autres à Kullahult. Le porte-à-porte ne semble pas avoir donné grand-chose, mais vous ferez le point vous-mêmes avec vos collègues sur place. Rendez-vous tous ici à cinq heures. Pour ma part, dans une heure, je vais aller parler aux journalistes. Dès que j'en aurai terminé, je contacterai Georg… le proviseur de l'école où travaillait Jacob Schyttelius. Ensuite, ce ne serait pas une mauvaise idée de ressortir les rapports concernant le Meurtre pourpre et l'incendie de l'église près de Norssjön. Il faut aussi que j'essaie de joindre Yvonne Stridner.

Il ne put s'empêcher de pousser un profond soupir en prononçant ce nom. Les autres hochèrent la tête avec sympathie. Le chef de la médecine légale, le professeur Yvonne Stridner, avait un caractère bien trempé.

Chapitre 5

Les rafales de neige de la veille s'étaient transformées en une pluie glaciale et monotone. Le thermomètre avait grimpé jusqu'à sept degrés pendant la nuit, mais il eût été prématuré de se réjouir de cette chaleur printanière. Des voiles de brume pluvieuse flottaient sur le lac de Landvettersjön et effaçaient la frontière entre l'air et l'eau. Tout disparaissait dans un grand brouillard gris et humide.

La voiture de police banalisée bifurqua pour prendre la direction de Kullahult. Les rues étaient vraiment désertes. Comme si chaque chose et chacun se terraient à l'intérieur depuis qu'une tragédie avait touché la petite communauté. Après avoir fait le tour de la colline de l'église, ils trouvèrent enfin un panneau indiquant le foyer de la paroisse, une maison basse en briques jaunes et au toit plat, dans le style architectural en vogue vers la fin des années soixante.

Avant de partir, Irene avait appelé la paroisse de Kullahult, et la diaconesse Rut Börjesson avait répondu. Malgré le tremblement de sa voix – elle se retenait de pleurer –, elle avait parlé de manière claire et précise. Elle avait promis de rassembler tous les employés de la paroisse au foyer pour faciliter les démarches de la police. Irene l'avait informée qu'ils seraient trois inspecteurs, les interrogatoires seraient donc rapides. Il ne devait pas y avoir tant de personnes que cela employées au service de l'église. Aussi fut-elle étonnée, en entrant dans le foyer, de voir qu'une dizaine de personnes les attendaient.

Une femme menue portant des vêtements de deuil vint à leur rencontre. Ses cheveux gris, coupés au bol à la manière des pages, semblaient n'avoir jamais connu la coloration ou la permanente. Derrière les verres épais de ses lunettes, ses yeux rougis étaient baignés de larmes. La femme tendit à chacun des policiers une main glacée et déclina son identité, « Rut Börjesson, la diaconesse ». Puis elle leur présenta tour à tour chacun de ses collègues de travail.

La première était une femme de grande taille aux cheveux teints en châtain. Elle devait avoir la cinquantaine, mais sa silhouette était élancée, et elle avait gardé de jolis traits. « Bien conservée » était l'expression qui venait à l'esprit en la voyant. Rut Börjesson la présenta comme étant Louise Måårdh, la comptable de la paroisse.

– Avec deux « å », crut bon de préciser Louise en leur tendant la main avec un sourire.

Irene mesurait un mètre quatre-vingts avec des talons plats, mais Louise Måårdh faisait presque la même taille. Irene fut surprise de voir une femme qui aurait pu être un ancien mannequin travailler comme comptable dans le cadre d'une paroisse de campagne. Elle en eut l'explication quand un homme aux cheveux bruns et portant un habit de pasteur se présenta à elle sous le nom de Bengt Måårdh, pasteur de la paroisse de Ledkulla. Mais Louise Måårdh n'avait rien de la femme d'un pasteur. *Encore une fois, je suis victime de mes préjugés*, se dit Irene. Elle s'était imaginé la femme d'un pasteur comme une petite femme rondelette et joyeuse, sentant bon les petits gâteaux à la cannelle sortis du four, qu'elle devait offrir encore tièdes aux dames du club de couture de la paroisse.

En d'autres termes, Louise Måårdh donnait l'impression de passer plus de temps sur les terrains de golf que devant ses fourneaux.

Il en allait de même pour son époux. Il était grand et maigre, avec des traits bien dessinés, et ses cheveux sombres, où se mêlaient des fils d'argent, s'harmonisaient parfaitement avec sa peau bronzée. Un regard sur le teint de Louise Måårdh acheva de convaincre Irene que la famille Måårdh revenait de vacances et qu'ils avaient eu beau temps.

Bengt Måårdh avait un regard grave et triste. Il tint la main d'Irene entre les siennes et, un court instant, Irene crut qu'il allait lui présenter ses condoléances. Au lieu de cela, il murmura quelques mots pour dire à quel point il était inconcevable que M. et Mme Schyttelius ne soient plus parmi eux. Sans parler de leur fils… La voix du pasteur se brisa tandis qu'il secouait la tête, toujours sans lâcher la main d'Irene. Elle essayait de se dégager, quand il lâcha soudain sa main en bredouillant des excuses.

À côté de Bengt Måårdh, se trouvait Jonas Burman. Comme ils s'étaient déjà rencontrés, ils s'adressèrent un bref salut. Irene remarqua que le jeune pasteur avait l'air pâle, mais résolu.

À ses côtés, la petite femme au teint mat se nommait Rosa Marqués. Elle était encore jeune et parlait très bien le suédois, même si elle avait gardé un fort accent. La diaconesse expliqua qu'elle s'occupait du ménage à la fois au foyer et au presbytère.

Il y avait aussi un autre couple marié dans la pièce. Ils semblaient avoir la soixantaine et se présentèrent comme étant les sacristains, Siv et Örjan Svensson. Ils étaient les gardiens des paroisses de Kullahult et Ledkulla. L'homme était petit et mince, la femme petite elle aussi, mais ronde. *Ah, c'est donc elle, la femme aux petits gâteaux*, pensa Irene.

Un homme portant une chemise de flanelle à carreaux et une salopette s'avança énergiquement et se présenta :

– Stig Björk, le gardien du cimetière, dit-il en souriant.

Son sourire faisait plisser ses yeux bleus, et ses dents blanches illuminaient son visage marqué par le grand air. Il était évident qu'il passait le plus clair de son temps au-dehors. Quelques cheveux gris apparaissaient çà et là dans sa chevelure brune, et Irene lui donna la quarantaine. Il dut se rendre compte que son sourire était déplacé, car il pinça les lèvres en fixant nerveusement l'homme derrière lui.

Ce dernier, adossé contre le mur, apparut à présent en pleine lumière. Comme Bengt Måårdh, il portait une chemise noire avec un col blanc de pasteur, mais au-dessus de sa chemise, une veste noire ressemblant à un blazer. Il se présenta comme le pasteur Urban Berg de Bäckared.

Sa poignée de main était sèche et froide. Toute son attitude trahissait un parfait contrôle de soi, à la limite de la raideur. Ses cheveux blonds émaillés de gris étaient parfaitement peignés, avec une raie sur le côté. On pouvait deviner au sommet de son crâne une calvitie naissante. Bengt Määrdh et lui semblaient avoir le même âge.

Une seule personne, une femme, ne leur avait pas encore été présentée. Petite et délicate, il était difficile de lui donner un âge. Disons entre vingt-cinq et trente ans. Ses longs cheveux étaient relevés et maintenus par une barrette en cuir, ce qui dégageait les traits fins de son visage. Ses grands yeux d'un bleu violet étaient frangés de longs cils et son visage ne portait pas trace de maquillage. Vêtue d'une robe en lin bleu foncé avec des manches bouffantes, elle avait choisi des bottines noires pour aller avec. Le gardien du cimetière lui jeta un coup d'œil, et Irene comprit à ce regard qu'il était éperdu d'admiration. Et il n'était pas le seul. Même les yeux d'Urban Berg brillèrent quand il s'autorisa, brièvement, à considérer la jeune femme.

– Je m'appelle Eva Möller. Je suis chef de chœur et organiste, dit-elle d'une voix douce et mélodieuse.

Irene avait toujours cru qu'un chef de chœur était forcément aussi l'organiste, mais il faut croire que ce n'était pas le cas. Ce n'était pas le meilleur moment pour demander des explications.

L'homme corpulent assis près de la porte sur une chaise qui craquait s'appelait Nils Bertilsson et il était le gardien à mi-temps des paroisses de Bäckared et de Slättered. Engoncé dans un costume noir élimé, il essuyait souvent son front et son crâne dégarni avec un grand mouchoir. Quand il se leva pour la saluer, Irene se rendit compte qu'il était presque aussi grand qu'elle mais devait certainement peser le double, soit cent quarante kilos au bas mot.

Il revint à Irene d'interroger Rut Börjesson, le couple Määrdh et la femme de ménage, Rosa Marqués.

– Vous pouvez utiliser mon bureau, lui dit Louise Määrdh.

Elle ouvrit une porte-fenêtre donnant sur une agréable pièce de travail. Deux pots avec des narcisses étaient posés sur le rebord de la fenêtre encadrée de rideaux jaune d'or. Cette impression de printemps était accentuée par un bouquet de tulipes rouges sur la table. Il fallait bien ça pour contrer le mauvais temps : on aurait pu se croire en novembre. Sur le mur était accrochée une affiche de la comédie musicale *Les Misérables*, jouée à l'Opéra de Göteborg.

54

Irene décida de commencer par la diaconesse. Elle demanda à Rut Börjesson de bien vouloir la suivre dans le bureau. La femme vêtue de noir prit place dans un fauteuil qui semblait confortable et agrippa les accoudoirs.

Irene lui posa les questions de routine. Elle nota que la diaconesse avait cinquante-huit ans, qu'elle était mariée mais n'avait pas d'enfants et travaillait pour la paroisse de Kullahult depuis dix-sept ans.

– Avez-vous travaillé ici avant que le doyen Schyttelius n'y vienne ?

– Le pasteur, vous voulez dire. Sten Schyttelius s'est installé comme pasteur, il y a exactement vingt ans. C'est-à-dire trois ans avant moi.

Irene dut s'avouer qu'elle était un peu perdue dans cette terminologie d'église. Elle hasarda :

– Il est donc le doyen des autres pasteurs ?

– Oui. Ledkulla, Bäckared et Slättered ont chacun leur pasteur. Kullahult est la plus grande paroisse avec la plus grande église, de sorte que cette paroisse a toujours été réservée au doyen.

La diaconesse répondait posément aux questions mais se cramponnait tellement aux accoudoirs que ses articulations étaient blanches. Irene pouvait comprendre son émotion. Cette femme avait dû bien connaître le doyen, après avoir travaillé tant d'années auprès de lui. Irene décida de prendre l'interrogatoire par un autre bout :

– Je présume que vous connaissiez bien Elsa Schyttelius ?

– Oui. Nous avons passé pas mal de temps ensemble au cours de ces années.

– Quel genre de personne était-ce ?

L'incertitude se lut sur le visage de la diaconesse.

– Elle était très gentille… réservée. Très agréable et aimable quand elle était en bonne santé.

– Elle était donc normale quand elle était en bonne santé. Qu'avait-elle comme maladie ?

– C'était si pénible… Elle souffrait de dépressions à répétition. Apparemment, elle en avait déjà souffert dans sa jeunesse, et la maladie s'est aggravée quand elle a eu un enfant.

– Comment ça se passait quand elle était malade ?

– Quand elle était malade, elle se repliait sur elle-même. Elle ne voulait voir personne et n'avait aucune énergie pour faire quoi que ce soit. Elle passait simplement ses journées au lit.

– Connaissez-vous Jacob et Rebecka ?

– Bien sûr. Jacob avait deux ans et Rebecka venait d'entrer à l'école quand je suis arrivée. Des enfants adorables. Bien élevés. En apparence, Jacob était celui qui ressemblait le plus à sa mère, mais sa personnalité était sans doute davantage celle de son père. Alors que pour Rebecka, c'est le contraire.

– Elle souffre aussi de dépression ?

– Non, mais elle aussi est un peu réservée. Jacob est… était aussi ouvert et heureux de vivre que Sten. Et quelqu'un a maintenant… Sten, et Jacob, et Elsa…

Elle ne put se maîtriser plus longtemps et éclata en sanglots. Irene tenta de la calmer avant de lui demander :

– Vous sentez-vous capable de répondre encore à quelques questions ?

Rut Börjesson fit signe que oui et se moucha dans son Kleenex mouillé de larmes. D'une petite voix tremblante, elle répondit :

– J'aimerais tellement vous aider, si seulement je pouvais…

– Avez-vous le moindre soupçon quant à l'auteur de ces meurtres ?

La diaconesse sembla réfléchir tout en secouant la tête.

– Non, c'est incompréhensible !

– Est-ce que quelqu'un dans la famille Schyttelius aurait laissé entendre qu'il ou elle se sentait menacé ?

De nouveau, Rut Börjesson hésita un moment avant de répondre :

– Je me souviens seulement des paroles de Sven, l'été et l'automne dernier. Après que les satanistes ont brûlé la chapelle d'été à Norssjön, il a cherché à savoir qui était à l'origine de cette abomination. On pourrait dire que c'était devenu comme une obsession chez lui.

Elle marqua une pause pour sécher ses larmes et se moucher de nouveau. Irene vit que ses mains tremblaient.

– Un après-midi, j'avais des papiers importants à lui remettre, et comme Sten n'était pas venu au foyer j'ai dû me rendre au presbytère. Elsa m'a laissée entrer et je me souviens avoir pensé qu'elle devait être dans une de ses mauvaises passes. Toujours est-il qu'elle m'a montré du doigt le premier étage quand je lui ai demandé où se trouvait Sten. Elle m'a dit qu'il était dans son bureau derrière la salle de billard. En réalité…

Elle s'arrêta et jeta un regard inquiet vers Irene avant de poursuivre :

– En réalité, je ne savais pas qu'il avait aussi un bureau au premier étage. Il est vrai qu'en bas c'est une grande pièce un peu vieillotte. Quand j'ai frappé et tenté d'entrer, la porte était fermée à clé. Sten a crié « Une seconde ! » et il a déverrouillé la porte. Il m'a montré l'ordinateur en disant qu'il était sur la piste des satanistes. D'après ce que j'ai compris, il avait trouvé des choses sur Internet. Et il m'a dit qu'il devait se montrer très prudent pour ne pas éveiller leurs soupçons, car cela pouvait devenir dangereux.

– A-t-il dit ce qu'il entendait par « devenir dangereux » ?

– Non, juste que cela « pouvait devenir dangereux ». J'ai trouvé cela très inquiétant. Comment savoir ce qui peut leur passer par la tête, à ces cinglés ?

– Avez-vous eu l'impression que Sten Schyttelius avait peur de ces satanistes ?

De nouveau, Rut Börjesson parut hésiter.

– Peur ? Non, il a seulement dit qu'il devait être très prudent.

– Est-ce que l'ordinateur était allumé ?

– Oui. Je suis allée poser les documents qu'il devait signer sur le bureau et je me souviens qu'il y avait une image très belle sur l'écran : une foule de poissons multicolores qui nageaient entre des coraux.

Sten Schyttelius avait donc mis l'ordinateur en veille avant d'aller ouvrir à la diaconesse. L'information sur Internet était-elle vraiment dangereuse ? Irene devrait penser à demander à un spécialiste dans ce domaine.

– Savez-vous s'il a continué ses recherches pour retrouver les satanistes ?

– Oui. Jacob connaît… connaissait bien l'informatique et il était venu ici, il y a quelques mois, pour aider Sten…

– Excusez-moi de vous interrompre, mais ont-ils utilisé l'ordinateur ici, dans le foyer ? demanda Irene en montrant du doigt l'ordinateur de Louise Måårdh posé devant elles sur la table.

– Non. Ils se sont servis de l'ordinateur là-bas, au presbytère. Ce jour-là, j'avais été invitée à prendre le café dans l'après-midi. Elsa allait assez bien à ce moment-là et m'avait priée de venir. Quand je suis arrivée, Jacob était là aussi. Elsa a dit quelque chose, comme quoi ils avaient passé toute la matinée devant l'ordinateur, et Sten m'a déclaré que Jacob et lui étaient sur quelque chose d'important. J'ai demandé s'ils étaient sur la piste des satanistes, et Sten a fait oui de la tête.

– Il a fait oui de la tête ? Il n'a rien dit d'autre ?

– Non, mais Jacob et lui ont échangé un regard de... de conspirateurs.

De conspirateurs. Le père et le fils étaient donc sur la piste des satanistes qui avaient brûlé la chapelle. Selon Rut Börjesson, le doyen avait été obsédé par cette idée. S'étaient-ils approchés de trop près ? Même si le mode opératoire des meurtres n'était pas typique des satanistes, le symbole sur les écrans des ordinateurs et le crucifix retourné tête en bas indiquaient un lien. Sten et Jacob avaient recherché les incendiaires au moyen de l'ordinateur, ce qui pouvait expliquer la présence du pentagramme sur les écrans.

– Y avait-il beaucoup de monde au courant qu'ils cherchaient à retrouver les satanistes par Internet ? poursuivit Irene.

Rut Börjesson secoua la tête.

– Je ne pense pas. Juste après l'incendie, Sten a déclaré qu'il mettrait la main sur les coupables et les punirait. Mais avec le temps, il a eu d'autres chats à fouetter. J'ai même été surprise quand il m'a dit qu'il continuait à les rechercher.

– C'est donc tout à fait une coïncidence si vous l'avez appris, constata Irene.

– Oui.

Il y eut un silence, Irene réfléchissait. Elle décida de laisser momentanément les satanistes de côté et de prendre un autre angle d'approche.

– Quel genre de personne était Sten Schyttelius ? demanda-t-elle.

L'expression de tristesse disparut du visage de la diaconesse, qui s'éclaira tout d'un coup.

– Oh, c'était un homme profondément pieux et très bon. Il n'avait pas eu la vie facile pendant toutes ces années avec la maladie d'Elsa, et pourtant jamais il ne s'est plaint. Il s'est occupé des enfants et il a fait son travail. Il a toujours eu de l'aide pour le ménage, mais pour le reste il se débrouillait seul. Il appréciait la nourriture, il était même bon cuisinier et s'y connaissait en vins. Il aimait aussi chasser. Chaque année, il prenait quelques jours de congé pour aller à la chasse à l'élan.

– Et Jacob était comme son père ?

– Oui. Même s'il n'avait pas son talent pour la cuisine. En revanche, lui aussi était un bon chasseur. Il était très gentil et agréable. Et ces dernières années, tous les deux s'étaient engagés dans le Mouvement œcuménique des villages d'enfants de Suède. Surtout Sten, mais l'automne dernier Jacob a commencé à s'investir davantage.

– En quoi consistait au juste cet engagement ?

Une légère rougeur monta aux joues pâles de Rut Börjesson lorsqu'elle décrivit le travail absorbant du père et du fils Schyttelius.

– Ils participaient à des voyages humanitaires pour venir en aide aux enfants dans les pays d'Afrique touchés par la guerre et les catastrophes naturelles. Différentes associations chrétiennes en Suède ont créé des villages d'enfants pour orphelins. On en compte une dizaine dans le monde. Presque partout, le travail est fait par des volontaires, et tous deux, aussi bien Sten que Jacob, se sont beaucoup impliqués dans cette démarche. Les frais de transport ainsi que le couvert et le logis étaient payés par les diverses paroisses, mais leur travail n'était aucunement rémunéré.

– Est-ce que Rebecka a aussi aidé ?

– Non. Ça fait deux ans qu'elle vit à Londres où elle travaille comme consultante en informatique, je crois que c'est comme ça qu'on dit. À ma connaissance, elle ne participe pas activement à la vie de l'Église.

– Et Elsa Schyttelius, est-ce qu'elle s'est engagée dans les villages d'enfants ?

– Non. Elsa avait déjà bien assez à faire avec sa maladie.

Irene vit que Rut Börjesson était à bout de forces et décida de mettre un terme à son interrogatoire. Elle la raccompagna à la porte et pria la femme de ménage, Rosa Marqués, d'entrer.

De petite taille, Rosa était bien en chair. Ses cheveux de jais étaient rassemblés en une longue tresse qui lui descendait dans le dos. Son joli visage, dominé par une large bouche, paraissait sourire en permanence. Toutefois, en cet instant, ni sa bouche ni ses yeux foncés ne souriaient ; son visage exprimait seulement une indicible tristesse.

Elle s'assit sur le bord de la chaise en joignant ses mains sur les genoux. Irene commença par lui poser les questions habituelles concernant son identité. Rosa avait trente-huit ans, elle était mariée et mère de quatre enfants. Pendant les quatre années où elle était venue faire leur ménage une fois par semaine, elle n'avait guère eu de contacts avec les Schyttelius. Elle n'avait jamais rencontré leurs enfants, parce que tous les deux étaient des adultes ayant quitté la maison avant qu'elle commence à travailler au presbytère. Elle mentionna spontanément les périodes de maladie d'Elsa Schyttelius où celle-ci s'enfermait dans la chambre à coucher et où Rosa n'avait même pas le droit d'entrer pour faire le ménage.

– Est-ce que vous faites le ménage dans toute la maison chaque semaine ? demanda Irene.

– Non. Je nettoie seulement les grandes salles de réception du rez-de-chaussée. Quand c'est nécessaire, je fais aussi quelques pièces à l'étage.

– Comment savez-vous quand c'est nécessaire ?

– C'est le doyen qui me le dit.

– Avez-vous jamais fait le ménage dans le bureau au premier étage ?

Rosa leva les sourcils, tant la question la surprit.

– Le bureau au premier étage ?

– Sten Schyttelius dispose au premier étage d'une petite pièce avec un ordinateur. Elle se trouve derrière la salle de billard.

Rosa parut soucieuse et secoua résolument la tête :

– Non, je n'ai jamais fait le ménage dans cette pièce. La porte est toujours fermée à clé.

Quatre années durant, Rosa Marqués n'avait donc jamais fait le ménage dans la pièce avec l'ordinateur. Irene se rappela qu'il y avait une armoire forte dans la pièce. Il aurait été intéressant de savoir quel type d'armes le doyen gardait là. Était-ce pour cette raison que cette pièce restait fermée à clé ? Mais si, comme le stipulait la loi, l'armoire était verrouillée, à quoi bon fermer la porte ?

– Vous souvenez-vous d'avoir vu quelque chose d'accroché au mur de la chambre à coucher ?

– Oui, un crucifix. Une croix magnifique, répondit aussitôt Rosa.

– Il y avait donc un crucifix sur le mur ? répéta Irene.

– Oui. Je le regardais toujours quand je nettoyais la chambre. Il est si beau ! Mme Schyttelius dit qu'il est très ancien. Qu'il vient d'Italie.

– Quelle taille fait-il ? demanda Irene, par curiosité.

– À peu près comme ça, dit Rosa, en montrant presque un demi mètre en hauteur et quelques centimètres de moins en largeur.

– Et le Christ est en argent, ajouta-t-elle.

C'était ce vieux crucifix d'Italie qui avait été mis tête en bas durant les meurtres ou après. Cela n'avait-il rien à voir, ou était-ce un détail important ? Comment le savoir ? À moins que ce ne fût précisément l'intention de l'assassin ?

Du couple Måårdh, Louise, la comptable de la paroisse, fut la première à passer. Elle prit place dans le fauteuil en face d'Irene et esquissa un sourire :

– Je ne crois pas m'être jamais assise dans ce fauteuil.

– Oh, peu m'importe où je suis assise. Voulez-vous que nous échangions nos places ? s'empressa de dire Irene.

– Non, non ! Je voulais juste dire qu'on finit par ne plus prêter attention à ce qui nous entoure. Tiens, ce fauteuil est très confortable.

Louise Måårdh se cala bien au fond et croisa ses jambes minces l'une sur l'autre. Irene l'observa de l'autre côté du bureau. Le visage était sérieux et le regard triste, mais elle n'était pas aussi bouleversée que la diaconesse. Son ensemble noir strict à fines rayures, porté avec un chemisier blanc, convenait parfaitement à cette circonstance. Un collier de grosses perles rehaussait l'ensemble.

Cette femme assez séduisante était devenue la femme du pasteur d'une paroisse de campagne. Étrange.

Comme pour les autres, Irene commença par les questions de routine. Louise et Bengt Måårdh avaient deux fils, âgés de vingt-cinq et vingt ans. La famille vivait à Kullahult depuis presque dix ans, et pendant tout ce temps Bengt avait été pasteur dans la communauté de Ledkulla.

– Et vous avez été chargée de la comptabilité de la paroisse pendant toutes ces années ? s'enquit Irene.

– Oui. Avant cela, je m'occupais des finances d'une petite entreprise dans la ville où nous habitions. Mais quand nous sommes arrivés ici, le poste était vacant, et Sten m'a demandé si j'étais intéressée. Je me suis dit que je pouvais toujours essayer, et finalement j'y suis toujours.

– Je viens de penser à quelque chose. Si votre fils aîné a vingt-cinq ans, il doit connaître Rebecka Schyttelius ?

– Bien sûr. Ils étaient dans la même classe au collège.

– Est-ce qu'ils passaient beaucoup de temps ensemble ?

– Non, ils sont bien trop différents. Mon Per est un garçon extraverti, toujours entouré d'une bande d'amis, alors que Rebecka est plus réservée. Même au collège, elle préférait passer son temps devant son ordinateur.

Soudain, elle se leva.

– Attendez, je vais vous montrer.

Elle fit le tour de la table et ouvrit un tiroir. Deux épaisses enveloppes de couleur vive étaient posées sur le dessus.

– Ce sont des photos prises à Noël, il y a deux ans. J'ai fait développer la pellicule il y a un an, mais les tirages sont finalement restés ici, au bureau.

Elle passa rapidement les clichés en revue. À intervalles réguliers, elle en posait un sur le bureau. Quand elle en eut terminé avec les deux piles, il y avait une dizaine de photos sur la table.

– Rebecka n'est pas venue le Noël dernier. Une histoire de grippe, je crois. Mais le Noël précédent, elle était là. Nous avons pour tradition de nous réunir au foyer, les pasteurs et leurs familles, pour partager le petit déjeuner après la messe du matin de Noël. Naturellement, les autres membres du personnel sont les bienvenus s'ils veulent se joindre à nous. Mais mes deux fils ont préféré rester à la maison.

Tout en parlant, elle étala les photos dans un certain ordre. Une fois satisfaite du résultat, elle déclara :

– Sur les premières photos, vous avez la famille Schyttelius. Voici notre famille, et voici le reste du personnel.

Pour la première fois, Irene vit à quoi ressemblait la famille Schyttelius quand ils étaient encore en vie et « entiers ». Les trois membres de la famille qu'elle avait vus dans la réalité étaient morts, la tête explosée.

Sten Schyttelius souriait sur trois des quatre clichés. Sur le quatrième, il éclatait de rire et levait un verre d'eau-de-vie à la santé de Bengt Måårdh.

– Est-ce que la messe du matin est le seul service religieux le jour de Noël ? demanda Irene.

– Non. Après, il y a la grande messe et le service du soir. Pourquoi ça ?

– On voit Sten Schyttelius et votre mari prendre un verre d'aquavit le matin.

– Oh, c'est juste pour accompagner le hareng. Ne vous inquiétez pas, les effets sont dissipés à l'heure de la grande messe. Et le service est partagé entre les pasteurs et les différentes églises. Sinon, ça fait trop pour un seul officiant.

Sten Schyttelius avait été un homme grand et imposant. Sa main, qui serrait le pied du verre d'aquavit, ressemblait davantage à celle d'un travailleur manuel qu'à celle d'un homme d'église. Son visage dégageait une certaine puissance, avec son nez large et charnu. Son front s'était un peu dégarni, mais il avait les cheveux d'un gris acier toujours aussi épais, coupés en brosse. Son sourire était sincère et chaleureux. Sur la photo où il riait aux éclats, ses yeux en venaient presque à disparaître dans ses rides.

À côté du doyen, se tenait sa femme. Comme elle paraissait terne aux côtés de son mari si pétillant ! Une veste bleu foncé et un chemisier gris à haut col renforçaient cette impression. Ses fins cheveux gris étaient coupés court et tout plats. Irene trouva qu'elle avait quelque chose de Rut Börjesson, mais la diaconesse, au moins, respirait la vie, et ce n'était pas alors le cas d'Elsa Schyttelius… Sur l'une des photos, elle fixait l'objectif. Son regard était vide, ses traits figés. Avait-elle été malade ce Noël-là ?

Une jeune femme était assise à côté d'Elsa, sans doute Rebecka. Elle était grande, et le contraste faisait paraître Elsa encore plus petite et insignifiante. La ressemblance avec le père était frappante. Certes, Rebecka n'était pas aussi imposante que lui, mais elle avait sa solide ossature, selon l'expression de la mère d'Irene pour parler des personnes de grande taille et de forte carrure. Elle portait une veste marron clair sur un polo jaune. Ses cheveux épais, d'un beau brun, lui arrivaient aux épaules et tombaient en boucles souples. Autant qu'Irene pût en juger par la photo, elle ne portait pas de maquillage, mais son visage avait assez d'éclat pour mettre en valeur ses traits purs et bien marqués. En découvrant le visage de Rebecka, Irene ne put s'empêcher de penser à une actrice italienne ou grecque des années cinquante. Elle ne correspondait pas à l'idéal de beauté anorexique du XXIe siècle, mais c'était une belle femme.

— Elle paraît très grande, dit Irene en levant les yeux vers Louise Määrdh.

— Nous faisons la même taille. Un mètre soixante-dix-huit, fusa la réponse.

Louise sourit en voyant la surprise d'Irene qui n'en revenait pas d'une telle précision.

— Si je le sais, c'est qu'on en avait justement parlé pendant le petit déjeuner. Elle venait d'acheter cette jolie veste marron dans un magasin de Londres. Long Tall Sally, je me rappelle encore du nom. « C'est tellement difficile de trouver des vêtements à sa taille, tu en sais quelque chose », m'avait-elle dit.

Irene acquiesça. Elle connaissait bien le problème. La comptable de la paroisse posa un long index parfaitement manucuré sur l'une des photos et dit :

— Voilà Jacob assis à côté de mon Per. Et puisque nous parlions de taille, sachez que Jacob et Rebecka sont de la même taille tous les deux.

Jacob Schyttelius souriait face à l'appareil photo, et paraissait heureux et détendu. Il était blond, le corps élancé. Irene ne parvenait pas à voir la moindre ressemblance avec le père ou la sœur, en revanche on pouvait reconnaître certains traits de sa mère. La seule chose que les deux enfants eussent en commun, c'étaient les yeux marron et les sourcils bruns.

Sur les trois dernières photos, Irene vit les personnes qu'elle venait de rencontrer au Foyer, mais aussi un certain nombre d'autres qu'elle ne connaissait pas.

– Qui sont tous ces gens ? demanda-t-elle.

– Les employés de la paroisse. Le chargé de communication, la personne à l'accueil, les assistants, nos éducateurs, l'animateur, le responsable des jeunes et nos trois maîtres d'école, énuméra Louise en désignant rapidement chacun d'entre eux du doigt.

– Des éducateurs ? Un chargé de la communication ? Est-ce que vraiment tous ces gens sont employés par la paroisse ? s'étonna Irene.

– Nous avons une école primaire chrétienne et des activités pour adolescents qui marchent bien. La paroisse est un employeur important ici, pour la commune. Et c'est moi qui me débrouille pour qu'il y ait assez d'argent pour tout ça. Il faut aussi rénover les églises, les foyers de la paroisse, les presbytères et les autres habitations. Je suis chargée de payer toutes les factures et les salaires. En un mot, je m'occupe de toute la comptabilité.

Irene n'avait jamais imaginé l'église comme un employeur avec un fort impact économique, mais visiblement c'était le cas. Et Sten Schyttelius avait été le directeur et le responsable de cette paroisse ou de cette communauté, peu importent les termes. Elle enchaîna :

– Vous vous occupez donc des finances, mais le doyen Schyttelius dirigeait tout cela. Comment était-il en tant qu'employeur ?

Pour la première fois, Louise prit le temps de réfléchir avant de répondre. Elle finit par dire, d'un ton hésitant :

– Sten était une personne agréable, mais en tant qu'employeur il avait certains… mauvais côtés. Le fait est qu'il approchait de la retraite, ce qui explique son côté vieux jeu et un peu autoritaire. Il n'était pas toujours facile de travailler avec lui. Il pouvait, comme on dit vulgairement, « péter un câble » et s'emporter pour un rien. Il considérait les femmes comme des assistants personnels et non pas comme des collègues. Nous avons eu plusieurs conflits… La femme qui m'a précédée a préféré s'en aller. On a beaucoup parlé de harcèlement, mais cela n'a rien donné. Sans parler de ses polémiques avec les mandataires de l'Église ! Le nouveau porte-parole et Sten ne se sont jamais bien entendus.

Pendant que Louise parlait, une des deux enveloppes de photos glissa de ses genoux et tomba par terre. Les clichés s'éparpillèrent sur le sol, et Irene, qui s'était penchée pour les ramasser, tomba en arrêt devant la première photo.

Au fond sur la gauche, Sten Schyttelius levait un grand verre d'alcool. Au centre, Bengt Måårdh, assis, tournait à moitié le dos au doyen. Il avait passé un bras autour des épaules d'Eva Möller, la chef de chœur, et lui murmurait quelque chose à l'oreille. Celle-ci, dans une robe rouge avec une encolure carrée rehaussée de broderies, était resplendissante et souriait à ce qu'il lui disait. D'après ce qu'Irene pouvait voir, le doyen semblait en profiter pour jeter un coup d'œil dans le décolleté de la jeune femme.

Louise Måårdh vit qu'Irene avait aperçu la photo de son mari avec la belle Eva Möller, mais elle se tut et tendit la main pour prendre les photos qu'Irene avait ramassées.

– Merci, dit-elle d'une voix blanche.

– Savez-vous si ce membre de la famille Schyttelius se sentait menacé ? demanda-t-elle.

Louise secoua sa chevelure auburn.

– Non, je n'en ai eu aucun écho.

– Est-ce qu'il arrivait à Sten Schyttelius de parler des satanistes ?

– Oui. Après que la chapelle d'été a brûlé. Ça l'avait révolté !

– Est-ce qu'il a parlé des satanistes, ces derniers temps ?

– Non, pas autant que je me souvienne. C'était seulement dans les mois qui ont suivi l'incendie.

– Étiez-vous au courant qu'il essayait de retrouver la trace des satanistes sur Internet ?

– Sur Internet ? Non, je n'étais pas au courant, dit Louise avec une surprise non feinte.

– Eh bien, ce sera tout pour aujourd'hui. Pouvez-vous dire à votre mari d'entrer, s'il vous plaît ?

Le visage de Bengt Måårdh était troublé quand il prit place dans le fauteuil de visiteur du bureau de son épouse. Il joignit les mains et posa ses avant-bras sur les accoudoirs en regardant Irene d'un air grave. Irene eut de nouveau l'impression que ce pasteur était venu pour la consoler, comme si c'était elle qui avait besoin d'être soutenue. Cette impression absurde étant forte pourtant – peut-être à cause de ses yeux marron pleins de compassion derrière ses lunettes sans monture.

Puis elle se rendit compte qu'elle était simplement exposée à un réflexe professionnel. C'était la pose que Bengt Måårdh avait appris à prendre dans les cas de deuil. Il étalait sa compassion. Cela marchait probablement avec qui en avait besoin, surtout avec les femmes. D'ailleurs, qui n'a pas besoin de compassion aujourd'hui ? Notre besoin de consolation n'est-il pas impossible à rassasier ?...

Elle rassembla ses esprits quand le pasteur lui dit à voix basse :

– Je suis prêt à répondre à vos questions. Si jamais je peux vous être utile pour arrêter le meurtrier de Sten et d'Elsa, je ferai de mon mieux pour vous aider.

Il appuya son dos contre le dossier en gardant ses mains jointes.

– Vous est-il arrivé d'entendre une des trois victimes des meurtres dire qu'il ou elle se sentait menacé ? commença Irene.

– Non, jamais. Qui aurait voulu les menacer ? C'étaient les personnes les plus gentilles du monde et...

– Sten Schyttelius vous a-t-il parlé des satanistes ? l'interrompit Irene.

– Juste après l'incendie, il a beaucoup parlé d'eux. Il s'emportait facilement, ce bon vieux Sten, mais il n'était pas rancunier. En revanche, il en voulait énormément aux satanistes et à leurs adeptes. Et pardonnez-moi, mais il trouvait que la police ne s'était pas vraiment donné les moyens d'arrêter les coupables. Il laissait parfois sous-entendre qu'il avait l'intention de les pourchasser lui-même.

En prononçant cette phrase, Bengt Måårdh eut un léger sourire sur les lèvres.

– Parlait-il, ces derniers mois, de pourchasser les satanistes ?

Sa surprise parut réelle.

– Non, pas du tout ! C'était l'été et l'automne dernier, c'est-à-dire juste après l'incendie. Ces six derniers mois, je ne l'ai plus entendu parler des satanistes. Sten avait d'autres grands projets qui lui prenaient tout son temps. Il était très engagé dans le Mouvement œcuménique des villages d'enfants en Suède.

Cela lui tenait très à cœur, et il comptait s'impliquer davantage encore après la retraite.

– J'ai cru comprendre que Jacob s'impliquait aussi dans ce travail.

– Oui. Il a découvert ce projet à travers Sten, et ils sont partis ensemble l'automne dernier. Sten n'était plus tout jeune, aussi était-ce une bonne chose d'avoir son fils à ses côtés.

– Jacob a pu partir en plein trimestre ?

Pour la première fois, le pasteur parut hésiter.

– Il ne faisait pas cours, cet automne. Je ne sais pas s'il était en congé maladie. Comme vous le savez probablement, il venait de divorcer, cet été-là.

Voilà qui était nouveau pour Irene, mais elle se contenta d'acquiescer.

– Jacob et sa femme vivaient quelque part dans le Norrland. Elle aussi est professeur.

– Ont-ils des enfants ?

– Non. Ils n'ont pas été mariés très longtemps.

– Est-ce à cause de son divorce qu'il est revenu s'installer ici ?

– Oui. Il n'avait aucune racine dans la région du Nord. Toute sa famille habite ici.

– Est-ce qu'il a emménagé dans la maison de campagne, à Norssjön, dès l'automne ?

– Oui. Jacob n'était pas du genre à être à la charge de ses parents. Surtout compte tenu d'Elsa et de sa maladie. Je ne sais pas si on vous l'a déjà dit, mais Elsa souffrait malheureusement de dépression.

– Oui, je suis au courant. Quel genre de personne était Elsa Schyttelius ?

On eut d'abord dit que Bengt Määrdh n'avait pas compris la question, mais au bout d'un moment il plissa le front et prit un air pensif.

– Eh bien… Elle était gentille et ne faisait pas de bruit, alors que Sten était plutôt du genre fêtard. Elsa, c'était tout le contraire, elle avait ça en horreur. Elle était bien obligée de participer de temps en temps, mais elle n'ouvrait pas la bouche.

– Elle ne parlait jamais ?

– Si, bien sûr, mais elle était taciturne.

Soudain, il se pencha vers Irene et la regarda droit dans les yeux. Sa voix et son regard trahissaient une inquiétude sincère quand il demanda :

– Avez-vous réussi à joindre Rebecka ?

– Oui, la police anglaise et un pasteur de l'Église suédoise l'ont informée de ce qui est arrivé. Ils ont mis un peu de temps à la localiser, car elle venait de déménager.

– C'est vrai. Sten avait dit qu'elle allait déménager. C'était à l'automne, je crois.

– Est-ce que vous vous souvenez d'autre chose ?

– Il m'a dit que l'entreprise marchait bien. Rebecka travaille dans une boîte d'informatique qui effectue des missions auprès de divers clients. Je ne m'y connais pas en informatique, mais j'ai cru comprendre ça. Il a précisé que son nouvel appartement était grand pour être au centre-ville de Londres. Elle était très heureuse d'avoir pu le trouver.

– Ça doit être très cher.

– Certainement. Mais il semblerait que l'argent ne soit pas un problème dans ce milieu. Ça fait plaisir de voir qu'elle réussit si bien.

– Vous connaissez Rebecka depuis dix ans. Vous vous attendiez à ce qu'elle réussisse aussi vite dans sa branche ?

– Honnêtement, non. C'était une bonne élève, mais elle restait dans son coin. Physiquement, elle était plutôt jolie fille, mais elle était, comment dire, sérieuse. Distante. Pendant ses années de lycée, elle a dû être très seule. Mais quand elle est partie à Linköping – ou Lidköping, je confonds toujours les deux –, bref, quand elle a quitté la maison et a commencé à travailler dans l'informatique, c'est comme si elle se détendait enfin. J'ai trouvé qu'elle s'était épanouie. On se rencontrait seulement pour les petits déjeuners de Noël, mais j'ai vu à quel point elle avait changé, ces dernières années.

– Comment ça, changé ?

– Elle avait l'air plus heureuse, plus ouverte. Même son apparence extérieure avait changé… je veux dire ses vêtements, enfin ce genre de détails. Elle parlait de ses amis, et Elsa a raconté à Louise que Rebecka avait un petit ami. Mais ça s'est terminé, je crois, quand elle est partie s'installer à Londres. C'est peut-être pour ça qu'elle a déménagé ? Je sais que Sten et Elsa ne l'ont jamais rencontré.

– Comment le savez-vous ?

Bengt, étonné par cette question, haussa un sourcil.

– J'ai demandé à Elsa, naturellement. Elle m'a dit que ni elle ni son mari n'avaient rencontré ce garçon. Et puis un jour, elle m'a annoncé que c'était terminé entre eux. Quelques mois plus tard, Rebecka est partie à Londres. On a bien sûr raconté qu'elle devait avoir un nouvel ami à Londres. Selon Louise, il aurait été ici, à Kullahult, l'été dernier, mais je ne sais pas si c'est vrai.

– Est-ce que Louise l'a rencontré ?

– Non. C'est juste quelque chose qu'elle a entendu dire. Le mieux, c'est que vous le lui demandiez vous-même.

Irene acquiesça et allait lui poser d'autres questions, quand une pensée lui traversa l'esprit.

– Savez-vous si Rebecka a aidé son père à retrouver la trace des satanistes sur Internet ?

Bengt Måårdh la regarda, étonné.

– J'avoue que je n'en ai pas la moindre idée ! Sten faisait toutes sortes de recherches pour mettre la main sur les coupables, mais je ne l'ai jamais entendu dire qu'il allait les retrouver à l'aide d'Internet.

Mais d'autres l'ont entendu le dire, pensa Irene. Si Rebecka était d'une manière ou d'une autre impliquée dans ces recherches sur Internet, elle avait pu les mettre sur une piste. Était-elle menacée, elle aussi ? À ce stade de l'enquête, ce n'était pas à exclure. Par chance, la police anglaise avait promis de la faire surveiller. C'était un réconfort.

Irene décida de changer de sujet.

– Qui deviendra le nouveau doyen ici, à la suite de Sten Schyttelius ?

– Le poste a été déclaré vacant depuis quelques semaines, étant donné que Sten allait prendre sa retraite, et Urban Berg et moi-même avons postulé. Bien sûr, nous ne sommes pas les seuls, mais ce sera certainement l'un de nous deux. Nous avons l'âge et les compétences requises. Encore qu'Urban ait un problème qui pourrait lui coûter le poste.

– Quel problème ? demanda évidemment Irene, dont la curiosité avait été titillée.

– Des problèmes d'alcool, malheureusement. Il s'est déjà fait arrêter deux fois pour conduite en état d'ivresse. C'est tragique, bien sûr. Urban a perdu sa femme il y a quelques années, et depuis sa consommation d'alcool a progressé de façon inquiétante.

Le visage de Bengt Måårdh exprimait gravité et compassion quand il parlait des problèmes de son collègue, mais Irene perçut aussi une certaine joie non dissimulée. Si la liste des mérites d'Urban se trouvait ainsi passablement entachée, les chances de Bengt d'obtenir le poste s'en voyaient augmentées. Et Louise deviendrait la femme du doyen. Apparemment, c'était mieux que simple femme de pasteur.

– Jonas Burman n'a pas sollicité le poste ? demanda Irene, histoire de ne pas laisser retomber la conversation.

Bengt sourit, et Irene put constater qu'il avait un sourire charmant.

– Oh, Jonas est bien trop jeune pour prétendre à un poste de doyen. Et…

Il s'arrêta une seconde avant de poursuivre :

– Ce ne sont que des spéculations… Mais Jonas a trente et un ans et n'a pas, semble-t-il, de femme dans sa vie. Certains murmurent qu'il serait homosexuel, mais je ne le crois pas. Honnêtement, je pense qu'il est seulement prude et moralisateur. Qui plus est, il est membre du synode.

Pendant une seconde, Irene se demanda si le synode avait quelque chose à voir avec le satanisme, mais elle se rendit compte qu'elle se fourvoyait.

– Qu'est-ce que le synode ? hasarda-t-elle en ravalant sa fierté.

Bengt Måårdh ne parut pas surpris outre mesure par ses lacunes et répondit avec un sourire bienveillant :

– C'est un groupe de pasteurs au sein de l'Église suédoise qui se considèrent plus orthodoxes que nous. Ils sont surtout connus pour leur opposition catégorique vis-à-vis des femmes pasteurs.

– Vous-même, êtes-vous contre les femmes pasteurs ?

– Non.

– Est-ce que Sten Schyttelius l'était ?

– Euh… pas directement. Mais il préférait avoir des collègues masculins. Il avait des idées un peu vieillottes concernant le rôle des femmes au sein de l'Église….

– Il ne faisait donc pas partie du synode ?

– Non.

– Quelle aurait été l'attitude de Sten Schyttelius s'il s'était révélé que Jonas Burman était réellement homosexuel ?

De nouveau, Bengt dut réfléchir un moment avant de répondre :

– Il ne l'aurait pas toléré. Il avait des idées bien arrêtées quant à l'homosexualité. Cela relevait pour lui de l'inacceptable. Nous avions eu une discussion à ce sujet, l'an dernier. Après avoir passé un contrat de concubinage, deux femmes voulaient recevoir la bénédiction du pasteur de Kullahult, mais pour Sten, pas question. Il déclara très clairement que toutes les formes d'homosexualité sont un crime envers Dieu. Le Seigneur a créé l'homme et la femme pour qu'ils soient la joie l'un de l'autre et qu'ils veillent sur leurs enfants.

En entendant la voix du pasteur, Irene comprit qu'il partageait le point de vue du doyen. Elle décida de laisser ce sujet de côté pour l'instant.

– J'ai entendu dire que Sten et Jacob Schyttelius étaient des chasseurs. Vous vous intéressez aussi à la chasse ?

– Non.

– Est-ce que d'autres pasteurs aiment chasser ?

– Pas à ma connaissance, je suis presque sûr qu'aucun des autres ne s'y intéresse.

N'ayant pas d'autres questions à lui poser, Irene remercia Bengt Määrdh pour son aide. Il se leva et lui serra la main. C'était une poignée de main franche et forte. Il lui souhaita bonne chance pour son enquête et réitéra son espoir qu'on mette la main sur cet abominable meurtrier.

Les trois policiers dénichèrent une pizzeria en face du magasin Konsum. Il y avait le choix entre quatre tables à l'extérieur, puisque la plupart des autres clients préféraient emporter leurs pizzas pour les manger ailleurs. Ils prirent la table la plus éloignée du comptoir, non par crainte que le pizzaiolo entende leur conversation, mais uniquement pour être en mesure de parler tranquillement. Derrière le comptoir, le personnel avait en effet installé une grosse chaîne hi-fi couverte de farine qui crachait à plein volume de la variété turque.

Comme il était plus de deux heures de l'après-midi et qu'ils mouraient de faim, ils mangèrent leur pizza avec bon appétit et en silence. Le flot des clients avait beau s'être calmé après le coup de feu du déjeuner, le volume sonore de la chaîne restait inchangé.

Irene se rapprocha de la petite table en veillant à ne pas mettre les coudes dans les restes de pizza. Tommy et Fredrik aussi se penchèrent en avant pour avoir une chance d'entendre ce qu'elle avait à leur dire.

– L'image que j'ai obtenue de la victime est assez univoque. Sten Schyttelius était un homme plein de joie de vivre, tourné vers les autres et plutôt fêtard. Tout comme son fils, il s'intéressait à la chasse. C'est lui qui s'occupait de la famille pendant les périodes dépressives d'Elsa Schyttelius. En tant qu'employeur, c'était un être autoritaire et vieux jeu qui avait du mal à accepter la parité entre hommes et femmes. Mais comme il allait prendre sa retraite cet été, ça peut se comprendre. D'ailleurs, Bengt Måårdh m'a dit qu'Urban Berg et lui-même avaient posé leur candidature pour occuper le poste de Sten Schyttelius. Et Bengt m'a rapporté qu'Urban avait un problème d'alcool. Il se serait fait arrêter deux fois pour conduite en état d'ivresse.

Tommy eut un large sourire.

– Je vois que les commérages vont bon train ! De son côté, Urban Berg m'a raconté que Bengt Måårdh était un coureur de jupons notoire. Selon Urban, il ne peut pas laisser une femme tranquille.

– Et selon Måårdh, on soupçonne Jonas Burman d'être homo. Sten Schyttelius n'aurait jamais toléré ça, étant donné qu'il s'opposait à ce que la communauté de l'Église accueille des homosexuels. Et Jonas fait partie du synode, ajouta Irene.

– Tu es sûre qu'il ne s'agit pas d'un cercle de couture ? dit Fredrik en riant.

– On dirait que tu ne sais pas non plus ce que c'est. J'ai posé la question. Bengt Måårdh m'a appris qu'il s'agit d'une assem-blée de pasteurs qui se considèrent plus religieux que d'autres.

Plus orthodoxes, a-t-il dit, je crois. En tout cas, ils sont contre les femmes pasteurs.

– Ah, les demeurés ! s'écria Tommy en levant les yeux au ciel.

– Tiens, tu es féministe ! Depuis quand ? Bon, continuons. Elsa Schyttelius semble n'avoir été qu'une ombre derrière son mari. Cela s'explique naturellement par ses dépressions. Il sera intéressant de voir ce que Hannu a trouvé à propos du couple Schyttelius, et s'ils ont encore de la famille ici avec qui nous pourrions parler.

– À propos de famille, ce Jacob avait l'air d'être un garçon gentil, mais personne ne l'a vraiment connu. Depuis son retour à Göteborg après son divorce, il fréquentait surtout ses parents. On aurait pu penser qu'il aurait voulu sortir et se donner un peu de bon temps, puisqu'il était libre comme l'air, s'étonna Fredrik le célibataire.

– C'est peut-être ce qu'il a fait. Avant le divorce, dit Irene sèchement.

– C'est possible. Il faudrait interroger son ex-femme, dit Tommy.

– Et Rebecka, ajouta Irene.

– Exactement. Mais ce ne sera pas facile. Nous ne pouvons pas la faire venir ici avant d'en savoir davantage sur les raisons de ces meurtres, et si elle vient il faudra la mettre sous protection, dit Tommy avec sérieux.

Ses deux collègues acquiescèrent. Irene poursuivit :

– J'ai demandé à Louise de me parler de la rumeur selon laquelle Rebecka aurait un petit ami à Londres qui l'aurait accompagnée l'été dernier à Kullahult. D'après elle, ce n'était qu'une rumeur. Personne n'a rencontré ce garçon. Quelqu'un aurait aperçu Rebecka près du presbytère en compagnie d'un homme, mais personne n'a pu le confirmer. Et Rebecka est venue seule pour Noël dernier.

– Il faut vraiment que quelqu'un aille lui parler. Elle sait peut-être, consciemment ou non, quelque chose qui pourrait nous mettre sur la voie, renchérit Tommy.

– Si l'on se réfère aux pentagrammes et au crucifix renversé, le satanisme peut être à l'origine de ces meurtres. La diaconesse a entendu Sten Schyttelius dire il y a quelques mois qu'il continuait à rechercher les satanistes sur Internet et que cela pouvait être dangereux, dit Irene.

– Dangereux ? Au fond, peut-être. Un ordinateur laisse toujours des traces électroniques. Il y a quelques années, on ne pouvait pas les suivre, mais aujourd'hui on le peut, dit Fredrik.

– Est-ce que c'est simple ? demanda Irene.

– Je ne crois pas. Mais certains spécialistes et des hackers peuvent le faire.

Il y eut un moment de silence. Puis Irene finit par dire :

– Il y a un truc bizarre. La diaconesse est la seule à avoir entendu le doyen parler récemment des satanistes. Et c'est uniquement par hasard qu'elle l'a appris. Les autres ont dit que Sten Schyttelius avait parlé d'eux seulement dans les mois qui ont suivi l'incendie.

– J'ai parlé avec Eva, qui se trouve être la chef de chœur. Elle a dit de Sten Schyttelius qu'il avait des abîmes en lui. Est-ce qu'elle pensait, en disant ça, au fait qu'il menait une enquête en secret ? se demanda Tommy.

Comme aucun des deux autres n'avait de réponse, ils se contentèrent de hausser les épaules.

– Et si nous retournions au presbytère avant de partir ? Les techniciens doivent avoir terminé leur travail, dit Irene.

Ils se levèrent de table et se dirigèrent vers la voiture.

– Je veux d'abord aller à la bibliothèque au rez-de-chaussée, dit Irene.

Ils entrèrent dans la grande pièce aux murs couverts d'étagères de livres. L'odeur de renfermé était telle que Fredrik éternua. Irene resta là un instant à humer l'air ambiant. Puis elle en fut sûre et dit à voix haute :

– On ne dirait pas que quelqu'un a travaillé récemment dans cette pièce. Ici, c'est un vrai musée. Sten Schyttelius devait se servir uniquement de son bureau à l'étage.

Ils se rendirent dans le hall et montèrent l'escalier. Svante Malm sortit de la chambre à coucher.

– Vous pouvez attendre dix minutes ? leur demanda-t-il avant de disparaître dans la pièce sans attendre leur réponse.

– Pas de problème, répondit Tommy dans le vide.

La salle de billard était comme ils l'avaient vue la première fois. Dans un mouvement inconscient, Irene se baissa quand elle passa sous les têtes des animaux empaillés. Il lui semblait que leurs yeux de verre lui adressaient un regard accusateur.

Fredrik s'arrêta près du chariot bar bien garni de bouteilles d'alcool.

– Ce n'était pas un certain Urban qui avait un problème d'alcool ? dit-il avec un sourire moqueur.

– Si ce bar avait été celui d'Urban, les bouteilles auraient probablement été vides. Encore faut-il que ce que Bengt Måårdh nous a raconté soit vrai, répondit Irene.

Ils entrèrent dans le bureau. Plus rien sur la table. L'ordinateur avait été enlevé, laissant une trace dans la poussière. Les portes de l'armoire forte étaient grandes ouvertes, et Irene vit, à présent qu'elle était vide, qu'il y avait de la place pour neuf armes.

– Est-ce que l'armoire était remplie ?

– Je ne sais pas. Il faudra demander à Svante, dit Tommy avant de quitter la pièce.

Il y avait quelques livres, des Bibles, et des piles de journaux intitulés *Notre Église* et *Nouvelles de l'association de l'Église de Kullahult*, du papier, des timbres, une perforeuse et autre petit matériel de bureau sur les étagères, ainsi qu'une boîte marquée « Les Villages d'enfants de Suède ». Irene commença à feuilleter les journaux, mais elle fut interrompue par le retour de Tommy.

– Ils ont trouvé cinq fusils et un lot de munitions dans l'armoire forte, et ils ont tout confié au laboratoire. L'armoire contenait à l'origine six fusils, dont l'arme du crime. Détail intéressant : l'armoire n'était pas fermée à clé quand les techniciens l'ont trouvée, et la clé était dans la serrure. Exactement comme pour la porte d'entrée, dit-il.

– Les fusils n'étaient-ils pas déchargés ? demanda Irene.

– Ce n'est pas nécessaire si les armes sont entreposées dans une armoire sécurisée et fermée, ce qui est le cas ici, sauf qu'elle n'était pas fermée à clé.

– Le meurtrier devait savoir où se trouvaient toutes les clés, pensa Irene tout haut.

– Ou bien les Schyttelius ont gardé leurs clés à un endroit facile à trouver. Rappelle-toi la clé sous le pot de fleur à la maison de campagne, dit Tommy.

Irene acquiesça et continua à fouiller dans la boîte qui contenait des brochures d'information sur les différents villages. Dans ces villages, les enfants orphelins recevaient le couvert, le logis et une forme de scolarité, *avec en prime, bien sûr, une bonne dose d'éducation religieuse suédoise à l'ancienne*, se dit Irene en contemplant la photo d'un groupe d'enfants noirs, têtes baissées et mains jointes devant un autel. Le jeune pasteur blond faisait de la main un geste de bénédiction. Son regard était dirigé vers un point au-dessus de la tête des enfants. La légende sous la photo disait : « Les enfants sont très réceptifs et acceptent avec reconnaissance la parole de Dieu. »

Les bâtiments y étaient décrits comme simples mais bien entretenus. Les enfants recevaient de la nourriture, des soins, l'accès à l'éducation, le tout étant financé par diverses associations caritatives. Le personnel était entièrement bénévole.

Irene réfléchit. Le père et le fils, tous deux, s'étaient engagés dans cette louable activité. Pourquoi deux personnes aussi méritantes et idéalistes avaient-elles été assassinées sans pitié ? Sans parler de la timide épouse et mère qui paraissait bien incapable de faire du mal à qui que ce soit ?

– On en a fini avec la chambre à coucher ! cria Svante par la porte de la salle de billard.

Irene remit les brochures dans la boîte et la reposa sur l'étagère. Avant de quitter la pièce, elle se retourna sur le pas de la porte pour la considérer dans son ensemble. Le lieu avait beaucoup servi mais restait impersonnel, excepté les oiseaux empaillés sur le mur. Aucun tableau, aucune photo, rien d'autre comme décoration. Même la chambre était assez impersonnelle, voire spartiate, remarqua-t-elle. C'était une pièce spacieuse dominée par un lit à deux places et une table de nuit de chaque côté. Deux chaises en bois, un valet de nuit et un tapis élimé, dans les tons bleu pâle et beige, complétaient le mobilier. Ici non plus, ni tableaux ni photos au mur.

Toute la literie, matelas y compris, avait été retirée du cadre, mais il subsistait de grandes taches de sang sur le papier peint au-dessus de la tête du lit. Entre les deux fenêtres, le crucifix était resté à l'envers. La croix était en bois noir, et le Christ en argent. Les bras écartés et la tête pendante, Jésus avait plus que jamais l'air d'être dans une situation désespérée.

Comme s'il avait lu dans ses pensées, Tommy dit :

– Je ne sais pas pourquoi, mais j'ai une furieuse envie de le remettre dans le bon sens

Irene l'approuva, mais ils laissèrent le crucifix tel qu'il était.

– Les satanistes veulent nous effrayer en utilisant le symbole de l'Église chrétienne.

– Je ne crois pas que ce soit tout à fait la vérité. Ils ont leurs propres symboles. Où utilise-t-on les pentagrammes dans l'Église chrétienne ? Les symboles n'ont que le pouvoir et la force qu'on veut bien leur accorder. L'image de Jésus crucifié, le symbole le plus fort pour les chrétiens, exerce naturellement le pouvoir le plus fort. Mais un hindou qui verrait une croix dans l'autre sens n'aurait probablement aucune réaction.

– Je ne suis pas particulièrement croyante, avoua Irene d'un ton mal assuré, et je ne vais presque jamais à l'église. Les jumelles n'ont pas voulu faire leur confirmation, alors elles ne l'ont pas faite. Mais tu as raison. J'éprouve moi aussi un... malaise.

– Précisément. Alors, tu comprends pourquoi les satanistes détournent des signes religieux dans leurs rituels et les mettent tête en bas. Leur but est sans doute de ridiculiser les rituels et les symboles chrétiens. Oser dégrader et se moquer du symbole le plus sacré est une façon de nous dire : « On n'en a rien à foutre de votre société et de l'Église ! ». Mais c'est aussi une manière de s'approprier le pouvoir des symboles qu'ils tournent en dérision.

Quand Irene regarda la croix, elle fut involontairement parcourue par un frisson.

Chapitre 6

Lors de la réunion en fin de journée, le commissaire Andersson paraissait fatigué. Irene s'inquiéta de voir les poches sous les yeux et les rides de son chef s'être creusées en quelques heures. Il faut dire qu'il approchait de l'âge de la retraite.

– La presse m'a harcelé, je ne peux pas mettre le pied hors du commissariat. J'ai prié les opérateurs de filtrer tous les appels venant des médias. Et dire que nous n'avons toujours pas d'informations concernant les pentagrammes et ces foutaises sataniques !

Il but un peu de café chaud dans son mug qui portait l'inscription *I'm the boss*. Il l'avait reçu en cadeau le Noël précédent et, comme un enfant, s'y était attaché.

– J'ai reparlé à Georg, poursuivit-il.

Tout d'abord, Irene ne se souvint plus de qui il parlait. Puis il lui revint qu'il s'agissait de Georg Andersson, le cousin du commissaire, celui qui avait été le directeur de Jacob Schyttelius.

– D'après Georg, Jacob Schyttelius était un bon professeur, apprécié de tous. Il enseignait l'informatique et l'éducation physique ainsi que… ah, c'était quoi déjà ?

Andersson se mit à farfouiller dans la pile de documents posée devant lui et finit par sortir un carnet tout tordu. Son visage fatigué s'éclaira quand il l'ouvrit :

– Voilà ! Informatique, éducation physique et… maths, du CP à la sixième. Il y a quand même une sacrée différence entre un élève de CP et un de sixième ! De mon temps…

Il s'arrêta et consulta de nouveau son carnet.

– Il a débuté comme remplaçant à la fin du semestre d'automne dernier et il a obtenu le poste à plein temps au printemps. Tous les rapports sur lui sont bons, et Georg m'a dit qu'il était très content de Jacob. L'école est une institution libre avec un profil œcuménique, c'est pourquoi le contexte familial de Jacob a été un atout. Georg connaissait ses parents depuis de nombreuses années.

– Qu'est-ce que ça veut dire « un profil œcuménique » ? voulut savoir Fredrik.

– Euh… j'ai moi-même posé cette question. C'est une école qui accepte les chrétiens, toutes origines confondues. Georg m'a dit qu'il y avait par exemple des chrétiens de Syrie et des Russes pentecôtistes.

Irene demanda à prendre la parole.

– Si nous sommes allés à Norssjön mardi, vous et moi, c'est parce que votre cousin s'inquiétait de l'absence de Jacob. Il n'était pas venu faire cours et ne répondait pas au téléphone. Mais vous m'avez aussi dit, je m'en souviens, que le proviseur pensait que Jacob était peut-être déprimé. Qu'est-ce qui lui a fait penser cela ?

– Jacob a été en congé maladie cet automne pour dépression. Sans doute à cause de son divorce, répondit Andersson.

Un divorce pouvait fort bien provoquer une dépression, surtout compte tenu de son bagage génétique.

– Mais au bout de six mois, il a recommencé à travailler. Pourquoi sa dépression serait-elle revenue ? insista Irene.

Le visage du commissaire s'empourpra, et un certain agacement était perceptible dans sa voix :

– Je ne suis pas psy, mais je ne vois pas pourquoi on ne pourrait pas retomber dans un état dépressif sans qu'il y ait forcément une raison particulière.

Irene hocha la tête. Au fond, il avait peut-être raison, qui sait ?

Le commissaire lut son carnet d'un air sombre.

– Notre pathologiste m'a appelé tout à l'heure. Jacob Schyttelius a été d'abord abattu d'une balle dans la poitrine, près du cœur, qui a été tirée à quelques mètres de distance. La seconde balle a traversé son cerveau et a été tirée à bout portant, alors qu'il était déjà allongé par terre. On a retrouvé la balle fichée dans le carrelage. Chaque tir était mortel. Le doyen et sa femme ont été abattus d'une balle entre les yeux. Les tirs ont été mortels, car on a utilisé des balles de gros calibre qui font beaucoup de dégâts. Ces dernières ont été envoyées au labo, mais Stridner pense qu'elles sont du même calibre. On attend juste le résultat des analyses balistiques. Il est par ailleurs intéressant de noter que Jacob Schyttelius a été descendu deux heures avant ses parents.

– Qu'a fait le criminel pendant ce laps de temps ? s'interrogea Irene.

– Il a effacé les disques durs, répondit Fredrik.

– Pan ! Pan ! Un coup dans la poitrine et un au front pour Jacob. Pan ! Pan ! Un coup entre les yeux pour chacune des deux autres victimes. Un Husqvarna 1900 est un fusil Mauser qui contient cinq cartouches. Ce tueur connaît les armes. Au presbytère, les deux tirs ont été très rapprochés puisque les victimes n'ont pas fait le moindre geste, conclut Tommy.

– Appuyer sur la détente d'un fusil Mauser prend moins d'une seconde par tir pour quelqu'un qui sait s'en servir. Je pense qu'il a d'abord abattu Sten Schyttelius puis qu'il a dirigé l'arme sur Elsa, dit le commissaire.

– Cela semble plausible, mais on ne peut en être sûr, déclara Tommy.

– C'est le scénario le plus probable puisque Elsa avait, selon Stridner, pris des somnifères.

Irene éprouva un certain soulagement. Même si Elsa s'était réveillée quelques secondes avant sa mort, elle aurait été trop abrutie par les médicaments pour comprendre ce qui se passait.

– J'ai vérifié les permis pour les fusils. Ceux dans l'armoire forte appartenaient bien à Sten Schyttelius. Le Husqvarna retrouvé sous le lit appartenait, quant à lui, à Jacob Schyttelius, précisa Hannu.

– Y a-t-il une armoire forte dans la maison de campagne ? demanda Irene.

Hannu secoua la tête.

– Il a dû laisser son fusil dans l'armoire de son père. C'est juste une coïncidence si le meurtrier s'est servi de cette arme-là, dit Tommy.

– C'est fort possible, mais cela voudrait dire que l'assassin est venu prendre le fusil et les cartouches au presbytère, puis qu'il s'est rendu à la maison de campagne pour tirer sur Jacob. Il serait ensuite revenu deux heures plus tard pour abattre Sten et Elsa. Ma question est simplement : pourquoi, dans ce cas, n'ont-ils pas vu le meurtrier prendre l'arme puisqu'ils étaient alors encore en vie et que, nous le savons, tous deux se trouvaient au presbytère tout l'après-midi et toute la soirée ? objecta Irene.

– Et s'il avait pris l'arme plus tôt ? Peut-être même des jours plus tôt ? suggéra Tommy.

– Non, je pense que cela lui aurait fait courir un grand risque. Sten Schyttelius aurait pu se rendre compte de la disparition du fusil et il…

Irene fut interrompue par des coups frappés à la porte. Åhlén passa la tête dans l'embrasure.

– On a trouvé des choses intéressantes dans la maison de campagne, leur annonça-t-il en entrant.

Dans une main, il tenait un simple sac de tissu en coton brut. Il l'ouvrit et en sortit un sac en plastique épais. À l'intérieur se trouvait un livre.

– C'est un livre sur le satanisme. Écrit en anglais. Nous l'avons trouvé derrière une latte de bois non fixée, sur un mur de la chambre. Avec une boîte de cartouches.

Il posa le livre sur la table devant le commissaire et exhiba un autre sac en plastique. Irene examina la boîte dans le sac et la reconnut : Norma 30-06, la cartouche de gros calibre la plus courante qui soit en Suède.

– Est-ce qu'il y avait assez de place dans cette cachette pour y mettre un fusil ? demanda Tommy.

– Oui, mais pas plusieurs. Ce n'était pas si grand que ça.

– Mais il y avait de la place pour le livre, commenta Irene.

Elle considéra l'ouvrage dans son épais sac en plastique. Le titre en était *The Church of Satan*, écrit par un certain Anton LaVey. Åhlén montra du doigt le livre en disant :

– Ljunggren a reconnu le nom. C'est le leader d'un culte satanique aux États-Unis. Svante en sait peut-être davantage sur lui, mais il est rentré chez lui. Cela fait trente-six heures qu'il n'a pas dormi.

Toi non plus probablement, pensa Irene. Mais peut-être était-ce plus calme au boulot qu'à la maison avec tous les enfants.

– Des empreintes digitales dessus ? demanda le commissaire.

– Oui. Celles de Jacob Schyttelius et de quelques autres. Mais elles étaient mélangées et peuvent très bien être celles des personnes qui l'ont feuilleté à la librairie avant qu'il soit acheté. Schyttelius a laissé beaucoup d'empreintes dessus. Il a dû lire le livre en entier, car plusieurs passages sont soulignés.

– Est-ce qu'on peut le garder ? demanda Irene.

– Non. Il n'a pas encore livré tous ses secrets. Je vous le rapporterai dès qu'on aura fini.

Il faudrait donc attendre. Le technicien fourra les deux sacs en plastique dans le sac en coton et sortit.

Son départ fut suivi d'un silence. Puis Andersson s'éclaircit la voix et dit :

– Voilà qui change la donne. Jacob semble donc avoir eu un fusil et des munitions dans la maison de campagne, ainsi qu'un livre. Il est obligatoire de garder les armes sous clé.

Irene acquiesça :

– Puisque Jacob a été abattu le premier, il est probable que le meurtrier a trouvé l'arme et les cartouches derrière le mur et s'en est servi pour le tuer. Ensuite, il a emporté l'arme chargée jusqu'au presbytère et a tiré avec sur M. et Mme Schyttelius. Combien de cartouches restait-il dans le magasin ?

Le commissaire consulta ses notes avant de répondre :

– Trois.

Irene poursuivit :

– Ce qui veut dire qu'il a rechargé le fusil entre le meurtre de Jacob et celui de Sten et Elsa.

Elle se tourna vers Hannu :

– Quand Jacob a-t-il acheté son fusil ?

– En juin de l'année dernière.

– La chasse à l'élan ne commence qu'en octobre, n'est-ce pas ?

– Il a peut-être voulu s'entraîner avant la chasse en automne. Ou alors Hannu a raison : Jacob s'est senti menacé, dit Tommy.

– Mais par qui ? Et comment le meurtrier a-t-il appris que Jacob avait une arme dissimulée derrière la latte en bois ?

– Aucune idée.

– On n'en saura pas plus avec le fusil. Mais j'aimerais bien savoir pourquoi il a dissimulé le livre, dit Andersson.

– Parce qu'il était prosatanique…

– Je ne suis jamais allée à Londres. Et toi ?

– Moi, oui. Pour un voyage linguistique en 1974. La seule chose que j'ai apprise là-bas a été de boire de la bière en grande quantité. Et puis il y avait une petite rouquine nommée Patricia qui m'a appris…

Tommy laissa sa phrase en suspens, releva ses sourcils avec un air mystérieux et ses lèvres se rapprochèrent pour émettre un sifflement admiratif.

Les parents d'Irene n'avaient jamais eu les moyens de lui offrir des séjours linguistiques, et elle avait toujours dû travailler pendant ses vacances. Si ses souvenirs étaient exacts, l'été 1974, elle avait vendu des glaces au Drottningtorget – travail au noir, puisqu'elle avait moins de quinze ans.

Tommy montra du doigt le couloir :

– Je vais juste passer dans le bureau de Hannu. C'est lui qui a les infos sur l'ex-femme de Jacob, dit-il.

Irene alla chercher son manteau dans leur bureau.

La journée avait été longue et fatigante, mais l'enquête avait progressé. Si seulement ils pouvaient trouver un mobile pour les crimes ! À moins qu'il y ait plusieurs mobiles ? Cela paraissait peu probable, étant donné qu'il s'agissait selon toute vraisemblance du même meurtrier. Le fusil de Jacob avait servi pour les trois meurtres, les disques durs avaient été effacés sur les deux lieux du crime, et un pentagramme avait été dessiné avec du sang humain sur l'écran de l'ordinateur des victimes. Dans la chambre des époux Schyttelius, un crucifix avait été renversé tête en bas, et chez Jacob les techniciens avaient trouvé un livre sur des cultes sataniques.

Irene arrêta son geste alors qu'elle s'apprêtait à enfiler l'autre manche de son manteau. Le livre ne parlait pas des églises sataniques, mais il avait été écrit par le fondateur de l'une d'elles, nuance ! Si Jacob avait voulu en savoir davantage sur les satanistes – leurs pensées et leurs actions –, il aurait choisi un livre qui les décrive de la manière la plus objective possible. Un livre écrit par le leader d'un culte satanique était vraiment tout sauf objectif.

Tommy revint en agitant un papier.

– Bonnes nouvelles. Elle a déménagé de Norrland et vit à présent à Karlstad. A déménagé avant Noël et a repris son nom de jeune fille.

– Comment s'appelle-t-elle ?

– Kristina Olsson. Elle est née en... ce qui lui fait... voyons... trente-huit ans.

– Elle est donc plus âgée que Jacob, fit remarquer Irene.

– Oui, de sept ans. Ce n'est pas beaucoup.

– Non, mais ce n'est pas si fréquent que ça.

– Peut-être pas. Tu crois que tu pourrais interroger cette femme demain ? J'ai un tuyau dans l'affaire du meurtre de Speedy et je dois aller le vérifier.

– Bien sûr. Donne-moi le papier.

– Coucou, chérie ! lança la voix de Krister dans le salon.

Sur fond d'indicatif du journal télévisé, une voix grave d'homme annonçait d'un ton dramatique qu'une bombe venait d'exploser en Espagne.

Irene caressa Sammy, qui lui faisait la fête. Il essayait toujours de lui faire croire que personne ne s'était occupé de lui pendant toute la journée, mais son poil était brossé, ses pattes encore humides après la promenade et son bol de nourriture à sa place habituelle. Il y avait encore quelques croquettes dans le fond, mais les restes de nourriture qu'ils lui donnaient avaient disparu. Irene lui déposa un baiser sur le nez. Le chien grogna mais dut admettre qu'il avait déjà eu droit à sa sortie du soir. Au fond, il n'était pas si malheureux que ça et finit par regagner le salon pour se coucher sur le tapis sous la table en verre.

Irene mit à réchauffer la soupe aux légumes posée sur la cuisinière et se prépara quelques tartines avec du pâté de foie et des tranches de cornichon. Elle savait qu'il y avait de la bière light quelque part dans le réfrigérateur. Elle finit par trouver une canette tout au fond et elle posa tout ce qui allait constituer son dîner sur un plateau, qu'elle porta dans la salle de séjour. Elle avait été contre l'idée d'avoir deux télévisions dans la maison, mais si Krister et elle voulaient regarder autre chose que ZTV et MTV, ils étaient obligés d'avoir un autre téléviseur. Le choix des programmes était bien la seule chose sur laquelle les jumelles s'accordaient, mais leur goût ne coïncidait pas avec celui de leurs parents.

Son mari l'embrassa distraitement, l'œil rivé sur l'écran. Irene avait trop faim pour se formaliser de l'accueil peu chaleureux de Krister. Avec un appétit de loup, elle avala en un temps record la soupe et les tartines.

Sammy avait pris un air de chien battu pour donner l'impression d'être sous-alimenté, mais Irene avait refusé catégoriquement de partager sa nourriture et lui avait donné l'ordre de retourner à sa place. Ce que le chien avait fait à contrecœur. Mais à travers la table de verre, il avait jeté à sa maîtresse un regard suppliant pendant qu'elle mangeait. Et pour la énième fois, Irene regretta à haute voix qu'ils n'aient pas choisi la table basse en pin massif lorsqu'ils avaient acheté la salle à manger.

– Ça fait plaisir de te voir manger de si bon appétit ! dit Krister qui se désintéressait de la télévision dès qu'il était question des informations économiques.

– J'ai mangé une pizza en fin d'après-midi, mais je n'ai rien avalé depuis, juste quelques tasses de café, répondit-elle.

– Tant mieux pour tes collègues, si tu as pris de la caféine toute la journée. Sinon, ils auraient été obligés de faire venir le médecin du travail et de fermer le commissariat. Attention, les gars ! Elle recharge ses batteries !

Krister la taquinait. Il avait grandi à Säffle, et sa famille habitait là-bas. C'est pourquoi sa façon de parler, typique du Värmland, était authentique.

Irene avait bien essayé de diminuer sa consommation de café, mais cela n'avait rien donné. Elle devenait fatiguée et irritable. Comme la somme de ses vices était censée rester constante, et qu'elle ne fumait ni ne buvait trop, elle avait décidé que le café serait le sien.

Krister rit de sa propre plaisanterie, puis redevint sérieux :

– Sache que c'est tout juste si Katarina a touché à sa soupe. Elle a mangé, en tout et pour tout, dix petits pois et autant de cubes de carottes.

– Pourquoi ? Elle mange, d'habitude ! Elle a besoin d'énergie pour son entraînement.

– Elle s'est mis dans l'idée de participer au concours de Miss Côte Ouest.

– Miss !… On dirait un concours de beauté !

– Mais c'est le cas. Elle a déposé sa candidature et elle a été choisie pour participer à une sorte de finale, ici, dans les quartiers ouest de la ville. Si elle l'emporte, elle aura le droit de participer à la grande finale.

Irene était abasourdie par ce que venait de lui annoncer son mari. Défiler pour un concours de beauté ne lui avait jamais traversé l'esprit, et elle ne comprenait pas que cette idée ait pu plaire à ses filles. Elle devait avouer cependant que Katarina était plus jolie qu'elle ne l'avait été à son âge. Mais de là à participer à un concours de beauté ! Tout en devinant la réponse, elle demanda :

– En quoi le fait de participer au concours de Miss Côte Ouest l'empêche-t-il de manger ?

– Elle se trouve trop grosse.

Trop grosse ! Katarina mesurait comme sa mère un bon mètre quatre-vingts, mais elle pesait dix kilos de moins ! Et Irene passait pour mince. Aux yeux d'Irene, sa fille était carrément maigre.

– Et elle est où en ce moment ?

– À son entraînement de jiu-jitsu. Elle doit rentrer d'un moment à l'autre.

Irene fit de son mieux pour digérer ce qu'elle venait de manger ainsi que l'annonce de la nouvelle carrière de reine de beauté de sa fille. Soudain, elle se rappela quelque chose.

– Au fait, je dois aller à Karlstad demain. Mais je rentrerai le soir.

– Hum, grogna son mari, absorbé à présent par les nouvelles régionales.

Chapitre 7

Irene prit le bus de Säffle, place Nils-Ericsson. Cela revenait moins cher que d'y aller en voiture, et surtout c'était moins fatigant. Elle avait décidé de se détendre et de lire dans le bus. Munie de l'édition du jour du *Göteborgs-Posten*, d'un livre de poche qu'elle venait d'acheter, d'une bouteille Thermos et de deux sandwichs, elle monta dans le bus peu après dix heures. Le soleil brillait dans un ciel sans nuages. Le thermomètre indiquait timidement cinq degrés, mais on sentait dans l'air que la journée serait plus chaude. Ce serait peut-être enfin la première journée de printemps. En tout cas, les petits oiseaux qui chantaient dans les bosquets devant le commissariat en semblaient persuadés.

Elle n'eut finalement pas le temps d'ouvrir ni le journal ni son livre, car elle s'endormit aussitôt.

Elle se réveilla seulement lorsque le bus quitta la gare de Säffle. Les doigts engourdis, elle se versa du café dans son gobelet de Thermos et but. C'était l'heure du déjeuner, et ses deux sandwichs au fromage, malgré leur piteux état, lui parurent divins.

Tout en savourant sa dernière goutte de café, elle songea à la conversation qu'elle avait eue au téléphone avec l'ex-femme de Jacob Schyttelius.

Irene l'avait appelée à sept heures et demie. Après quelques sonneries, une femme avait répondu :
– Allô ?
La voix était faible et hésitante.

– Je suis l'inspecteur Irene Huss, de la police criminelle. J'enquête sur le meurtre de votre ex-mari et de ses parents. Je voulais vous demander si vous aviez un moment pour me rencontrer aujourd'hui ou demain.

Il y eut un long silence. Irene craignait que la femme à l'autre bout du fil ne raccroche, lorsque soudain elle entendit Kristina Olsson murmurer :

– Je n'y tiens pas.

La seconde d'après, elle commença à renifler. Irene, bien que perplexe, résolut de poursuivre :

– Je comprends que vous soyez très choquée par ce qui est arrivé, mais je dois vraiment avoir un entretien avec vous. Ce sont des crimes épouvantables, et pour l'instant nous n'avons encore aucune piste. Vous avez bien connu Jacob et…

– Je ne sais pas, je ne sais pas !

On aurait dit un cri désespéré. En son for intérieur, Irene se demanda si Kristina Olsson n'était pas malade. L'attitude de cette femme était pour le moins étrange. Cela ne fit que renforcer le désir d'Irene de la rencontrer au plus vite.

– Dites-moi ce qui vous convient le mieux, cet après-midi ou demain après-midi ? demanda-t-elle.

De nouveau, il y eut un long silence. Puis Irene entendit un soupir las, et la voix ténue murmura :

– Cet après-midi, vers deux heures.

Irene avait été surprise par le petit nombre de trains circulant entre Göteborg et Karlstad. Elle avait déjà raté le premier, et le suivant la faisait arriver beaucoup trop tard. Heureusement, il restait la solution du bus de Säffle. Elle ne pourrait pas revenir en bus, puisque le dernier repartait de Karlstad à deux heures et demie. Mais il y avait un train peu avant cinq heures. Elle prendrait donc le train pour rentrer.

Le bus se faufila entre les taxis garés et stoppa devant la gare principale de Karlstad. Irene prit un taxi, puisqu'elle n'avait aucune idée de l'endroit où se trouvait la rue Sundstavägen. Le taxi s'arrêta devant un immeuble de trois étages en brique jaune. Le bâtiment avait connu des jours meilleurs, mais le quartier paraissait huppé. Irene appuya sur le bouton à côté du nom « K. Olsson ». L'interphone crachota, et Irene se pencha pour s'annoncer.

– C'est Irene Huss.

Personne ne répondit, mais il y eut un déclic dans la serrure. Irene poussa la porte.

Le hall d'entrée était propre mais aurait eu besoin d'un coup de peinture. Il n'y avait pas d'ascenseur. Irene monta à pied les trois étages.

Arrivée sur le palier, elle vit une porte entrebâillée s'ouvrir en grand, et s'arrêta net à la vue de la femme dans l'embrasure. S'il était difficile de déceler le moindre air de famille entre Jacob et Rebecka sur les photos qu'Irene avait vues, Jacob et Kristina, en revanche, auraient très bien pu être frère et sœur : même corps élancé, mêmes cheveux blond foncé. Par la suite, Irene comprit que la ressemblance ne s'arrêtait pas là. Jacob avait épousé sa mère en plus jeune.

Kristina avait attaché ses cheveux bas sur la nuque en une jolie queue-de-cheval. Son visage n'était pas du tout maquillé, sa peau était belle, quoique très pâle. Ses cernes noirs faisaient ressortir davantage sa pâleur, à moins que ce ne fût son sweat-shirt rose poudré qui la rendît si blafarde. Sa jupe grise était d'une tristesse à pleurer, mais, à la surprise d'Irene, elle portait des pantoufles orange vif réalisées au crochet.

Kristina Olsson essaya de se redresser et esquissa une grimace qui se voulait un sourire. La main qu'elle tendit tremblait de nervosité, et quand Irene la saisit, elle la sentit glacée dans la sienne. C'était presque aussi agréable que de serrer la main d'une morte.

La jeune femme s'effaça pour laisser passer Irene dans sa minuscule entrée. La première chose qui frappa Irene fut une vague odeur d'eau de Javel. Un manteau de laine bleu foncé et une doudoune couleur kaki étaient suspendus au portemanteau. En dessous se trouvaient une paire de chaussures de randonnée et une paire de bottines noires. Sur l'étagère du haut, était posé un béret noir en laine.

Un tapis aux couleurs vives recouvrait le sol de l'entrée. Irene crut reconnaître ce genre de tapis. Quand elle fut introduite dans la salle de séjour et qu'elle vit le même sous la table basse, elle sut où elle l'avait vu. La personne qui avait tissé le tapis posé dans cet appartement avait également réalisé celui qui ornait le sol dans l'entrée du presbytère de Kullahult.

Irene prit place dans un fauteuil en soie jaune plutôt inconfortable, et Kristina s'assit tout au bord du fauteuil correspondant. Trouver ce genre de mobilier chez une femme encore jeune était inhabituel, pensa Irene.

– Cela fait joli quand le soleil tombe sur le tapis, dit-elle pour amorcer la conversation.

– Oui, répondit une voix atone.

Irene n'allait pas renoncer aussi facilement, elle poursuivit :

– Vous l'avez tissé vous-même ?

– Non. Ma sœur.

– Il y a un tapis identique chez vos anciens ex-beaux-parents. Est-ce aussi l'œuvre de votre sœur ?

– Oui.

Irene étouffa un soupir et décida d'aller droit au but :

– Notre enquête s'annonce difficile, parce que nous n'avons pas le moindre mobile. Est-ce que vous, vous en voyez un ?

Kristina se contenta de secouer la tête, et Irene vit que ses yeux se remplissaient de larmes. Pourquoi était-elle si nerveuse ? Était-elle dans un tel état dépressif qu'elle ne supportait même pas de parler de son ex-mari ?

Les journaux n'avaient pas encore évoqué les pentagrammes sur les écrans d'ordinateur, mais ce n'était plus qu'une question de temps avant qu'il y ait des fuites. Irene résolut de tenter la piste sataniste.

– Saviez-vous que Jacob aidait son père à retrouver la trace des satanistes par le biais d'Internet ?

Kristina tressaillit et écarquilla les yeux. Elle ouvrit la bouche comme si elle voulait parler, puis acquiesça tristement.

– Pouvez-vous m'en parler ?

Kristina hocha à nouveau la tête comme une petite fille bien élevée, mais il fallut un bon moment avant que sa petite voix ne s'élève à nouveau :

– C'était une idée de son père. Après l'incendie. Ils ont brûlé la chapelle d'été. Les satanistes, je veux dire…

Elle laissa sa phrase en suspens et lança à Irene un regard perdu où ses grands yeux bleus délavés trahissaient une forme de désespoir. Pour la première fois, elle parla assez longtemps pour qu'Irene reconnaisse son dialecte du Norrland. Comment une personne dans un tel état de fragilité pouvait-elle exercer le métier de professeur ? se demanda Irene. Comme si elle avait lu dans ses pensées, Kristina dit :

– Je suis en congé de maladie depuis… le meurtre… les meurtres.

– Étiez-vous impliquée dans cette chasse aux satanistes ?

– Non, je n'y connais rien en informatique.

La voix s'éteignit, et Kristina fixa ses mains fermement jointes.

– Est-ce que Jacob et vous aviez gardé des liens après le divorce ?

– Non.

– Avez-vous rencontré Sten ou Elsa par la suite ?

– Non.

Il était étrange de voir à quel point Kristina semblait effondrée, alors même qu'elle prétendait n'avoir eu, ces neuf derniers mois, aucun contact avec Jacob ou ses parents.

– Quand avez-vous parlé à Jacob pour la dernière fois ?

– En juillet dernier. Quand tout a été terminé… après…

– Et quand avez-vous eu des nouvelles de ses parents pour la dernière fois ?

– En juin. Son père m'a appelée et il était… dans tous ses états… parce que nous… nous allions…

Elle se mit à renifler doucement. On aurait dit qu'elle était incapable de prononcer le mot « divorcer ». On approchait du point crucial, et il faudrait bien qu'elle réponde. Irene donna à Kristina le temps de se ressaisir, puis elle osa lui demander :

– Pourquoi vous êtes-vous séparés, Jacob et vous ?

Kristina se redressa et prit une profonde inspiration avant de lâcher sur l'expiration :

– Il ne voulait pas avoir d'enfants.

Cette réponse prit Irene complètement au dépourvu. Kristina ne la regardait pas, mais fixait un point derrière Irene. Elle se mordait la lèvre pour l'empêcher de trembler.

– Mais il était professeur. Il devait quand même bien aimer les enfants, objecta Irene de manière un peu simpliste.

– Oui, mais il ne voulait pas en avoir à lui.

Bizarre. Irene avait beau se creuser les méninges, quelque chose lui échappait.

– Il ne voyait pas d'autres femmes ? hasarda-t-elle, à défaut de trouver une meilleure formulation.

93

– Non.

Kristina avait de nouveau la tête baissée comme si elle attendait d'être jugée ou punie.

Irene vit soudain ce que représentait la tapisserie accrochée au-dessus de la télévision. C'était une image du Christ. Un personnage nimbé de lumière levait les paumes dans un geste de bénédiction vers le spectateur. En tournant légèrement la tête, Irene put apercevoir la chambre dont la porte était entrouverte. Une simple croix en bois était suspendue au-dessus de la tête du lit. Les murs étaient nus.

– Est-ce vous ou votre sœur qui avez brodé cette belle tapisserie ? demanda Irene.

– Moi. Ma sœur tisse.

– De quel coin du Norrland venez-vous ?

– De Vilhelmina. Mais on a beaucoup déménagé. Mon père était prédicateur.

– Prédicateur ? Dans le cadre de l'Église évangélique de Pentecôte ou quelque chose dans le genre ?

– Il... nous étions des laestadiens.

Des vagues souvenirs du cours de religion à l'école ressurgissaient : Irene savait qu'il s'agissait d'un mouvement religieux marqué par des traits extatiques, fondé dans le Norrland au XXIe siècle. N'étaient-ce pas ces personnes qui n'avaient pas le droit d'avoir des rideaux ? Pourtant, Kristina avait de beaux rideaux blancs à ses fenêtres...

– Vous avez dit... « nous étions » des laestadiens. Vous ne l'êtes plus ?

– Non. Ma sœur aînée a quitté la communauté, et rejoint l'Église suédoise. Elle est pasteur et travaille ici, à Karlstad.

– Est-ce la raison pour laquelle vous avez déménagé ?

Kristina hésita un instant avant de hocher la tête.

– Est-ce qu'elle s'appelle aussi Olsson ?

– Oui. Kerstin Olsson. Elle ne s'est jamais mariée.

– Vos parents vivent-ils encore dans le Norrland ?

– Notre père est mort. Notre mère habite encore près de notre frère, à côté de Vitangi.

– Vous avez d'autres frères et sœurs ?

– Non.

Irene prit sans s'en rendre compte une profonde inspiration avant de hasarder :

– Est-ce vous ou Jacob qui avez voulu divorcer ?

– C'est moi, répondit Kristina en baissant les yeux sur ses mains jointes sur ses genoux.

– Parce qu'il ne voulait pas vous faire d'enfant ? demanda Irene pour que les choses soient bien claires.

Kristina se contenta d'acquiescer sans lever les yeux.

Impossible de trouver les bonnes questions à lui poser. Mais quand bien même Irene les aurait trouvées, elle sentait qu'elle n'aurait eu aucune chance d'obtenir les bonnes réponses. Cette femme dissimulait-elle quelque chose ? Comment le savoir ?

Irene retourna au centre-ville en suivant les panneaux et aussi en se fiant à son sens de l'orientation. Ce soleil printanier était vraiment si agréable, même s'il commençait à décliner et ne réchauffait plus guère l'atmosphère. Il faisait même quelques degrés de moins qu'à Göteborg, et des plaques de neige persistaient encore ici et là.

Elle traversa un cours d'eau qui miroitait au soleil. Elle vit des canards qui se dandinaient sur les rives au milieu de bernaches du Canada, en cancanant. Comment s'appelait donc cette rivière ? La famille de Krister avait beau habiter à Säffle, et eux-mêmes passer chaque année quelques semaines dans la maison de campagne des beaux-parents dans les environs de Sunne, elle n'était allée à Karlstad que trois fois en tout et pour tout. Dans le fond, c'était dommage, car c'était une jolie ville.

En voyant les magasins d'alimentation, elle se rendit compte qu'elle mourait de faim. Il lui restait une heure et demie jusqu'au départ de son train. Elle aurait le temps de manger.

Un jour, il y a bien longtemps, Krister et elle avaient emmené les enfants dans un restaurant chaleureux non loin de Stora Torget. Il se trouvait du même côté que le magnifique hôtel de ville, se souvenait-elle, mais il fallait prendre une des rues perpendiculaires. Malgré l'imprécision de ses souvenirs, elle retrouva sans trop de difficultés le Källaren Munken.

En passant la lourde porte et en descendant les marches de pierre usées, elle reconnut la cave avec ses différentes allées. Des travaux de restauration avaient été entrepris depuis sa dernière visite, mais l'atmosphère conviviale du lieu était intacte.

Le maître d'hôtel la conduisit à une table recouverte d'une nappe en lin. Il lui recommanda le plat du jour, de l'omble grillé avec une purée de pommes de terre, accompagné d'une sauce à la ciboulette. Irene accepta de suivre son conseil et commanda aussi une Hof. Après son entretien avec Kristina Olsson, une bière lui ferait le plus grand bien. Peut-être même deux. Le pain fait maison arriva sur la table, encore si chaud que le beurre fondit quand elle voulut l'étaler. Un sentiment de bien-être commença à l'envahir et elle cessa de repasser dans sa tête la conversation qu'elle venait d'avoir. Elle aurait tout le trajet en train pour y repenser.

Kristina Olsson avait-elle des problèmes psychiques ? Bien sûr que non, avec toutefois cette réserve qu'elle paraissait à deux doigts de la dépression. À moins qu'elle ne soit en plein dedans, ce qui est toujours difficile à déterminer pour un profane.

Avait-elle quelque chose à dissimuler ?

Cette question revenait toujours sur le tapis. Irene en était convaincue. Mais que cachait-elle ? Et pourquoi ? De quoi avait-elle peur ?

Irene s'aperçut qu'elle avait oublié de demander à Kristina Olsson si elle-même avait été menacée. Comment avait-elle pu oublier une question aussi évidente ! Encore qu'elle ne s'imposait peut-être pas, puisque cela faisait plus de neuf mois que Kristina n'avait pas eu le moindre contact avec Jacob et ses beaux-parents.

Y avait-il quelque chose dans le passé de Kristina ? Irene avait compris qu'elle et ses frères et sœurs avaient reçu une éducation religieuse extrêmement sévère, mais que Kristina et sa sœur avaient pris leurs distances vis-à-vis de la foi de leur enfance, tout en restant profondément croyantes. Tout l'appartement de Kristina témoignait d'une foi chrétienne penchant vers l'ascétisme. Sauf ses rideaux.

Irene se promit de faire des recherches sur le mouvement laestadien. Les questions religieuses n'étaient vraiment pas son fort, mais dans l'enquête qu'ils menaient elle s'était sentie à plusieurs reprises trop ignorante. La famille Huss était à l'image de la plupart des familles en Suède, à savoir qu'ils allaient à l'église pour un baptême, un mariage ou un enterrement, sinon jamais.

Et voilà que le satanisme avait jailli pour faire contrepoids à toute cette foi chrétienne avec le mouvement laestadien, les synodes et tout ça. Quel rôle jouait dans cette enquête ce qu'on pouvait appeler le négatif de la religion ? Les traces existaient bel et bien, mais quelle signification leur accorder au juste ?

Les questions tourbillonnaient dans son cerveau sans qu'elle pût trouver la moindre réponse sensée.

En descendant à la gare centrale de Göteborg, elle eut la surprise de lire la manchette du *Göteborgs-Posten* : « Révélations de dernière minute : la piste satanique pour le triple meurtre est privilégiée ! ».

Chapitre 8

– C'est qui l'idiot qui a craché le morceau ?

Le commissaire Andersson était d'humeur exécrable. Il jeta à tout le monde un regard noir lors de la réunion du vendredi matin. Personne parmi les collègues présents n'avait l'air coupable, ce qui ne l'étonna pas. Mais il était désagréable de ne pas pouvoir s'en prendre à quelqu'un en particulier.

Svante Malm apparut sur le pas de la porte et dit d'un ton qui se voulait apaisant :

– C'est même étonnant que ça n'ait pas filtré plus tôt.

Le commissaire se retourna et lâcha :

– Qu'est-ce que tu veux dire ?

– Enfin une histoire à se mettre sous la dent ! Tu penses ! Une famille de pasteur assassinée par des satanistes ! C'est pain bénit pour les journaux. Celui qui a donné l'info a dû s'en mettre plein les poches.

Andersson marmonna quelque chose d'inaudible, puis respira profondément plusieurs fois, avant de demander à Svante de lui faire part des conclusions du laboratoire.

Svante s'assit et consulta rapidement les documents qu'il venait de poser sur la table.

– Les analyses du pentagramme sont à présent terminées. Comme il fallait s'y attendre, celui sur l'écran de l'ordinateur dans la maison de campagne a été tracé avec le sang de Jacob Schyttelius. Nous avons retrouvé l'outil utilisé par le meurtrier, un pinceau de cuisine ensanglanté était au fond de

99

la corbeille à papiers sous le bureau. Le sang était bien celui de Jacob.

Il marqua une courte pause et sortit quelques feuilles qu'il posa sur le haut de la pile.

– L'analyse du pentagramme au presbytère est plus surprenante. L'étoile elle-même a été réalisée avec le sang de Sten Schyttelius, mais le cercle autour avec celui d'Elsa. Ici aussi, le meurtrier a utilisé un pinceau de cuisine que nous avons retrouvé au fond d'un des tiroirs du bureau.

– L'assassin a laissé des traces derrière lui ?

– Nous n'avons encore rien trouvé. Bien sûr, il y a beaucoup de cheveux et de fibres sur les deux lieux du crime, mais rien de suspect pour le moment. Nous avons relevé un peu de terre du jardin sur le plancher de la chambre à coucher du presbytère. Mais ce n'est pas nécessairement le meurtrier qui l'a introduite. Cela peut tout aussi bien être un des époux Schyttelius ou l'un d'entre vous.

– Aucune empreinte de pied ou quelque chose dans le genre ? s'étonna Andersson avec un peu d'espoir dans la voix.

– Non. Il n'y a pas non plus de traces de fluides corporels ou d'autres substances étrangères.

– Qu'est-ce que tu entends par « substances étrangères » ? l'interrompit Fredrik Stridh.

– Des substances qu'on utilise lors des rituels sataniques. De l'encens, par exemple, ou différents types de drogues, de l'alcool, du sang d'animaux. Il y avait pas mal de sang, mais il provenait exclusivement des victimes.

Les enquêteurs réfléchirent à cette parfaite absence de traces du meurtrier. Irene avait du mal à comprendre comment c'était possible, compte tenu du sang et des tissus corporels projetés partout sous l'impact des balles. Mais elle posa une tout autre question au technicien :

– Avez-vous la certitude que c'est la même arme qui a servi pour les trois meurtres ?

– Oui. Les trois coups ont tous été tirés avec le fusil retrouvé sous le lit des époux Schyttelius et avec le même genre de cartouches. Un calibre 30-06. Aucune empreinte digitale sur l'arme du crime.

100

Svante rassembla ses feuilles et les fourra dans son porte-documents en toile usée. Puis il se leva rapidement, adressa un signe de tête à l'assemblée et sortit. Le commissaire reprit sa place face à son auditoire.

– Un homme qui habite un peu plus loin sur la route, c'est-à-dire après l'embranchement pour aller à la maison de campagne des Schyttelius, nous a contactés. Quand il s'est promené avec son chien lundi soir, peu avant onze heures, il a vu une voiture de couleur sombre garée sur un chemin forestier à quelque distance de là.

Andersson alluma le rétroprojecteur mais oublia de descendre l'écran. Une carte tracée à la main avec un feutre bleu apparut sur le mur.

– Ici, c'est le sentier de graviers qui mène à la maison de campagne des Schyttelius. Voilà la maison. Quant à la voiture, elle était garée un peu plus loin, à l'embranchement suivant. Il n'y a aucune maison sur ce sentier-là, puisque c'est un ancien chemin forestier. Les techniciens ont relevé de vagues traces de pneus, mais la pluie de ces derniers jours a presque tout effacé. Même chose pour les éventuelles empreintes de pas. On joue vraiment de malchance.

– Le témoin a reconnu la marque de la voiture ? demanda Hannu.

– Non. Il ne s'est pas approché de la voiture, il s'est seulement arrêté sur un sentier à quarante ou cinquante mètres de là. Le chien avait sans doute terminé ce qu'il était venu faire. L'homme avait emporté une lampe de poche pour voir où il mettait les pieds, mais il était trop loin de la voiture pour la voir en détail.

Andersson indiqua une ligne en pointillés qui se dirigeait vers la maison de campagne des Schyttelius.

– Voici le sentier. Et la voiture est ici. Il s'agirait, selon le témoin, d'un petit modèle, une Mazda ou quelque chose de ce genre. Elle était noire, bleu foncé ou gris foncé. Il croit se souvenir que la plaque d'immatriculation était suédoise.

– Il n'en est donc pas certain ? dit Irene.

– Non. Il a vu la voiture par derrière, elle était garée près des sapins. D'après lui, elle n'était pas visible depuis la route principale. À moins d'emprunter un peu le chemin forestier, il était impossible de la voir.

– On dirait qu'on a cherché à la dissimuler aux regards, conclut Irene.

– On dirait bien, en effet. J'ai mesuré sur la carte d'état-major, et si l'on s'en tient à la route, il y a exactement un kilomètre entre cette voiture et la maison de campagne des Schyttelius. La question est de savoir si on peut passer par la forêt pour atteindre la maison ou si c'est trop compliqué. Si c'est faisable, cela fait à peine deux cents mètres à vol d'oiseau entre la voiture et la maison. Il faudrait que quelqu'un aille vérifier ça.

Fredrik leva la main, et Irene fit de même. À la seule pensée de tous les rapports qu'elle devait écrire et des piles de documents qui s'accumulaient sur son bureau…

On frappa, et une tête se glissa dans l'ouverture de la porte.

– On demande Huss au téléphone. Il s'agit du meurtre du pasteur, dit une voix féminine.

La porte se referma, et Irene alla prendre la communication dans son bureau. À sa grande surprise, c'était Louise Määrdh, qui alla droit au but :

– J'ai appris dans les journaux que des symboles avaient été tracés avec du sang. C'était quoi, déjà, leur nom ?… Des pentagrammes ! Et je me suis soudain rappelé que j'avais vu récemment un symbole comme ça. De fait, dans la voiture d'Eva Möller.

Elle se tut pour attendre la réaction d'Irene, mais elle en fut pour ses frais. Irene avait l'habitude d'entendre les choses les plus incroyables au téléphone, de sorte que, malgré sa surprise, sa voix n'en laissa rien paraître.

– Dans la voiture d'Eva Möller ? Où exactement ? demanda-t-elle seulement.

– Sur le levier de vitesses. Elle a un pentagramme de ce genre sur le pommeau de son levier de vitesses.

– Vous en êtes sûre ?

– Oui. Je suis montée plusieurs fois dans sa voiture quand nous avons eu des répétitions avec le chœur de l'église. Elle passe devant chez nous, alors elle me prend quand il fait mauvais temps. Après Noël, j'ai remarqué le nouveau pommeau du levier de vitesses, et quand je lui ai demandé pourquoi elle avait changé l'ancien contre celui-ci qui était bizarre, elle a ri et m'a dit que c'était juste un cadeau de Noël.

– À quoi ressemble ce pommeau ?

– Le pommeau lui-même est noir, et le pentagramme est argenté.

– Merci du renseignement. Je vais l'interroger à ce sujet.

Quand Irene raccrocha, elle fut assaillie par un flot de pensées. Pourquoi la belle et douce chef de chœur avait-elle un pommeau de levier de vitesses avec un pentagramme dessus ? Ignorait-elle la signification du symbole qu'elle avait dans sa voiture ? C'était peu probable. Pour la première fois, ils obtenaient un tuyau qui pouvait indiquer un éventuel lien satanique avec une personne de l'entourage de la famille Schyttelius. Mais ils ne s'attendaient pas à ce que cela les mette sur la piste de cette jeune femme.

Tommy lui lança du couloir un rapide :

– On commence enfin à y voir plus clair dans l'enquête sur le meurtre de Speedy !

Irene fut un peu surprise de le voir avec une caméra, mais quand Fredrik arriva avec à la main ses clés de voiture qui cliquetaient, elle perdit le fil de sa pensée. Il s'agissait de garder le rythme si elle ne voulait pas être à la traîne.

Ils prirent la direction de Boråsvägen. Encore légèrement essoufflée après avoir descendu les escaliers en trombe, Irene dit :

– Eva Möller ne peut pas nous accueillir avant une heure cet après-midi. Elle est prof de musique et donne des cours jusque-là.

– Alors on déjeune avant ou après ?

– Avant. Ça nous fera gagner du temps.

Irene avait dans sa poche les indications de la route jusqu'à la maison d'Eva Möller. Elle avait été surprise d'apprendre que la chef de chœur vivait seule dans une maison en plein milieu de la forêt. Il fallait tourner en direction de l'église de Landvetter, puis prendre plein de petits chemins « au milieu de nulle part », selon les termes mêmes d'Eva Möller.

Ils bifurquèrent pour prendre ce qui était désormais devenu la route familière de Norrsjön. Mais cette fois ils ne tournèrent pas au niveau du panneau en bois avec l'inscription « La Maison du bonheur » en lettres presque effacées. Ils continuèrent sur quelques centaines de mètres jusqu'au chemin forestier. Ici, point de pancarte pour dire où on arrivait, si on tournait. Fredrik ralentit et s'engagea sur le chemin étroit qui ressemblait davantage à un large sentier. La voiture eut du mal à éviter les ornières et les trous.

– C'est vraiment pas facile de rouler ici, même avec une petite voiture, remarqua Fredrik quand le châssis de la Saab racla le sol.

Autour d'eux se dressait une forêt, aussi dense des deux côtés. De hauts pins, plantés des dizaines d'années auparavant, avaient poussé à intervalles disciplinés, mais entre eux se développaient des taillis impénétrables. Le propriétaire de cette forêt, quel qu'il fût, n'avait pas pris soin de l'entretenir. Toutefois, un peu plus loin, la végétation devenait plus clairsemée, et Irene aperçut une clairière.

Le beau temps de la veille perdurait. Comme il n'y avait pas un souffle de vent, le silence était presque écrasant. Les rayons de soleil tombaient en oblique entre les troncs des arbres. Les parfums de la terre humide et des jeunes pousses embaumaient l'air si doux de cette journée de printemps.

– Ce sont sans doute les conifères, dit Fredrik.

Il s'arrêta à quelques mètres d'un groupe de sapins qui poussaient si proches les uns des autres qu'ils formaient un mur d'aiguilles infranchissable.

Irene et Fredrik se dirigèrent vers ces sapins, les yeux rivés au sol. Il y avait plusieurs traces anciennes de pneus de gros véhicules, mais aussi quelques traces à peine décelables de voitures ordinaires.

– Nous savons maintenant pourquoi il a garé la voiture ici. Il est impossible d'aller plus loin.

Fredrik montra du doigt le sentier qui continuait derrière les conifères avant de se perdre dans un grand trou rempli d'eau. Il était clair que le véhicule qui se risquerait à traverser resterait embourbé.

Irene retourna sur ses pas. En arrivant à l'endroit où s'était tenu le témoin au chien, elle se retourna pour avoir une meilleure vue d'ensemble. Leur Saab était visible au fond, dans un angle, puisque le chemin forestier décrivait une courbe autour des sapins. Irene dut admettre en soupirant que le témoin avait raison : il était impossible de déterminer la marque du véhicule, surtout qu'en ce moment tous les modèles avaient le chic pour se ressembler.

Elle retourna auprès de Fredrik qui, près du trou d'eau, était plongé dans ses pensées.

– Je crois que je vais essayer de rejoindre autrement la clairière, plutôt que de passer en force à travers ces broussailles. Ce doit être plus facile en contournant le trou d'eau, dit-il.

– Si tu penses que ça nous rapprochera de cette maison, cela me paraît une bonne idée, et je veux bien te suivre. On n'a qu'à essayer.

Ils contournèrent donc le trou d'eau et avancèrent en direction de la clairière où ils marquèrent une pause pour regarder alentour. C'était une bande dégagée, étroite et relativement longue.

– On peut faire au moins cent mètres, mais après il faudrait une machette, constata Fredrik.

Ils progressèrent lentement, car la terre était détrempée, et leurs chaussures s'y enfonçaient à chaque pas. Irene comprit que ses bottes en daim auraient besoin d'être sérieusement lavées et brossées si elle voulait les porter à nouveau en public. C'était encore pire pour les chaussures de bateau de Fredrik. Seules des bottes en caoutchouc auraient convenu.

Arrivés à la lisière de la clairière, ils s'arrêtèrent. La végétation était si dense qu'elle en devenait impénétrable.

– Bon, qu'est-ce qu'on fait ? Ah, si seulement on avait eu une machette, regretta Fredrik.

– Je propose qu'on fasse comme mon chien.

– Et il fait quoi, ton chien ?

– Il suit la trace du gibier.

Sur ce, elle fit signe à Fredrik de lui emboîter le pas. À quelque distance de là, elle avait remarqué une légère trouée entre des sapins. En s'approchant, ils virent que c'était une piste d'animaux. Au beau milieu de la piste, trônait un tas de bouse d'élan.

– Nous n'avons qu'à suivre cette piste. Elle devrait nous conduire vers le lac, car les animaux aiment boire après avoir brouté dans la clairière. Cela nous permettra de nous rapprocher encore un peu plus de la maison, dit Irene.

Ils durent se baisser et écarter des branches qui pendaient, tout en regardant bien où ils mettaient les pieds. Irene dérapa plusieurs fois sur les racines glissantes.

– Encore une chance que ce ne soit pas la saison des tiques, plaisanta Fredrik.

105

Irene allait répondre quand elle sentit qu'un fil lui traversait la bouche. Elle cracha et jura, croyant s'être prise dans une toile d'araignée. Dégoûtée, elle s'essuya la bouche et saisit le filament. D'instinct, elle y jeta un coup d'œil avant de le secouer entre ses doigts. Elle s'arrêta et le tint à la lumière du soleil qui filtrait entre les sapins.

Ce n'était pas une toile d'araignée mais, selon toute vraisemblance, de la laine de mouton. Un fil fin de laine verte, d'environ trois ou quatre centimètres de long, pendait au bout des doigts d'Irene, pincé entre son pouce et son index.

– Qu'est-ce qu'il y a ? Pourquoi tu t'arrêtes ? demanda Fredrik, agacé.

Lui-même avait fort à faire pour se débarrasser de toutes les choses qui s'étaient accrochées à ses cheveux. Le gel capillaire qu'il mettait le matin se révélait parfait pour attirer les brindilles et les aiguilles de pin.

– Un fil de laine. Quelqu'un nous a précédés sur ce sentier. Et c'est assez récent, car le fil n'a pas perdu sa couleur. Il n'est même pas sale.

Elle montra sa trouvaille à Fredrik. Il émit un sifflement admirateur.

– Essayons de voir si on n'en trouve pas d'autres.

Une vingtaine de mètres plus loin, Irene repéra un autre fil, rouge vif cette fois, accroché à la branche extérieure d'un épais massif de ronces. Elle s'arrêta et le montra du doigt :

– C'est à la hauteur de mon épaule. Ce fil de laine fait à peu près la même longueur que le vert. D'où peuvent-ils provenir ?

– Ils sont une mine de renseignements pour nous. Nous avons affaire à un homme de petite taille, un mètre soixante à tout casser, avec un bonnet à pompon réalisé avec des bouts de laine verte et rouge.

Irene éclata de rire et sortit un sac en plastique qu'elle avait toujours dans sa poche pour ramasser les crottes de son chien. Avec précaution, elle glissa à l'intérieur les deux fils de laine. Peut-être les techniciens pourraient-ils en tirer quelque chose.

Le sentier conduisait au lac. Ils calculèrent qu'en longeant le lac sur cinquante mètres puis en lui tournant le dos pour s'engager dans la forêt, ils devraient tomber en plein sur la maison de campagne.

À leur soulagement, la végétation devenait plus clairsemée, et la rive du lac s'ouvrait sur une minuscule plage sablonneuse. Un autre sentier, recouvert de gravier celui-là, partait de cette plage pour se perdre dans la forêt et s'arrêtait à dix mètres environ du portail de la maison des Schyttelius.

– C'est sans doute un sentier aménagé d'un commun accord pour que toutes les maisons de campagne du coin aient accès à ce lieu de baignade, suggéra Irene.

– C'est fort possible. Mais rien n'empêchait quelqu'un de bifurquer et de sauter par-dessus la barrière des Schyttelius, à l'arrière de la maison. Qui le verrait ? On vérifie ?

Fredrik avait déjà tourné les talons et reprenait le sentier par lequel ils étaient venus. Trente mètres plus loin, il s'arrêta et montra quelque chose du doigt.

Irene aperçut un sentier à peine visible qui cheminait entre des framboisiers sauvages. Il longeait la barrière en bois de la propriété des Schyttelius, du côté du lac. Cette barrière était démolie en son milieu, après tant d'années sans entretien.

– Il n'y a plus qu'à entrer dans la propriété, constata Fredrik.

Ils escaladèrent ce qui restait de la barrière en regardant attentivement où ils mettaient les pieds.

– Si le meurtrier a emprunté ce chemin lundi, le sol était encore gelé. Depuis, il a plu, et la terre en surface a commencé à dégeler. Le meurtrier a eu moins de mal que nous pour arriver jusqu'ici, conclut Irene.

– Et si on considère la position de la voiture et ces sentiers, il savait comment arriver jusqu'ici sans courir le moindre risque d'être vu. Tout laisse à penser que c'est quelqu'un qui connaît parfaitement le coin.

Fredrik avait raison. Les meurtres avaient été planifiés avec soin, et l'assassin savait parfaitement comment venir et repartir en toute discrétion.

Ils gagnèrent l'arrière de la maison. La famille Schyttelius avait fait construire une grande véranda vitrée qui courait tout le long du mur. C'était donc là que s'était trouvé le commissaire pour cette fête aux écrevisses, dix-sept ans auparavant. Irene tourna le dos à la véranda et regarda en direction du lac. Entre les taillis, elle apercevait des reflets à sa surface.

– Dommage qu'ils n'aient pas possédé le terrain jusqu'au lac. Ils auraient pu dégager la vue, fit-elle remarquer.

– Cela a dû les contrarier.

– Sûrement.

– On prend la route pour revenir. C'est plus long…

– Mais plus rapide, trancha Irene.

Ils firent une courte pause à une baraque à hot-dogs, le temps d'avaler quelque chose avant de se rendre chez Eva Möller. L'église de Landvetter était facile à trouver, mais ils eurent plus de mal à choisir la bonne route, tant les chemins tortueux pour y aller étaient nombreux. Ils roulaient sur un chemin de graviers qui ne cessait de monter. Selon les indications d'Eva Möller, ils devaient franchir la crête de la colline, alors ils seraient presque arrivés. Ici, sur les hauteurs, la forêt de conifères avait laissé la place à des feuillus et à des prairies.

– « Tourner à droite après le chêne fendu », lut Irene sur le papier.

– Je le vois, s'écria Fredrik en indiquant de la tête la silhouette d'un grand arbre mutilé.

Il ne restait presque plus rien de la cime de l'arbre, et toutes les branches pointaient dans la même direction. Le tronc étant fendu en deux, aucune branche ne poussait plus de l'autre côté.

Passé le vieux chêne, ils s'engagèrent sur un chemin de graviers plein de bosses. Ils furent quelque peu surpris et réduisirent leur vitesse, ils n'avaient pas le choix.

– Comment peut-on vivre dans un endroit pareil ? s'étonna Irene en se cramponnant au tableau de bord.

Après avoir roulé un moment, ils aperçurent enfin, au fond d'une clairière, un chalet en bois rouge baigné de soleil. La forêt touchait l'auvent sur trois côtés de la maison. Seule la façade à l'ouest était dégagée. Ils se garèrent à côté d'une Honda rouge vif et descendirent. Parce que le chalet était au sommet de la colline, la vue vers l'ouest était magnifique. Irene et Fredrik s'attardèrent un instant pour admirer le panorama. Avant de se diriger vers la maison, Irene en profita pour jeter un coup d'œil à l'intérieur de la voiture d'Eva Möller. Louise Määrdh avait dit juste : le pommeau noir du levier de vitesses présentait un pentagramme argenté.

La petite porte peinte en bleu s'ouvrit, et Eva Möller sortit sur le perron. Elle portait une robe assortie à la couleur de ses yeux, qui lui arrivait jusqu'aux chevilles, dans des tons bleu pâle, avec de larges manches et des broderies bleu foncé autour du cou et sur la poitrine. Ses cheveux blonds flottaient librement sur ses épaules et avaient un éclat d'argent dans la lumière du soleil.

– Bravo pour avoir réussi à venir jusqu'ici ! leur lança-t-elle gaiement.

Son sourire chaleureux et la bonne odeur de café qui parvenait de la maison firent qu'Irene se sentit la bienvenue.

Ils se débarrassèrent de leur manteau, enlevèrent leurs chaussures pleines de boue et entrèrent dans la cuisine. Le soleil brillait à travers les rideaux jaune pâle de la fenêtre à l'ouest, apportant une note de chaleur dans cette cuisine de poupée. L'aménagement était rustique avec des éléments en pin qui paraissaient relativement récents, de même que les appareils ménagers. Pas de machine à laver la vaisselle, semblait-il ; en revanche, un vieux poêle en fonte avait eu le droit de rester où il était, lors de la rénovation. Au-dessus se trouvait une étagère avec de vieux objets. Un chaudron en fer à trois pieds trônait au milieu, entouré d'un joli gobelet de verre et d'une pierre violette, de la taille d'un poing, coupée en deux. Les cristaux à l'intérieur scintillaient et renvoyaient des éclats de lumière dans toute la cuisine quand les rayons du soleil tombaient dessus. Devant ces objets, il y avait une plaque de verre de cinquante centimètres, et tout au bout, une boule, en verre également. Au-dessus de l'étagère, étaient plantés de gros crochets en fer. Un couteau à lame à double tranchant et au manche de bois joliment ouvragé ainsi qu'un vieux couteau de cuisine au manche en os étaient suspendus à ces crochets. Le soleil faisait briller les lames affûtées.

Eva Möller avait sorti de fines tasses à café à filet doré et un plateau avec des petits gâteaux à la cannelle. La nappe à carreaux jaunes et blancs en coton venait d'être repassée, apparemment. Au centre de la table, trônait un bol de céramique bleue rempli d'anémones qui venaient de s'ouvrir.

Eva Möller pria les policiers de s'asseoir. Le café corsé dégagea une odeur puissante quand elle le versa dans les petites tasses de porcelaine. Elle les pria de se servir eux-mêmes de petits gâteaux.

– Prenez-en autant que vous voulez. J'en ai d'autres au congélateur. C'est malheureusement tout ce que j'ai à vous proposer pour accompagner votre café, s'excusa-t-elle.

– Ils sont fameux, vos gâteaux ! commenta Fredrik, la bouche pleine.

La chef de chœur lui adressa son plus beau sourire en le regardant droit dans les yeux. Irene remarqua qu'il cessa de mâcher quelques secondes. Eva Möller continua de sourire et alla poser la cafetière sur le feu d'un mouvement gracieux. Fredrik avait du mal à détacher ses yeux de cette apparition éthérée, mais au prix d'un certain effort il baissa la tête et fixa sa tasse à café. Puis il termina de mâcher son gâteau à la cannelle et déglutit bruyamment.

Irene reconnut l'attitude de Fredrik. C'était le même genre de réaction qu'avaient eue Stig Björk, le gardien du cimetière, et Urban Berg, au foyer, le mercredi précédent, même si le pasteur avait montré plus de retenue que Fredrik et le gardien du cimetière. C'était Tommy qui avait été chargé d'interroger la chef de chœur, ce mercredi-là. Avait-il lui aussi éprouvé cette attirance – ou comment l'appeler – pour Eva Möller ? Irene et Tommy se connaissaient assez bien pour qu'elle puisse lui poser directement la question.

– Ces anémones sont ravissantes, dit Irene qui ne trouva rien d'autre pour engager la conversation.

Eva Möller sourit.

– Oui. Je les ai empruntées à notre Terre Mère. Quand elles auront fini de fleurir, je les remettrai là où elles étaient. Et peut-être qu'à la place j'aurai le droit de prendre une touffe de primevères jaunes.

– Que vous replanterez aussi quand elles seront fanées, si j'ai bien compris, supposa Irene.

– Oui.

Eva Möller leur proposa de reprendre un gâteau et leur demanda :

– Pourquoi vouliez-vous me revoir ?

Comme Fredrik s'était resservi et avait la bouche pleine, ce fut Irene qui répondit :

– Nous avons besoin d'un complément d'informations après les interrogatoires préliminaires. L'image des victimes se précise, mais de nouvelles questions surgissent sans cesse. Nous avons l'espoir que vous pourrez apporter une réponse à certaines d'entre elles.

– Je serai heureuse de vous aider, si je peux.

Soudain, Irene se rappela une phrase que Tommy lui avait rapportée. Elle résolut donc de commencer par là et de l'interroger sur le pentagramme plus tard.

– Notre collègue qui s'est entretenu avec vous mercredi dernier a mentionné que, selon vous, Sten Schyttelius était un homme avec des abîmes insoupçonnés. Pourriez-vous nous expliquer ce que vous entendez par là ?

Eva Möller adressa à Irene un regard appuyé et pensif, avant de répondre :

– Sten avait une personnalité à plusieurs facettes, comme nous tous. Il était très sociable. Il pouvait se laisser aller et ne refusait jamais de boire un verre. Cela dit, il ne faisait jamais de fête lui-même. Sans doute à cause de la maladie d'Elsa. Concernant le travail, c'était un grand conservateur, que ce soit pour le travail dans la paroisse ou pour le service religieux lui-même. Pour les offices, il fallait observer scrupuleusement les rituels. Les chasubles devaient être impeccables, les candélabres étincelants, et il aimait chanter la liturgie. S'il avait pu balancer les encensoirs, il l'aurait fait sans hésiter, je suppose. Ce sont sans doute ces deux aspects de sa personnalité qui transparaissaient le plus clairement. Mais parfois je voyais aussi autre chose en lui. Quelque chose de sombre… de secret… ou peut-être de triste, je ne saurais dire.

– Que pensiez-vous de Sten Schyttelius en tant que personne ?

Eva Möller prit son temps avant de répondre.

– Je le prenais comme il était. Sans doute parce que c'était un homme âgé qui allait prendre sa retraite. Il n'y a jamais eu le moindre problème entre nous. Cela est dû au fait qu'il me laissait carte blanche pour m'occuper de la musique et du chœur de l'église. De fait, il ne s'est jamais immiscé dans mon travail, et je ne me suis jamais mêlée du sien.

– Depuis combien de temps êtes-vous la chef de chœur de cette congrégation ?

– De cette paroisse, vous voulez dire ? Cela va faire très exactement quatre ans. En vérité, c'est la maison qui m'a attirée ici.

– En somme, vous avez d'abord trouvé la maison, puis le travail, constata Irene.

– Oui. J'ai pu l'acheter à un bon prix à une connaissance qui l'avait restaurée mais n'avait jamais le temps d'y séjourner. C'était censé lui servir de maison de campagne, mais sa nouvelle femme ne pouvait pas s'imaginer passer ses vacances en pleine forêt. Alors que j'ai eu l'impression d'être chez moi, dès que je l'ai vue.

– Était-elle en vente quand vous l'avez vue la première fois ?

– Non. Mais je savais qu'elle serait à moi.

Fredrik ne paraissait pas avoir la moindre question un tant soit peu intelligente à lui poser. Il se contentait de mâcher ses gâteaux en dévorant des yeux la ravissante Eva. Irene avait de quoi être contrariée par la passivité de son collègue. Elle décida qu'il était temps d'aborder la vraie raison de leur visite.

– Comme vous avez dû le lire dans les journaux, nous avons trouvé des pentagrammes sur les lieux du crime. Dans les deux cas, les pentagrammes ont été tracés directement sur l'écran de l'ordinateur avec le sang des victimes.

Eva Möller acquiesça pour montrer qu'elle était au courant.

– J'ai parlé avec Louise Määrdh ce matin. Elle a mentionné le fait qu'il y a un pentagramme sur le pommeau du levier de vitesses de votre voiture. Pourriez-vous nous expliquer pourquoi ?

À la surprise d'Irene, Eva Möller éclata de rire. Puis elle expliqua, d'une voix très enjouée :

– Oh, c'est un ami qui m'a donné ça à Noël. Il trouve que j'ai trop de feu et de vent en moi. Le pentagramme est le signe de la terre. Il signifie la stabilité. J'ai reçu tout simplement ce pommeau pour m'aider à garder les pieds sur terre. Ou plus exactement sur la route.

Irene fut décontenancée par une explication aussi simple. Mais était-ce vraiment si simple ?

– Mais comment se fait-il qu'une chef de chœur comme vous ait le visage du diable sur son levier de vitesses ? demanda Irene, sur un ton plus ferme.

Eva Möller redevint aussitôt sérieuse.

– Est-ce que les pentagrammes dessinés sur les ordinateurs avaient la tête en bas ?

– Oui.

– Alors, ils ont été utilisés dans un but satanique. Le pentagramme en lui-même est un symbole fort, mais seuls les satanistes s'en servent en le renversant. Mon pentagramme est dans le bon sens. Mais…

Eva pinça les lèvres sans quitter Irene des yeux. Elle se leva d'un mouvement brusque et se dirigea vers l'étagère au-dessus du poêle. Prenant le presse-papiers, elle l'appuya contre sa poitrine et revint vers la table de la cuisine.

– Voici mon pentagramme, dit-elle.

Doucement, elle posa l'objet devant Irene en lui faisant signe de s'approcher plus près pour mieux regarder. En fait, il ne s'agissait pas vraiment d'un presse-papiers, mais d'une boule en verre avec un pentagramme gravé au fond.

– Le pentagramme en lui-même n'est pas le symbole du mal, mais comme tous les signes magiques, il a un fort pouvoir qui peut être détourné à d'autres fins. Quoi de plus facile que de mettre un pentagramme la tête en bas et d'avoir ainsi le visage du diable ?

Elle tourna la boule de façon que deux des pointes soient dirigées vers le haut et une seule vers le bas.

Le visage du diable regarda Irene à travers le verre.

Le diable de verre.

L'expression s'inscrivit toute seule dans le cerveau d'Irene sans qu'elle sût au juste pourquoi. La force du pentagramme dépendait de la manière dont on s'en servait. Et si on y croyait. Clairement, Eva Möller y croyait. Était-elle folle, ou embarquée dans toutes les bêtises de la mouvance New Age ?

– Comment faites-vous cohabiter votre croyance en le pentagramme avec votre travail dans le cadre de l'église ? poursuivit Irene.

La chef de chœur parut sincèrement surprise :

– Cela n'a rien à voir. La musique est mon travail, et je l'adore. J'aime l'église comme un lieu d'énergie spirituelle. Mais je sens la force du pentagramme comme outil.

Outil ? Quel genre d'outil ? Soudain, Irene en eut assez du blabla d'Eva, de ses mouvements et de sa façon de vouloir se rendre intéressante avec son côté hippie.

Le pire, c'est que ça marchait. Fredrik la regardait, comme hypnotisé, un sourire béat sur les lèvres.

113

– Que pensez-vous d'Elsa et de Jacob ? demanda Irene à brûle-pourpoint.

Eva eut une expression grave quand elle répondit :

– Elsa était une personne éminemment tragique. Tout en elle était sombre. Elle portait un chagrin qu'elle avait enfermé au plus profond d'elle-même. Périodiquement, elle connaissait un mieux, mais je voyais l'ombre tapie derrière elle, attendant de reprendre le dessus. Elle était en son pouvoir. Elle a pensé plusieurs fois se suicider, mais n'en avait pas le courage.

– Comment savez-vous qu'elle a failli se suicider ?

– Je l'ai senti. Pour certaines personnes, c'est la seule issue.

Les mains d'Eva étaient détendues sur les genoux. Ses cheveux libres entouraient sa tête de lumière comme l'aurait fait une gloire, renforçant l'impression que l'on se trouvait face à un ange. Irene commençait à se demander si cette chef de chœur, apparemment si douce, n'était pas un peu illuminée.

– Et Jacob ?

– Lui, je ne le connaissais pas du tout. On s'est seulement rencontrés deux fois. Les membres de la paroisse ont pour tradition de se retrouver tous ensemble pour le petit déjeuner après la messe du matin de Noël…

– J'ai appris cela. C'est donc uniquement là-bas que vous vous êtes rencontrés ?

– Oui. La première fois, sa femme l'accompagnait. Ils étaient jeunes mariés, à cette époque-là.

– Quelle impression vous ont-ils faite ?

Eva resta silencieuse un instant.

– Il n'y avait absolument aucune énergie entre eux. Aucun feu. Rien que du froid.

Irene fut surprise. Le mariage avait-il été raté dès le départ ? Elle se ravisa : ce n'était que l'interprétation d'Eva Möller, rien de plus.

– Vous n'avez jamais parlé à Jacob ?

– Si, à Noël. Nous avons seulement échangé quelques phrases.

– Et quelle impression vous a-t-il laissée ?

Eva tourna une mèche de ses cheveux autour de son index tout en réfléchissant.

– Neutre. Énergie faible. Il entrait peu en contact avec autrui.

Un coup d'œil à Fredrik lui permit de constater que là, en revanche, le contact avait été pleinement réussi. Il paraissait ébloui. Pour achever l'interrogatoire, elle demanda :

– Avez-vous jamais rencontré Rebecka ?

– Oui. En la même occasion que Jacob et sa femme.

– Quelle impression vous a laissée Rebecka ?

De nouveau, Eva marqua un silence.

– Elle a une grande énergie intérieure qui n'est pas de l'obscurité comme sa mère, mais elle dissimule cette force. Intérieurement, elle ressemble davantage à son père, mais cela ne se voit pas de l'extérieur.

– Sur ce point, vous vous trompez. Physiquement, Rebecka a beaucoup de traits communs avec son père, objecta Irene.

– Physiquement, peut-être, mais je voulais parler de son esprit, pas de son apparence. En surface, elle se maîtrise parfaitement et elle ne laisse entrer personne. Vraiment personne.

Irene commençait à se dire qu'il était grand temps de prendre congé. Fredrik persistait à afficher un sourire qui ne semblait pas près de s'évanouir. Irene se leva donc et remercia pour le café. À contrecœur, Fredrik l'imita. Puis ils se dirigèrent vers la porte et enfilèrent leurs manteaux. Ils prirent leurs chaussures crottées à la main pour les chausser sur le perron. La fermeture Éclair d'Irene se coinça. Elle sentit la sueur perler à son front pendant qu'elle s'échinait à tirer dessus. Fredrik se dirigea vers la voiture. Alors, Eva posa légèrement sa main sur l'épaule d'Irene et lui dit :

– Vous avez l'énergie juste et vous pouvez atteindre votre moi profond, je le sens. Vous êtes en contact avec votre esprit. Vous savez méditer et vous laisser aller.

Perplexe, Irene hocha simplement la tête. Comment Eva pouvait-elle savoir qu'elle se servait de la méditation en jiu-jitsu ?

– Ensemble, nous pouvons découvrir les zones d'ombre de Sten Schyttelius. Je ne peux pas le faire toute seule, parce que cela requiert beaucoup d'énergie. Contactez-moi quand vous voudrez essayer.

Avant qu'Irene ait eu le temps de rassembler ses esprits, Eva avait regagné le pas de sa porte. Elle agita la main en souriant pour dire au revoir à Fredrik qui lui répondit par le même geste. Ensuite, elle referma lentement la porte bleue derrière elle.

– Le club de gym Gladiateur, rue Mölnvägen, a confirmé la présence de Jacob Schyttelius à l'entraînement ce lundi soir, entre vingt heures et vingt-deux heures. Aucun caissier chez Hemköp ne se souvient de l'avoir vu faire ses courses. Mais comme ils ferment à dix heures, il a dû y passer avant d'aller s'entraîner. Bon, qu'avez-vous tiré de l'interrogatoire des cousins de Jacob et Rebecka ? demanda le commissaire Andersson en se tournant vers Hannu.

– Ils se fréquentaient à peine. La différence d'âge était trop importante. Le plus jeune des cousins a neuf ans de plus que Jacob.

– Est-ce qu'ils ont pu raconter quelque chose sur leur oncle ? demanda Irene.

– Non, pas grand-chose. Sten Schyttelius était un enfant arrivé sur le tard et, devenu adulte, il n'a guère passé de temps avec ses sœurs. Leur père était pasteur dans une petite paroisse à l'extérieur de Skövde.

– Sten vient donc d'une famille de pasteurs ?

– Oui, comme Elsa. Son père aussi était pasteur, dans une paroisse voisine, et elle était enfant unique. Elsa et Sten se connaissaient depuis l'enfance.

Irene prit une bouchée de son sandwich au fromage tout en réfléchissant à ce que Hannu venait de leur apprendre. En dehors d'eux, seuls Sven Andersson et Fredrik Stridh étaient présents dans la pièce. Le soleil se couchait, Göteborg s'apprêtait à vivre un autre vendredi soir. Bientôt, des attentes connaîtraient de cruelles désillusions qui risquaient de finir en ivresse, les sirènes de police allaient se mettre à hurler, et tout serait comme d'habitude, bref un vendredi soir comme les autres.

Hannu rompit le silence.

– J'ai obtenu le numéro de téléphone de Rebecka. Je ne lui ai pas parlé directement. L'inspecteur en chef Thomsen a apparemment essayé de l'interroger, mais elle aurait répondu qu'elle n'en avait pas la force. Thomsen est entré en contact avec son médecin, qui la dit très fragile. Il lui faudra du temps pour récupérer.

Il tendit à Irene un bout de papier avec l'adresse et le numéro de téléphone de Rebecka. La rue où elle habitait, Ossington Street, ne disait rien du tout à Irene. Elle avait entendu parler de Carnaby Street et d'Oxford Street ainsi que de lieux célèbres, tels que Piccadilly Circus, New Scotland Yard et Buckingham Palace, mais ses connaissances s'arrêtaient là.

– Si elle travaille dans l'informatique, elle doit avoir une adresse e-mail, dit Irene.

– Sûrement, mais Thomsen ne me l'a pas donnée, répondit Hannu.

– Je vais attendre un peu pour l'appeler.

Irene replia le bout de papier et le fourra dans la poche de son jean.

– Alors, comment procède-t-on ? demanda Andersson, laconique.

Tous dans la pièce avaient l'impression familière de se trouver dans une impasse. Ils réfléchirent un moment, et Irene dit enfin :

– Je prendrai contact avec Rebecka ce week-end. Et lundi, je retournerai voir Eva Möller. Seule.

Elle ajouta cette précision dès qu'elle vit le visage de Fredrik s'éclairer.

– Pourquoi ça ? voulut savoir le commissaire.

– Elle est apparemment dans la mouvance New Age, mais il se trouve qu'elle est la seule dans l'entourage de la famille Schyttelius à croire en la magie et à posséder au moins deux pentagrammes. Elle en sait peut-être plus qu'elle ne veut bien le dire.

Irene évita sciemment de répéter ce que la chef de chœur lui avait chuchoté au moment du départ. Ce genre de bizarreries, quelque chose lui disait qu'il valait mieux, pour l'instant, les garder pour soi.

– O.K. Parle avec la chef de chœur. Hannu et Fredrik vont éplucher les résultats du porte-à-porte. Ça n'a pas donné grand-chose, mais on y retournera s'il le faut, déclara Andersson.

C'était le côté ennuyeux du métier, mais il fallait bien le faire. Fredrik hocha la tête et haussa légèrement les épaules. Avait-il seulement le choix ? Comme d'habitude, Hannu ne laissa rien paraître de ses pensées. Hannu et Fredrik étaient deux enquêteurs avec de l'expérience, ils savaient que c'est souvent le travail de routine qui permet à la fin d'arrêter un assassin.

Chapitre 9

– **S**ammy s'est fait menacer de mort par ce crétin de Bajshög !

Jenny se tenait dans l'entrée, campée sur ses deux jambes, les bras croisés sur la poitrine. L'éclairage du plafond donnait des reflets à sa chevelure temporairement blond platine avec des mèches bleu clair. Comme elle était la chanteuse d'un groupe pop en route vers la gloire, elle devait se donner un look spécial. D'où les neuf anneaux dans son oreille gauche et le pénis miniature en verre qui pendait à celle de droite.

Irene, qui s'apprêtait à accrocher son manteau, s'arrêta net et regarda son chien qui lui faisait la fête, ne paraissant pas le moins du monde affecté par cette menace de mort.

– Pourquoi ? demanda-t-elle étonnée.

– Il a mordu Felix à mort.

Irene sentit une boule dans sa gorge. Elle ne connaissait qu'un seul Felix, le gros chat roux de ses voisins, les Bernhög. Oh non ! Pourvu que ce ne soit pas lui !

– Tu sais bien, le chat roux des Bajshög, reprit Jenny, enfonçant ainsi le clou.

Irene se sentit chanceler. Elle avait déjà des rapports pour le moins tendus avec ses voisins. À dire vrai, les relations entre eux étaient épouvantables. Depuis que Krister et elle s'étaient installés dans cette rue bordée de maisons accolées les unes aux autres, quatorze ans auparavant, les conflits anodins s'étaient multipliés. Le couple Bernhög, sans enfants, avait été l'un des premiers à habiter le quartier et cela leur donnait le droit, selon eux, de

119

décider de tout. Il faut dire qu'avoir des jumelles de quatre ans débordantes de vie comme voisines les plus proches, ce n'était vraiment pas le rêve. Les fillettes attiraient les enfants du voisinage, et tous jouaient à des jeux bruyants où les cris se mêlaient aux rires. Les migraines de Mme Bernhög avaient empiré, et les jolies plates-bandes, si chères à son mari, avaient été régulièrement piétinées par la bande d'enfants. Monsieur Bernhög avait crié à la fois après les enfants et leurs parents. Avec pour seul résultat que, soudain, les enfants avaient eu encore plus envie de passer sur ses plates-bandes, et l'avaient affublé d'un affreux sobriquet, *Bajshög* – c'est-à-dire « tas de merde ».

Les Bernhög avaient fini par installer une haute clôture devant et derrière leur maison, et n'adressaient plus la parole à leurs proches voisins quand ils se croisaient dans la rue. En revanche, ils leur glissaient des mots furieux dans la boîte à lettres quand quelque chose ne leur convenait pas. C'était, d'habitude, pour leur reprocher d'avoir mal balayé la neige devant leur porte ou de ne pas avoir mis le sable réglementaire sur les plaques de verglas qui se formaient sous le réverbère commun aux deux maisons. Mais avec l'arrivée de Sammy dans la famille Huss, voilà neuf ans, la guerre avait été ouvertement déclarée. Ils se plaignaient sans cesse de trouver des crottes de chien partout, en dépit du fait que la famille Huss ramassait systématiquement toutes les déjections de Sammy avec des sacs en plastique.

– Et qui ramasse les crottes de tous les chats errants ? avait demandé crânement Irene à Mme Bernhög, à la énième plainte dans la boîte à lettres.

Le visage de sa voisine était devenu cramoisi, ses joues s'étaient mises à trembler, et sa fine bouche aux lèvres pincées s'était ouverte et refermée, incapable de produire le moindre son. Irene trouva que cela la faisait ressembler à un gros poisson rouge furieux de tourner en rond dans son aquarium. Un petit coup sur la vitre, et c'était tout son monde qui s'effondrait. Un coup plus fort, et on sentait que c'était le chaos.

Sammy était un terrier mâle irlandais à poil doux, une race au nom assez long et compliqué, mais l'essentiel était qu'il s'agissait d'un terrier. Tous les terriers sont élevés pour la chasse et le combat. Ce sont des animaux joyeux et dévoués, bien qu'ayant beaucoup de caractère. Sammy adorait chasser tout ce qui bouge, et les chats étaient sa proie favorite. C'était même un chasseur de chats réputé. Irene avait été jusqu'à consulter un psychologue pour chiens. Mais à l'écouter, on ne pouvait pas déprogrammer un aussi fort instinct de chasse, la seule chose à faire était donc de ne pas laisser leur chien en liberté. Plus facile à dire qu'à faire. Pour Krister, Sammy, avec son talent pour disparaître à tout bout de champ, aurait dû être le chien du prestidigitateur Houdini : tel maître, tel chien…

Quant aux Bernhög, ils avaient toujours eu un chat. Le premier était mort de vieillesse, et ils en avaient pris un autre, Felix. Un chat gâté et gavé, infiniment choyé par le couple.

Et voilà que Sammy avait tué leur chat.

– Comment… comment c'est arrivé ? demanda Irene, consternée.

– Je l'ai sorti il y a quelques heures. Sammy était très calme et obéissant. Soudain, il a tiré sur la laisse avec une force incroyable et s'est jeté dans notre haie de thuyas : Felix était tapi là. Je n'ai pas eu le temps de réagir. C'est arrivé comme ça, en deux secondes. Tu te rends compte ? Sammy l'a juste secoué deux ou trois fois, et le chat est mort. Il n'a même pas miaulé ! Sammy l'a mordu à la gorge, et il saignait… c'était horrible !

En bonne végétarienne, Jenny adorait les animaux. Elle lança à son chien un regard accusateur. Sammy ne paraissait pas avoir le moindre remords, mais sentit qu'il y avait de la tension dans l'air, et que ce n'était pas à son avantage. Alors il fit ce qu'il faisait d'habitude en pareil cas : il fila à l'étage et se faufila sous un lit. Il resterait jusqu'à ce que l'orage soit passé.

– Est-ce que Baj… M. Bernhög a vu Sammy tuer Felix ?

– Oui. Il était à quelques mètres, en train de balayer le perron. Quand il a compris ce qui s'était passé, il a commencé à nous chasser à coups de balai, Sammy et moi, mais je suis rentrée ici en courant et j'ai fermé la porte à clé. Alors il a hurlé dehors qu'il allait tuer Sammy.

Irene sentit la colère monter en elle.

– Il t'a vraiment menacée avec son balai ?

Jenny eut l'air surprise.

– Bien sûr. C'est moi qui tenais la laisse.

Irene ne se donna pas la peine de remettre son manteau pour sortir. Elle poussa le portail des Bernhög et alla à la porte d'entrée qui venait d'être repeinte. Celle-ci s'ouvrit violemment avant même qu'elle ait sonné.

– Ça va vous coûter cher…, commença Bernhög.

Irene l'interrompit en prenant sa voix autoritaire de policier :

– Du calme ! Je comprends que vous soyez triste que votre chat soit mort et vous m'en voyez désolée, mais le fait est que vous en êtes vous-mêmes responsables. Votre chat s'est échappé, et dehors il courait de grands risques. Il pouvait être écrasé ou blessé à mort par d'autres animaux. La seule façon de limiter ces dangers, c'était de le garder à l'intérieur. Mon chien était en laisse. Il n'a pas pourchassé votre chat. Ce n'est ni notre faute ni celle de notre chien si votre chat n'arrivait pas à se tenir hors de sa portée. En revanche, il semblerait que vous ayez menacé ma fille et que vous l'ayez chassée à coups de balai. Voilà qui est autrement plus grave. Si jamais cela devait se reproduire, je déposerais plainte !

Bernhög prit à nouveau son air de poisson rouge. On aurait dit qu'il allait avoir une attaque, mais Irene était si contrariée que c'était le cadet de ses soucis. Il ne devait pas être si mal en point que ça pour avoir la force de chasser un chien à coups de balai ! Après s'être tue et avoir serré les poings pendant plusieurs années, cela faisait du bien de dire ce qu'on avait sur le cœur. Irene regarda son voisin une dernière fois droit dans les yeux avant de tourner les talons et de rentrer chez elle.

Elle devait admettre qu'elle s'était laissée emporter, mais cela l'avait soulagée d'extérioriser des années de rancœur. Cela dit, un faible début de réflexion surgissait dans un coin de sa conscience. Ces pauvres Bernhög avaient, malgré tout, perdu leur chat bien-aimé. Et c'était la faute de la famille Huss. Ou, du moins, de certains membres de la famille. Irene jeta un regard accusateur dans la direction de Sammy, que cela n'affecta pas outre mesure. Le chien était entre-temps redescendu et s'était couché sous la table en verre du salon, ronflant bruyamment pendant la digestion de son dîner. Et Irene s'était blottie dans le canapé avec une tasse de café après le repas. La télévision déversait ses jeux avec ces éternelles questions où l'on peut gagner des millions ou tout perdre, mais Irene pensait trop à la mort du chat pour y prêter vraiment attention.

Jenny était sortie, et Katarina devait rentrer de son entraînement d'un moment à l'autre. Krister travaillait tard. Dans le meilleur des cas, il ne serait pas de retour avant une heure du matin.

Au bout d'un moment, les pensées d'Irene revinrent à l'affaire Schyttelius. Demain, elle essaierait de joindre Rebecka et déciderait du jour où elle irait à Londres. Elle ne devait pas oublier de contacter Thomsen à Scotland Yard. Quel temps faisait-il à Londres, à cette époque de l'année ? Quels vêtements emporter ? Ne pas oublier de prendre le passeport tout neuf, car elle l'avait fait faire en prévision de son voyage en Crète avec Krister, au mois d'août. Oh, comme ce serait agréable, il ferait si chaud…

Irene se réveilla en sursaut. Une voiture de police, gyrophares allumés, poursuivait une camionnette blanche à la télévision. C'était le hurlement de la sirène de police qui l'avait réveillée. En jetant un coup d'œil sur l'horloge du lecteur de DVD, elle constata qu'il était presque minuit.

Elle se leva, les membres engourdis, et éteignit la télévision. Sammy sortit de dessous la table en verre et sautilla pour lui faire comprendre qu'il avait besoin de sortir. Que faire ? Le chien n'avait pas mis le nez dehors depuis le meurtre du chat.

En soupirant, Irene enfila son manteau et ses bottes. L'air frais de la nuit acheva de la réveiller. Le ciel était clair avec plein d'étoiles, et c'était presque la demi-lune.

Sur le chemin du retour, elle passa devant la maison des Bernhög. À travers la fenêtre de la cuisine, Irene vit Margit Bernhög assise, avec devant elle, posé sur la table, un verre de lait qu'elle n'avait pas touché. Les yeux rougis, elle avait le regard tourné vers la fenêtre. On voyait qu'elle avait pleuré. Irene comprit que Margit ne pouvait pas la voir, puisque la lampe au-dessus de la table était allumée.

Irene rentra chez elle, tête basse. Sammy courut et la devança dans la chambre à coucher, s'allongea sur le lit et fit semblant d'être profondément endormi.

Irene jeta un œil dans la chambre de Katarina et entendit la respiration de sa fille. Dans la chambre de Jenny, en revanche, le lit était vide.

Le samedi matin, toute la famille Huss fit la grasse matinée. Irene ouvrit les yeux peu avant dix heures, parce que Sammy lui léchait le pied droit qui dépassait des couvertures. Ce chien avait un faible pour les pieds. Surtout en sueur, ils n'en étaient que meilleurs.

– Ah, ce que les chiens peuvent être dégoûtants ! soupira-t-elle en lui donnant avec l'orteil une tape sur le nez.

Krister marmonna quelque chose d'inaudible et se retourna de l'autre côté. Ce serait à Irene de sortir le chien. Aucun son ne provenait des chambres des filles, ce qui ne la surprit guère.

Le soleil brillait dans un ciel sans nuages, et il n'y avait presque pas de vent. Irene descendit vers le petit port de plaisance de Fiskebäck. Des perce-neige et des crocus fleurissaient dans les jardins des villas, et le long des murs les premières jonquilles s'apprêtaient à éclore. Une brise fraîche soufflait du large, chargée d'une odeur de sel et d'algues en décomposition. Irene remplit ses poumons et ressentit une profonde joie de vivre. C'était ça, la vraie richesse : avoir accès à la mer.

Katarina était en train de mettre la table et de préparer le petit déjeuner quand Irene revint à la maison. Dès qu'il fut détaché, Sammy fonça dans la cuisine pour faire comprendre qu'il n'avait rien contre un sandwich au pâté de foie, même deux, pourquoi pas ? Deux autres membres de la famille étaient aussi debout, à en croire les bruits de la douche au premier étage.

– Bonjour, ma chérie. Tu m'as vue dormir sur le canapé hier soir quand tu es rentrée ? demanda Irene.

– Ç'aurait été dur de pas te voir. Tu ronflais ! répondit Katarina en la taquinant.

– Pourquoi ne m'as-tu pas réveillée ?

– J'ai bien essayé. Je t'ai parlé, mais c'était comme si t'étais droguée.

Irene dut admettre qu'elle avait été très fatiguée. Elle ne comptait plus les heures supplémentaires qu'elle avait dû faire cette semaine à cause de l'affaire Schyttelius. Katarina et elle s'étaient peu vues, ces dernières semaines, aussi Irene en profita pour aborder un sujet sensible.

– Papa m'a dit que tu avais l'intention de participer à un concours de beauté, lança-t-elle d'un ton détaché.

Le sourire de Katarina se figea instantanément.

– Oui. C'est marrant d'essayer.

– Pourquoi ?

– Qu'est-ce que tu veux dire par « pourquoi » ? rétorqua Katarina agacée.

– Pourquoi te présenter à un concours de beauté ?

– On rencontre plein de gens intéressants et on voyage. On devient une sorte d'ambassadrice pour sa ville et un exemple pour les autres filles. Un exemple de non-fumeuse. Et puis on gagne vingt-cinq mille couronnes en liquide et on a la possibilité de faire du mannequinat. Et là, crois-moi, on se fait un fric fou.

Irene la regardait, interloquée. Il y a quelques années encore, la jeune fille avait dit qu'elle trouvait ces concours de beauté dégradants. Ce qu'elle venait de dire ressemblait davantage à une leçon apprise par cœur et n'était pas très convaincant. Irene reposa la question :

– Non, dis-moi la vraie raison pour laquelle tu te présentes.

Les traits de sa fille se contractèrent, mais quand leurs regards se croisèrent, Irene vit que les yeux de Katarina étaient remplis de larmes.

– Pour lui prouver qu'il a tort, murmura-t-elle.

Irene s'avança vers elle et la serra très fort contre elle. Dans un mouvement instinctif, elle berça Katarina comme lorsqu'elle était petite et venait se blottir dans ses bras pour se faire consoler.

– Qui « il » ? Tu parles de Micke ? demanda-t-elle tout doucement.

Katarina fit oui de la tête et renifla. Toutes deux restèrent ainsi immobiles un moment.

Le bruit de la douche au premier étage cessa, et on entendit Krister chanter faux avec sa voix de basse : « *I can't get no da-da-da-da-da-daaa sa-tis-fac-tion, I can't get no bam-bam-bam-bam-bam sa-tis-fac-tion, but I'll try and I'll try and I'll try-haj-aj...* »

Irene relâcha son étreinte et vit que sa fille non plus ne pouvait s'empêcher de sourire à travers ses larmes.

– Il faut toujours qu'il chantonne des vieux tubes des Stones quand il prend sa douche, dit-elle.

La mère et la fille éclatèrent de rire. Katarina alla chercher une serviette en papier pour sécher ses larmes et se moucher. Tout en lui tournant le dos, elle dit à Irene, d'une voix atone :

– Quand on… quand Micke a rompu, il m'a traitée de grosse vache.

– De grosse vache ! Tu sais bien que ce n'est pas vrai ! C'est juste le genre de choses qu'on dit quand on est en colère, la rassura Irene.

Katarina se retourna et la regarda droit dans les yeux.

– Non. Il était glacial. Pas du tout en colère.

– C'est aussi une manière de manifester sa colère.

– Il n'était pas en colère, je te dis ! Juste horriblement méchant ! Irene acquiesça et essaya de dédramatiser la conversation.

– D'accord, c'était méchant. Mais de là à faire un régime et te présenter à un concours de…

– Je veux lui montrer qu'il a tort, c'est tout !

– Mais qu'est-ce que tu veux lui prouver ?

– Que je suis belle et que je ne suis pas une grosse vache !

– Tu ne lui prouveras rien du tout. Et si tu ne réussis pas, tu te sentiras une ratée. Mais si tu gagnes, c'est presque encore pire, car je ne pense pas que tu aies vraiment envie d'avoir la vie d'une reine de beauté.

– Si, j'en ai envie…, bredouilla Katarina.

– Non, tu n'en as pas envie. Tu es jeune et belle, mais tu es surtout bien plus que ça. Tu fais du sport, tu réussis à l'école, tu as beaucoup d'amis, tu fais toutes sortes d'activités, et que sais-je encore… Tu es parfaite comme tu es. Tu n'as rien à prouver à toi-même ni à quiconque.

– Qui a dit que t'étais une grosse vache ?

Krister était sur le pas de la porte, enveloppé dans le peignoir blanc que lui avait offert Irene à Noël. Ni Irene ni Katarina ne l'avaient entendu descendre l'escalier. Ses cheveux roux pointaient dans toutes les directions. Il s'était séché les cheveux avec une serviette mais n'avait pas eu le temps de les peigner.

Irene fit un geste las.

– Micke. C'est pour ça qu'elle s'est inscrite à ce concours.

Krister hocha la tête et s'approcha de sa fille. Il lui caressa la joue et lui dit :

– Je ne pensais pas que tu te laisserais manipuler comme ça. Nous autres, garçons, on peut être assez tordus et on sait parfaitement ce qui vous blesse le plus. Notre société fait une fixation sur l'aspect extérieur, et il n'y a pas mieux pour casser une femme que de lui dire qu'elle est moche.

– Et comment on fait pour casser un mec ? demanda Katarina, amère.

– Lui dire de sa voix la plus mielleuse, répondit Irene en devançant son mari, qu'il a la plus mignonne « petite » queue du monde et qu'il est un mauvais amant, mais que ça peut certainement s'arranger s'il va consulter. Puis tu l'achèves en ajoutant, toujours avec ton plus beau sourire, que maintenant il y a le Viagra.

Krister et Katarina s'esclaffèrent, et Irene se sentit soulagée.

Krister se dirigea vers la cuisinière et versa de l'eau bouillante à travers le filtre de la théière. Le café était déjà prêt. Puis il ouvrit le réfrigérateur.

– Qui prend un œuf ? demanda-t-il.

Sans attendre la réponse, il mit quatre œufs dans une casserole, la remplit d'eau et la posa sur la plaque encore chaude. Cela fait, il se retourna vers Katarina.

– Pour une fois, je trouve que tu devrais écouter ta maman. Comme je te l'ai dit, les hommes peuvent vraiment se comporter comme de pauvres types, comme tu viens d'en faire l'expérience, mais dans le genre les femmes ne sont pas en reste. Alors ça finit par s'équilibrer.

Katarina ouvrit la bouche pour répondre, mais préféra ne rien dire. Elle dévisagea ses parents et lança :

– Bon, et si on prenait le petit déjeuner en parlant d'autre chose ?

Ses parents approuvèrent et échangèrent un regard complice.

Irene appela Rebecka après que Krister et elle eurent fait leurs courses hebdomadaires au Frölunda Torg. Il y eut plusieurs sonneries, et Irene allait raccrocher quand une voix grave d'homme répondit en anglais :

– *Yes ?*

Irene ne s'était pas attendue à ce qu'un homme lui réponde, ce qui voulait aussi dire qu'elle devait faire la conversation en anglais. Ce n'était pas son fort.

– Excusez-moi, bafouilla-t-elle dans un anglais mal assuré. Je cherche Rebecka Schyttelius, mais je me suis peut-être trompée de numéro ?

L'homme sourit au téléphone.

– Pas du tout. C'est bien le numéro de Rebecka, mais elle n'est pas à la maison pour l'instant. À qui ai-je l'honneur ? demanda-t-il.

Sur le moment, Irene ne se souvint plus comment son titre se disait en anglais, mais au fond elle se dit que le terme *inspector* devait convenir.

Quand elle eut décliné son identité, il y eut un silence avant que l'homme de l'autre côté de la mer du Nord ne dise :

– Je comprends. Un autre policier de Göteborg a cherché à la joindre, récemment… Elle a dû être hospitalisée de nouveau. Le choc qu'elle a reçu était terrible, cela fait seulement quelques jours qu'elle a appris… ce drame effroyable. Mais j'ai parlé avec son médecin, et il dit qu'elle devrait pouvoir sortir lundi prochain.

Irene hésita un instant avant de demander :

– Puis-je savoir qui vous êtes ?

– Christian Lefèvre. Rebecka travaille dans ma société.

– La société d'informatique ?

– Oui.

Et que faites-vous dans l'appartement de Rebecka ? voulut lui demander Irene, mais elle se ravisa. Mieux vaudrait poser d'abord la question à Rebecka. Elle s'étonna du nom français de l'homme, mais il parlait sans le moindre accent, autant qu'elle pût en juger.

– Pourriez-vous dire à Rebecka que j'ai appelé ?

– Naturellement.

Irene lui donna ses numéros de bureau, de domicile et de mobile, puis elle raccrocha.

Ils avaient acheté beaucoup de bonne nourriture et se préparaient à passer une soirée tranquille et agréable. Krister aurait dû, en réalité, travailler ce week-end, mais comme son collègue Lenny avait besoin d'être libre le week-end suivant, ils avaient permuté.

Jenny avait disparu en début d'après-midi pour répéter avec son groupe. Avant de fermer la porte derrière elle, elle les avait prévenus qu'elle resterait dormir chez Martin.

– C'est qui, ce Martin ? cria Irene en la voyant s'éloigner, mais sa question resta sans réponse.

Katarina se contenta de hausser les épaules quand on lui posa la question.

– Je ne sais pas, moi. Ça fait un petit moment qu'ils sortent ensemble. Je crois qu'il est musicien, répondit Krister.

Comme si Irene ne l'avait pas deviné…

Elle appela le mobile de Jenny et exigea d'avoir le nom complet, l'adresse et le numéro de téléphone de ce Martin. C'était la condition pour dormir à l'extérieur. L'alternative, c'était d'être ramassée par la police ou, plus exactement, par un inspecteur de police. L'adresse la surprit : les appartements situés sur Avenyn n'étaient vraiment pas à la portée de toutes les bourses. Martin devait avoir des parents qui avaient les moyens.

Katarina partit rendre visite à une camarade de classe qui organisait une fête chez elle. À l'approche du week-end – mis à part les bruits de casseroles et autres ustensiles de cuisine dont se servait le chef cuisinier pour réaliser ses plats –, une sorte de quiétude descendit enfin sur la maison des Huss. Irene fit faire au chien sa promenade du soir, au moins ils ne seraient pas dans les jambes du chef. Elle mettrait le couvert en rentrant. Et qui sait, peut-être Krister la laisserait-il préparer la salade ? Elle trouvait son compte dans ce partage des tâches, car elle était une piètre cuisinière. Avant de rencontrer Krister, elle n'en avait pas trouvé le temps ; par la suite, ils s'étaient installés ensemble, et ce n'était plus la peine d'apprendre.

Il était huit heures, et elle avait le ventre creux. Dans son imagination, elle voyait déjà défiler les bons plats. Comme ils avaient fait les courses ensemble, elle savait de quoi serait composé le menu. Il y aurait en hors-d'œuvre du chèvre chaud baigné de miel, posé sur un lit de basilic et servi sur une tranche de pain. En plat principal, un dos de cabillaud grillé, des légumes sautés dans une sauce au vin préparés au wok et des frites maison. Et pour finir, le dessert préféré d'Irene : une mousse au chocolat. Autant dire que ce n'était pas un repas Weight Watchers, mais quel délice ! Le vin venait d'Afrique du Sud et portait l'appellation spirituelle de Something Else. Ce serait une expérience, parce qu'ils ne l'avaient pas encore goûté.

En passant, Irene jeta instinctivement un regard vers la cuisine des Bernhög. Ils étaient attablés sous la lumière crue de la lampe. *Ici, pas de dîner aux chandelles*, pensa Irene. La seconde d'après, elle vit Mme Bernhög sortir un mouchoir et s'essuyer les yeux. Son mari n'avait pas levé la tête. Dans un geste mécanique de va-et-vient, il portait la cuiller à sa bouche. Une boîte de soupe ouverte traînait sur le plan de travail derrière eux.

Toute la joie d'Irene se dissipa instantanément. Les Bernhög étaient si inconsolables de la mort de Felix qu'ils n'avaient même plus la force de faire un vrai repas de samedi soir. Parce que Sammy trottait, inconscient, au bout de la laisse, c'était à elle de porter ce sentiment de culpabilité.

Elle décida de ne rien dire à Krister pour ne pas gâcher l'ambiance de leur dîner. Mais il ne fut pas long à remarquer que quelque chose n'allait pas, et avant même d'avoir fini le hors-d'œuvre elle lui raconta ce qu'elle avait vu par la fenêtre des Bernhög.

– Ils regrettent vraiment leur chat, conclut-elle.

Krister hocha la tête.

– Il semblerait que oui. Il ne nous reste plus qu'à leur en trouver un autre.

Il y avait donc un espoir.

– Tu connais, toi, quelqu'un qui aurait un chat dont il veuille se débarrasser ? Ou des chatons ?

– Non, mais on peut demander autour de nous. Peut-être que quelqu'un, au travail, connaît des gens qui auraient des chatons à donner.

Irene commença à se sentir mieux. Ils finiraient bien par trouver un chat à offrir aux Bernhög !

– Chérie, dit Krister, j'ai trouvé ce vin un peu léger et sec. Que dirais-tu si j'allais chercher un Drosty-Hof ?

Irene avait apprécié l'autre vin, mais c'était Krister l'expert. S'il disait qu'ils devaient en changer, il avait ses raisons.

Krister alla dans l'arrière-cuisine et ouvrit le placard du haut, à côté du sèche-linge. Il ne restait plus qu'une bouteille de Famous

Grouse à moitié vide, deux bouteilles de vin blanc Drosty-Hof et une petite bouteille de Bristol Cream. Ils l'avaient achetée lors de leur dernière escapade à Skagen, simplement parce que la bouteille bleue était si jolie !

Au cours de l'entraînement de jiu-jitsu qu'elle assurait, comme chaque dimanche, Irene donna tout ce qu'elle avait. Son rythme cardiaque s'accéléra, et elle sentait une vague de bien-être envahir tout son corps quand elle y allait à fond comme maintenant. Ces jours-ci, elle trouvait difficilement le temps de s'entraîner plus d'une fois par semaine, et c'était bien trop peu.

Les femmes policiers, ses élèves, commençaient à bien se débrouiller. Elles passeraient un examen le mois prochain : les deux débutantes pour la ceinture orange, quatre pour la verte et trois pour la bleue. Irene avait de quoi être satisfaite. Il faudrait encore travailler certains exercices avant l'épreuve, mais dégager quelques heures supplémentaires relevait du parcours du combattant. La plupart d'entre elles s'entraînaient déjà une fois par semaine avec leurs homologues masculins, mais elles avaient besoin, pour leur promotion, d'un entraînement intensif. Et au milieu de tout cela, il fallait qu'Irene intercale un voyage en Angleterre. *Pas plus de deux jours*, décida-t-elle.

En quittant le dojo, Irene fit un détour par la rue du Dr Bex à Guldheden et passa prendre Gerd, sa mère. Autant l'inviter ce dimanche, avait jugé Krister, puisqu'il allait enchaîner ensuite trois dimanches de travail. Cela convenait parfaitement à Gerd, étant donné que Sture, son concubin un peu spécial, était parti au Danemark avec son groupe de poker.

– Tiens, je suis allée sur la tombe de papa hier, annonça-t-elle lorsqu'elles passèrent devant l'hôpital Sahlgren.

Le père d'Irene était décédé dix ans plus tôt, à la clinique Jubileum. La progression de son cancer avait été fulgurante, et il était mort après deux semaines d'hospitalisation seulement.

– Je désire être inhumée avec lui et je veux, moi aussi, être incinérée, poursuivit Gerd.

Irene lui jeta un regard à la dérobée. Une vague inquiétude l'envahit, et elle demanda d'une voix mal assurée :

– Pourquoi me parles-tu de ces choses-là maintenant ? Tu te sens mal ?

– Pas du tout. Je suis en parfaite santé. Je voulais juste que tu le saches au cas où les choses iraient vite. À mon âge, on ne sait jamais quand ça vous tombe dessus. Tu sais, Stina et Bertil Karlsson, dans l'escalier d'à côté…

Irene fit oui de la tête. Elle avait joué, dans son enfance, avec leur plus jeune fille.

– Eh bien, il est mort vendredi. Infarctus. Comme ça, d'un coup. Et il avait trois ans de moins que moi.

C'était donc pour ça que la mère d'Irene avait abordé cette question. Mais Gerd ne comptait pas s'arrêter en si bon chemin.

– Et je voudrais qu'on chante *Encore un jour* et *Le Mendiant de Luossa*, ajouta-t-elle.

– *Le Mendiant de Luossa* ? Ce n'est pas un psaume, ça !

– Non, mais c'est ma chanson préférée, et je veux qu'on la joue. Et à la trompette, de préférence. Tu sais, ce passage qu'Arne Lambert joue d'habitude : « … revoir le grand ciel bleu d'Ukraine où embaument… »

En entendant sa mère chanter, Irene reconnut l'air.

– Est-ce qu'il n'y a pas une strophe avec « … hm-hm la petite cloche sonne » ?

– Aucune idée. Mais je veux cette chanson-là.

Irene acquiesça en guise de réponse. Elle n'aimait pas avoir ce genre de conversation avec sa mère. Même si elle ne lui rendait pas visite très souvent, toutes deux savaient qu'elles comptaient beaucoup l'une pour l'autre. Sa mère s'était, entre autres, occupée des jumelles quand celles-ci étaient petites et qu'Irene travaillait. Le mi-temps n'existe pas pour les inspecteurs de police. Si Krister, lui, n'avait pas obtenu un mi-temps et si Gerd n'était pas venue dans la journée, jamais Irene n'aurait pu continuer à faire partie de la brigade criminelle.

Katarina et Jenny étaient rentrées. Toutes deux aimaient beaucoup leur grand-mère. Sans doute était-ce parce qu'elles avaient rarement l'occasion de voir les parents de Krister, qui habitaient si loin, à Säffle. Leurs grands-parents paternels avaient plus de quatre-vingts ans. Sans compter qu'ils avaient cinq enfants et onze petits-enfants. Gerd, de son côté, n'avait que Jenny et Katarina, puisque Irene était enfant unique.

Krister avait préparé un délicieux repas sur le thème du printemps. Cela commençait par des asperges de saison au beurre fondu. Pour le plat principal, il avait préparé un poulet rôti servi avec une sauce au romarin et des pommes de terre duchesse. Jenny avait fait sauter des champignons, qu'elle mangea à la place du poulet. Elle s'était chargée du dessert, un gâteau avec de la crème Chantilly. C'était une de ses inventions, même si elle ne mangeait pas de crème. (Bien sûr, elle avait remplacé le beurre par de la margarine végétale.) Jenny avait hérité de son père l'intérêt pour la cuisine, tandis que Katarina ressemblait sur ce point à sa mère : on mangeait pour vivre. Si de surcroît c'était bon, tant mieux, du moment qu'on n'avait pas à s'en charger soi-même.

Peu après le déjeuner, le téléphone sonna. Jenny, assise à côté, décrocha. Elle apporta le combiné sans fil à Irene en lui chuchotant :

– C'est un type qui parle anglais, il a quelque chose à te dire.

– S'il parle anglais, tu n'as pas besoin de chuchoter, il ne peut pas comprendre ce que tu dis, remarqua Katarina.

Irene prit le téléphone et sortit dans le couloir pour échapper à la chamaillerie des jumelles.

– Allo ? Irene Huss à l'appareil.

– Ici, Christian Lefèvre. On s'est parlé hier.

– Oui, je m'en souviens.

– Rebecka m'a prié de vous appeler. Elle ne va pas bien et ne se sent pas la force de parler de… de ce qui est arrivé.

– Elle ne veut pas du tout me parler ?

– Non.

Irene, acculée, réfléchit rapidement.

Puis elle dit d'un ton ferme :

– Il le faudra bien. Nous pensons qu'elle peut nous aider dans notre enquête.

– Elle dit qu'elle ne sait rien.

– C'est ce qu'elle croit. Elle s'imagine peut-être ne rien savoir d'important, mais nous avons déjà obtenu pas mal d'informations et nous savons qu'elle peut nous aider, déclara Irene du ton le plus assuré possible.

Christian Lefèvre se tut un moment avant de demander :

– Qu'avez-vous donc trouvé qui vous permette d'affirmer que Rebecka sait des choses ?

La question surprit Irene, mais elle se ressaisit :

– Je ne peux pas vous le dire.

Il y eut un silence à l'autre bout du fil. Enfin, Lefèvre se racla la gorge et déclara :

– Son médecin affirme qu'elle a besoin de repos. Il faut lui épargner d'autres chocs émotionnels. Je ne connaissais pas sa famille, mais je connais Rebecka et je tiens beaucoup à elle.

– Est-ce pour cette raison que vous vous trouviez dans son appartement ?

– Son appartement ? De fait, c'est tout autant le mien.

– Vous vivez donc ensemble ?

– Non, mais presque, répondit-il brièvement.

C'était une réponse étrange. Pour Irene, on vit ensemble ou pas, un point c'est tout. Il faudrait tirer ça au clair. D'une voix tout aussi sèche, elle annonça :

– Vous pourrez dire à Rebecka que j'arrive dans quelques jours. Je la préviendrai ainsi que l'inspecteur Thomsen de mon arrivée.

Son *Goodbye* resta sans réponse. Christian Lefèvre avait raccroché.

Chapitre 10

– **C**ommençons par Jacob Schyttelius. Trente et un ans. Trouvé abattu dans une maison de campagne avec une balle dans la poitrine et une dans la tête. Aucune arme près du corps, mais l'analyse balistique a montré qu'il a été assassiné avec la même arme que ses parents. La première balle a traversé la cage thoracique à quelques centimètres du cœur, déchirant l'aorte pour venir se loger dans la colonne vertébrale. Aucune trace de carbone ou de poudre n'a été relevée autour de l'orifice. L'autre balle a traversé la tête. Le coup a été tiré entre les deux yeux. Les autres parties du visage portent de grandes quantités de carbone et de poudre. Tout l'arrière de la tête a été emporté.

Le commissaire Andersson interrompit le rapport préliminaire de l'autopsie, qu'il avait reçu dans la matinée. Il jeta un coup d'œil par-dessus ses lunettes de lecture.

– Il y a tout un exposé sur les parties du cerveau qui ont été endommagées, mais je saute ce passage. Bon, tout ça pour dire que le cerveau a été détruit.

Il s'éclaircit la voix et poursuivit sa lecture :

– On a retrouvé la balle fichée dans le sol. Chaque tir a été mortel. La victime a dû perdre connaissance et mourir presque sur-le-champ. Au moment de l'autopsie, la rigidité cadavérique était totale. La température du corps indiquait que Jacob Schyttelius était mort depuis à peu près seize heures, ce qui veut dire qu'il est mort aux environs de vingt-trois heures, lundi soir, dans une fourchette de plus ou moins une heure.

Le commissaire leva les yeux de son rapport.

– Nous savons qu'il est allé à la gym jusqu'à dix heures trente. Ensuite, il a été au sauna et a pris une douche. Nous ne savons pas exactement quand il a quitté la salle de gym. Le meurtre a très probablement été commis entre vingt-trois heures et minuit. Voilà tout ce qu'on peut dire pour l'instant.

Il consulta de nouveau ses papiers pour reprendre à l'endroit où il en était dans le texte.

– Les tests toxicologiques se sont révélés négatifs. L'absence d'arme, la configuration de la scène du crime et les coups portés à la victime indiquent clairement que Jacob Schyttelius a été assassiné.

Andersson posa le rapport sur la table et regarda ses inspecteurs réunis en ce lundi matin. Tout le monde était présent, sauf Jonny qui s'était fait porter malade dans la matinée.

– Des commentaires ?

– Quel sang-froid ! Le premier coup de feu a été tiré en plein cœur. Pourtant le meurtrier s'est avancé et il a posé le canon sur la tête de sa victime allongée sur le sol et sans doute déjà morte. Un dernier tir superflu, dit Tommy.

Les autres acquiescèrent. Le commissaire aussi hocha la tête avant de faire la lecture des deux autres rapports.

– Sten Schyttelius. Soixante-quatre ans. Retrouvé mort dans son lit. Abattu d'une balle dans la tête. Le coup a été tiré à la racine du nez. Le reste du visage porte des traces de carbone et de poudre, ce qui veut dire qu'on a tiré à une distance de quelques centimètres à peine. On a retrouvé la balle dans le sol sous le lit.

Andersson leva les yeux.

– Les blessures à la tête de nos trois victimes sont les mêmes. Bon, je continue. La mort a été presque instantanée. La rigidité cadavérique et la température des corps indiquent que l'heure de la mort remonte à environ dix-huit heures avant qu'on découvre les victimes. Le meurtre a donc été commis autour d'une heure du matin, dans la nuit de lundi à mardi. Les analyses toxicologiques révèlent que Sten Schyttelius avait bu de l'alcool. Son taux d'alcoolémie était de 1,1 gramme par litre. Elsa avait une forte dose de nitrazepam et de citalopram dans le sang, et le médecin légiste indique qu'il s'agit de somnifères et d'antidépresseurs. Dans le cas de Sten, la trajectoire de la balle a dévié très légèrement vers la gauche tandis que la balle qui a tué Elsa est partie, elle, carrément dans cette même direction. À partir de là, le médecin légiste a déterminé que le meurtrier se trouvait près du lit, du côté de Sten Schyttelius, pendant les deux coups de feu et qu'il est droitier. Des commentaires ?

Il y eut quelques secondes de silence, puis Irene prit la parole :

– Le meurtrier s'est introduit dans la chambre après que Sten Schyttelius s'est endormi. Étant donné son taux d'alcoolémie, ce dernier devait avoir un sommeil assez lourd. Quant à Elsa, elle devait se trouver dans les bras de Morphée, vu tous les cachets qu'elle avait pris. C'est pourquoi il tire d'abord sur Sten, puis sur Elsa. Ce qui me frappe, c'est que même Elsa a été abattue presque à bout portant. Il a dû poser un genou sur le lit de Sten Schyttelius et se pencher sur lui pour s'approcher aussi près d'Elsa.

– Ça, alors ! murmura Andersson

– Deux tirs pour Jacob et une balle mortelle à coup sûr pour Sten et Elsa. Je me demande s'il n'a pas renoncé à tirer d'autres coups de feu de peur qu'on ne les entende. Un ou deux coups de feu peuvent passer pour un tuyau d'échappement défectueux, mais trois ou quatre, ça devient tout de suite plus louche, continua Irene.

– Le fait est que personne n'a entendu le moindre coup de feu après minuit quand ils ont été abattus, rappela Fredrik. Le presbytère est trop isolé. Les voisins qui auraient pu entendre quelque chose devaient déjà dormir.

– Nous n'avons pas non plus de signalement de voiture suspecte à proximité du presbytère. Dans un endroit aussi petit que Kullahult, les gens auraient remarqué si une voiture inhabituelle s'était aventurée par là dans la soirée ou la nuit, soupira le commissaire.

– Mais nous avons cette voiture dans les bois, près de Norrsjön. Et les techniciens ont confirmé que les fils de tissu que nous avons retrouvés proviennent bien du même vêtement. Bien sûr, nous ne pouvons pas affirmer que ce vêtement appartient à l'assassin, mais en tout cas quelqu'un a marché entre la clairière et l'arrière de la maison de campagne, dit Irene.

Soudain, Andersson quitta la pièce. Les autres se regardèrent sans comprendre. Par la porte restée entrouverte, ils l'entendirent fouiller dans son bureau en poussant des jurons. Il revint au bout d'une minute, le visage empourpré mais avec un sourire triomphant, brandissant un atlas de Göteborg et des environs.

– Je l'ai trouvé ! C'est plus détaillé que la carte routière, dit-il en tournant les pages pour trouver celles concernant Kullahult et Norrsjön.

– J'ai pensé au trajet qu'ont fait Irene et Fredrik à partir de l'emplacement de la voiture jusqu'à la maison de campagne des Schyttelius, et tout à coup une idée m'est venue. Si on prend la route, il y a au moins six kilomètres entre cette maison et le presbytère. Voyons un peu…

En marmonnant et en soufflant, Andersson mesura la distance sur la carte et la convertit en kilomètres grâce à l'échelle.

– Douze kilomètres. Plus deux cents mètres jusqu'à la voiture suspecte dans les bois, annonça-t-il pour finir.

D'un geste résolu, il déchira la page avec Norrsjön et la plaça à côté de celle de Kullahult. Et, en posant son gros index sur la maison de campagne, il déclara :

– Maintenant, si le meurtrier se rend à Norrsjön puis de là va à pied en passant directement par la forêt, la distance se réduit considérablement. Voyons un peu…

Les nouvelles mesures accompagnées des inévitables grommellements révélèrent qu'en prenant le chemin par les bois il n'y avait plus que quatre kilomètres et demi entre les deux lieux de crime.

– Ajoutons encore deux cents mètres pour rejoindre la voiture, et ça nous fait un total de neuf kilomètres deux cents, aller et retour. C'est faisable à pied, constata le commissaire.

– Mais pas si facile que ça ! On a en vraiment bavé pour faire les premiers deux cents mètres dans les bois, objecta Irene.

– Faut dire qu'on n'avait pas les bonnes chaussures, reconnut Fredrik. Si le type a l'habitude de la forêt et marche d'un bon pas, ça ne pose aucun problème.

– Mais il a dû faire nuit noire dans la forêt, si le meurtrier s'est mis en route aussitôt après avoir tué Jacob. Il faut quand même regarder où on met les pieds si on ne veut pas se tordre la cheville, et il ne faut pas se perdre… Cela dit, il suffit d'avoir une bonne lampe de poche, ajouta Tommy, songeur.

– Il est évident que l'assassin savait où se trouvaient les clés de la porte d'entrée et celle du bureau avec l'ordinateur dans le presbytère, et où se trouvait l'armoire forte. Il connaissait aussi la cachette derrière la latte en bois de la maison de campagne. Il est possible qu'il soit allé directement de là jusqu'au presbytère. Ce qui me frappe, c'est son degré de connaissance des lieux, conclut Irene.

– Nous ne sommes pas allés au-delà de la maison. Peut-être y a-t-il un sentier que nous avons manqué, ou une piste. Il faudrait retourner pour voir, suggéra Fredrik en la regardant.

– Tu peux très bien aller vérifier ça tout seul, répondit Irene aussitôt. Moi, je vais voir Eva Möller.

Elle n'avait aucune envie qu'il l'accompagne. Dans le même temps, elle se demandait si elle n'était pas folle d'avoir pris une illuminée comme Eva au mot quand celle-ci lui avait lancé : « Ensemble, nous pouvons trouver les zones d'ombre de Sten... »

Irene appela Eva Möller, et elles convinrent de se retrouver chez la jeune femme vers deux heures. Cela laissait à Irene quelques heures pour diminuer sa pile de dossiers et rédiger son rapport. Mais c'est précisément le moment qu'avait choisi Tommy pour lui parler des dernières nouvelles concernant le meurtre de Speedy.

– La situation s'est complètement renversée quand j'ai soudain eu l'idée d'aller frapper à la porte de la voisine qui habite en face d'Asko Pihlainen, de l'autre côté de la rue. C'est une femme de quatre-vingts ans qui s'appelle Gertrud Ritzman. Elle souffre de graves problèmes cardiaques et n'a plus longtemps à vivre, à ce qu'elle dit. Mais la vieille dame a encore toute sa tête. C'est elle qui nous a demandé de filmer son témoignage au cas où elle mourrait avant le procès. Quand je l'ai interrogée à propos de ce matin-là – quand Asko et ses voisins, M. et Mme Wisköö, prétendent avoir joué aux cartes –, elle m'a déclaré tout de suite que c'était faux. Elle dort mal et se lève souvent la nuit. Il se trouve qu'elle se rappelle particulièrement bien ce matin-là. Vers cinq heures et demie, la voiture de Wisköö a ralenti devant la baraque de Pihlainen, et Asko est sorti en courant avant même l'arrêt complet du véhicule. Il s'est précipité chez lui pendant que Paul Wisköö garait la voiture au parking. Pas plus Asko que Paul Wisköö n'ont joué aux cartes avec leurs femmes à cinq heures du matin. J'ai enquêté sur ce Paul Wisköö, et comme tu t'en doutes Wisköö est un nom d'emprunt. Devine un peu quel bon vieil ami se cache derrière ce cher Paul ?

– Aucune idée.

– Paul Larsson, alias Pepsi !

Ce nom disait quelque chose à Irene, mais il lui fallut quelques secondes pour voir de qui il s'agissait.

– Tiens, ce bon vieux Clark Olofsson ! s'exclama-t-elle. Ça alors ! Son casier judiciaire doit être aussi long que la route entre Kungsbacka et ici. S'il est dans le coup, c'est qu'il y a une histoire de stupéfiants. Avec beaucoup de drogue en jeu !

– Bien vu. Il a été incarcéré à plusieurs reprises pour trafic de drogue et braquages de banque. Il y a quelques années, Pepsi et Asko se sont retrouvés dans la même cellule et sont devenus amis. Ils habitent même l'un à côté de l'autre.

– Ils doivent avoir pas mal d'argent pour habiter de belles villas toutes neuves à Kungsbacka, près de la mer. Ils font quoi, officiellement ?

– Un business de voitures. Ils travaillent dans une boîte qui vend exclusivement des voitures de luxe, neuves ou d'occasion.

– Ça paie si bien que ça, les voitures de luxe ?

– Disons qu'une Porsche d'occasion, c'est toujours mieux que pas de Porsche du tout.

– On peut dire ça comme ça. Apparemment, leurs revenus seraient donc bien supérieurs à ce que rapporte la vente des voitures ?

– En effet. Pepsi et Asko ont déjà fait de la prison pour des histoires de drogue et diverses agressions. Mon hypothèse, c'est que ces types ont mis un contrat sur Speedy. Des rumeurs ont couru, comme quoi Speedy a gardé de l'argent qui devait revenir à ses fournisseurs. Comme Speedy est un des plus gros dealers, cela devait faire une jolie somme. Alors le chef a décidé de se débarrasser de Speedy pour faire un exemple.

– Tu as une idée de qui est le chef ?

– Pas la moindre. Il s'agit maintenant d'enquêter à partir de Pepsi et Asko. On aura du mal à répertorier toutes leurs connaissances, mais nous allons collaborer avec les stups. Ils ont surveillé l'importation des grosses cylindrées en Suède, car ils suspectent que la drogue est convoyée *via* ces voitures de luxe. Dissimulée grâce à une technique de soudure, enfin tu vois le genre.

– Ils ont trouvé quelque chose ?

– Une Jaguar qui semble ne pas avoir de propriétaire. Enregistrée sous un faux nom et qui pour l'instant reste au garage. Personne n'est assez bête pour réclamer une voiture qui contenait cinq kilos d'héroïne et le double de cocaïne.

– Je vois que tu as du pain sur la planche, lui dit Irene.

– Comme tu dis. Tu devras aller seule à Londres. Mais promets-moi de ne pas te lancer toi-même dans des recherches. Ai-je besoin de te rappeler ce qui s'est passé la dernière fois que tu es partie enquêter à l'étranger ?

C'était censé la faire sourire, mais Irene ne trouva pas l'allusion très drôle. Les événements qui s'étaient déroulés à Copenhague un an auparavant avaient été assez traumatisants.

Bien que Fredrik et elle s'y soient rendus très récemment, Irene se trompa plusieurs fois de chemin pour arriver jusqu'à la maison isolée d'Eva Möller. Elle dut attendre de voir le chêne fendu en deux pour être sûre d'être sur la bonne route. Depuis qu'elle avait quitté Göteborg, le soleil s'était caché derrière une épaisse couche de nuages, mais il réapparut juste au moment où elle se garait à côté de la voiture rouge d'Eva Möller et éteignait le moteur. Il apportait lumière et chaleur à cet endroit, et Irene comprit mieux ce qui avait pu attirer ici une personne comme la chef de chœur. La vue était, comme la première fois, à couper le souffle. Tous ceux qui montaient jusqu'ici devaient tomber en émoi devant un paysage pareil.

Quand elle eut détaché son regard de la vallée en contrebas et des hauteurs bleuissantes, Irene vit Eva sur le seuil de sa porte. Celle-ci la saluait de la main, et Irene alla la rejoindre.

– Je suis contente que vous ayez eu envie de revenir ! Entrez donc ! lança gaiement Eva qui semblait réellement heureuse de cette visite.

Irene entra dans la cuisine chaleureuse et commençait à ôter son manteau quand Eva lui dit :

– Non, gardez votre manteau. Nous pouvons parler dehors, il fait si bon sur le côté de la maison ! Tenez, aidez-moi…

Et sans attendre la réponse, elle prit une bouilloire en fer et une baguette en verre posées sur l'étagère au-dessus de la cuisinière. Elle saisit une boîte en bois dont Irene ignorait le contenu, puisqu'il était recouvert d'un tissu bleu, et ressortit la première. Intriguée, Irene lui emboîta le pas. Dans quoi s'était-elle embarquée ? Maintenant, il était trop tard pour reculer.

Eva se dirigea vers le mur sur la gauche, qui était en plein soleil. Elle posa la boîte et étala sur la table la nappe bleue bien repassée. Elle indiqua du doigt les deux chaises en plastique, chacune d'un côté de la table.

— On peut s'asseoir ici et parler un peu. En attendant, vous n'avez qu'à poser les choses sur la table.

Irene obéit et s'assit dans une des chaises sans coussin qui, malgré l'épaisseur de son jean, lui parut glaciale. Eva, dans un mouvement gracieux, prit place sur l'autre chaise. Le caftan bleu nuit qu'elle avait revêtu lui donnait un air autrement plus majestueux que la tunique bleu pâle qu'elle portait lors de la première visite d'Irene. Les manches resserrées étaient fendues, et la coupe était plus près du corps. Le décolleté, profond, mettait en valeur sa poitrine. Dans le creux entre ses deux seins, une petite montre en argent pendait au bout d'une fine chaîne. Au-dessus de la tunique, Eva portait un long gilet en fine laine noire qui lui arrivait aux chevilles, et constitué de petites étoiles au crochet cousues les unes aux autres.

— Je sais que ce que nous allons faire va vous paraître très bizarre, mais c'est simplement un peu de magie, commença Eva.

Irene, ne sachant quoi dire, préféra garder le silence.

— La magie habituelle, c'est en réalité à la portée de n'importe qui, mais ce que nous allons faire, c'est bien plus que ça. Nous allons essayer de découvrir les secrets les plus cachés d'une personne décédée. Il n'est pas sûr que ça marche, mais ça vaut la peine d'essayer.

Eva sourit, les yeux brillants d'excitation. La lumière du soleil jouait dans ses cheveux libres, elle était vraiment ravissante. Elle n'avait absolument rien de la sorcière qu'elle disait être. Son petit discours sur la magie avait déssillé les yeux d'Irene, qui commença à comprendre de quoi il s'agissait. Elle n'était pas effrayée, seulement curieuse.

– Il faut d'abord créer un espace sacré, et rien ne s'y prête mieux que le temple sacré de la Nature, notre mère.

Joignant le geste à la parole, Eva ouvrit grand les bras comme si elle voulait embrasser la nature autour d'elle. Irene dut reconnaître que c'était très beau, maintenant que les jeunes pousses d'un vert tendre surgissaient sur les arbres et les arbustes autour de la maison d'Eva. Il faisait bon près du mur ensoleillé. Un bourdon, en avance sur la saison, vrombissait mollement sous l'auvent du toit, à la recherche d'un bon nid. Irene se sentait bien. Soudain, l'image de Felix, tué, jaillit dans son esprit. C'était étrange, car elle n'avait pas réellement vu le chat mort. Elle avait dû faire un geste de répulsion, car Eva le remarqua aussitôt.

– Quelque chose vous oppresse. Racontez-moi et vous vous sentirez mieux après. Si vous gardez cela en vous, cela va déranger votre méditation et affaiblir les forces en jeu. Et nous avons besoin de toute l'énergie que nous pouvons rassembler, dit-elle.

À sa propre surprise, Irene raconta comment Sammy avait tué Felix et elle décrivit l'immense chagrin de ses voisins. Elle révéla même qu'elle désirait donner aux Bernhög un nouveau chat. Eva la regarda longuement, avant de se lever et de disparaître dans la maison.

Quand elle revint quelques minutes plus tard, un large sourire éclairait son visage.

– C'est arrangé. Nous irons chercher le chaton juste avant que vous rentriez chez vous.

Irene éprouva un sentiment de gêne sur le moment. Puis ce fut comme si un nœud au niveau du diaphragme se défaisait. Elle n'avait pas eu conscience de cette tension, mais à présent qu'elle se relâchait, une sensation de libération l'envahit. Elle respira mieux et remplit ses poumons d'air frais, se préparant – sans s'en rendre vraiment compte – pour le *mukuso*, la « méditation » en arts martiaux.

– J'ai ici un cercle de pierres, expliqua Eva. Quand nous entrons dans le cercle – la pièce sacrée –, nous ne devons pas le quitter avant d'avoir terminé tout ce que nous avons à faire. Cela affaiblirait les pouvoirs. Donc, si vous devez aller aux toilettes, allez-y maintenant.

Pour toute réponse, Irene secoua la tête.

– Bon, alors je place la table au milieu. Elle fera office d'autel.

Eva souleva la table, la porta quelques mètres plus loin et la reposa par terre. Elle étala de nouveau la nappe et fit quelques pas en arrière pour vérifier que l'autel soit bien à sa place. Irene se leva à son tour et aperçut dans l'herbe tendre un cercle de petites pierres blanches. À l'intérieur du cercle se trouvait une grande pierre plate.

– Je vais prendre un à un mes outils, vous expliquer à quoi ils servent et les introduire dans le cercle. Si vous les connaissez et si vous comprenez leur but, votre concentration n'en sera pas affectée par la suite.

Eva se pencha, prit la baguette en verre et la tint contre le soleil, ce qui eut pour effet de diffracter à son sommet des éclats de lumière.

– Voilà bien sûr ma baguette magique ! Elle représente le feu. Le feu, c'est la passion et la volonté, le changement, la purification et la sexualité. Ça appartient au soleil.

Elle posa soigneusement les objets sur la table et prit le couteau, dont la lame à double tranchant scintillait au soleil. C'était le plus grand des couteaux.

– Ça, c'est mon athamé[1]. C'est un outil d'air. Il ne peut pas servir à blesser des créatures vivantes, mais c'est quand même une arme acérée. Elle sert à diriger et canaliser l'énergie. Quand je coupe des herbes, j'utilise ce vieux couteau avec un manche en os dont la lame aussi est tranchante. Jamais mon athamé.

Eva se retourna et s'approcha de la table. Quand elle revint, elle brandit un objet enveloppé dans un tissu de soie jaune brillant. À l'intérieur se trouvait le magnifique gobelet en verre qu'Irene avait admiré sur l'étagère de la cuisine lors de sa première visite.

– Mon gobelet. Symbole du pouvoir de l'eau et de la direction cardinale de l'ouest. Voilà pourquoi j'ai choisi le mur à l'ouest de la maison. Le gobelet va nous aider à voir.

Avec l'autre main, elle éleva en l'air la petite bouilloire en fer à trois pieds.

– La bouilloire est l'outil de l'esprit et ne représente aucun élément. Cet outil nous mènera à l'éternité et nous fera sentir la présence de Dieu. Il approfondira notre transe.

---

1. Un athamé est une dague ou un poignard utilisé lors de cérémonies et rites magiques.

De nouveau, Irene eut le sentiment que la jeune femme était vraiment illuminée, mais elle dut reconnaître que tout cela était néanmoins assez fascinant. Eva croyait-elle réellement qu'elle était capable d'exercer de la magie ?

Eva retourne dans la cuisine et en revint avec du jus de cassis, une assiette de biscuits et la boule en verre avec le pentagramme à l'intérieur, qu'Irene avait déjà vue.

– Le pentagramme est l'outil de la terre, le symbole de toute la vie terrestre. Il est très puissant. C'est pourquoi les satanistes s'en servent.

Elle alla vers son autel et fit signe à Irene de la suivre. Celle-ci n'en menait pas large mais décida d'aller jusqu'au bout, quoi qu'il lui en coûte. Il était possible qu'Eva sache des choses sur Sten Schyttelius qu'elle ne révélerait qu'au cours de son rituel magique. Que ne ferait-on pas pour apprendre la vérité !... Irene grimaça légèrement et entra, résolue, dans le cercle.

Eva la regarda de ses yeux clairs et entonna une mélodie, une sorte de mélopée, qui aida Irene à s'apaiser. Parfois, la jeune femme faisait sonner la clochette d'argent qu'elle portait autour du cou. Le son en était faible, mais il contribuait à élever l'esprit d'Irene. Toujours en fredonnant, Eva s'approcha de la table et souleva la baguette en verre. À son extrémité, un rayon de lumière toucha l'œil d'Irene qui ferma involontairement les paupières et se laissa tomber par terre.

Quand elle rouvrit les yeux, elle aperçut Eva qui avait échangé la baguette en verre contre le couteau à lame à double tranchant qualifié d'athamé. Les bras écartés, Eva avait le visage tourné vers la maison. Elle fit un quart de tour et garda la même position face à la forêt. Quand elle fit encore une rotation vers l'ouest, Irene comprit qu'Eva saluait les quatre points cardinaux. Le chant n'avait pas cessé, et Irene crut reconnaître quelques mots. Soudain, Eva s'arrêta et offrit son visage au soleil. D'une voix forte et claire, elle déclara :

– Mère Nature. À travers les quatre éléments et les quatre points cardinaux qui existent en nous et élèvent notre esprit, je t'invoque. Sois bénie et sois la bienvenue.

Tout d'un coup, le vent se calma. La légère brise printanière cessa de souffler. La température augmenta et Irene sentit une douce chaleur sur ses paupières mi-closes.

Eva ôta la languette sur le carton de jus de cassis et versa le liquide d'un rouge profond dans le gobelet en verre. D'une poche en bas de son gilet, elle sortit une photo qu'elle posa sur la table. Puis elle se tourna vers Irene et lui chuchota, en chantonnant :

– Maintenant, nous allons entrer en transe. Il y a sur la table une photo de Sten Schyttelius que j'ai découpée dans un journal. Nous allons concentrer notre attention sur Sten et demander à la Déesse de nous aider. Avec un peu de chance, nous devrions découvrir ses zones d'ombre.

Elle se tourna à nouveau vers l'autel et plaça la photo bien au centre de la table, avec dessus le gobelet et son contenu couleur rubis. Les mains levées, elle fit une courte invocation, avant de saisir l'athamé des deux mains et de presser la lame contre son front. Les yeux fermés, elle se tint immobile, plongée dans une concentration intérieure.

Irene n'avait encore jamais atteint un état de *mukuso* aussi rapidement. Une impression de chaleur et de paix gagna son corps, et elle se sentit légère comme une plume. Telles des bulles colorées de savon, ses pensées flottaient, légères, tandis qu'elle-même était attirée vers la Lumière. Quand elle fut sur le point d'arriver au but, elle essaya de se concentrer sur Sten Schyttelius.

Le changement fut si progressif qu'au début elle ne remarqua rien. Après un moment, elle vit qu'elle s'éloignait de la Lumière. Elle eut conscience de commencer à frissonner et tenta de mieux s'emmitoufler dans son manteau. Mais c'était impossible, maintenant qu'elle était en pleine méditation. Ses membres devenaient lourds, et elle ne pouvait plus les bouger. Une brume sombre vint se placer devant la Lumière. Elle entendit une voix dire :

– *Keikoku ! Mate !*

Ces termes des arts martiaux la mettaient en garde contre un danger. Elle dut interrompre sa méditation. Quelque chose tournait mal.

Elle dut faire un immense effort de volonté pour sortir de cette transe et retrouver son état de conscience normal. Elle finit par rouvrir les yeux et observa Eva près de l'autel.

Tout se passa très rapidement. Par la suite, elle ne fut même pas sûre de ce qu'elle avait réellement vu. Peut-être n'était-elle pas entièrement sortie de sa transe.

146

Le soleil s'était caché derrière un nuage, et le vent s'était remis à souffler fort. Eva, les yeux écarquillés de terreur, fixait le liquide à l'intérieur du gobelet. Elle ne fredonnait plus mais émettait un son plaintif. Soudain, Irene crut voir Eva presque soulevée du sol et jetée par terre du côté de la maison. Sa tête heurta une pierre des fondations avec un bruit sourd et elle resta là, sans bouger.

Irene retrouva immédiatement ses esprits et se précipita pour porter secours à Eva. Elle lui prit le pouls. Les battements étaient forts, réguliers, et sa respiration paraissait normale. Soulagée, Irene vit les paupières d'Eva se soulever. Quand elle rouvrit grand les yeux, son regard était vide et troublé.

– Qu'est-ce… qu'est-ce qui s'est passé ? demanda-t-elle d'une petite voix.

Avant qu'Irene ait pu répondre, Eva s'écria :

– C'était Satan en personne !

Irene lui posa la main sur le front en lui demandant de rester allongée et de se calmer, tout risque de commotion cérébrale n'étant pas écarté. Elle palpa doucement l'arrière de la tête d'Eva. On sentait déjà une bosse qui allait grossissant. Eva voulut se lever seule, mais Irene l'en empêcha parce qu'elle la voyait prise de convulsions. Irene l'aida à se remettre debout et la soutint pour monter les marches et atteindre le petit salon derrière la cuisine. Eva se laissa retomber dans un canapé à l'air confortable.

Irene promena son regard dans la pièce qui paraissait ordinaire, avec un mélange de meubles anciens et plus récents. Rien ne laissait entrevoir qu'une sorcière habitait ici, bien qu'il y eût des cartes de tarot sur la table basse et de nombreux objets en cristal sur le rebord de la fenêtre.

– Je vais rentrer les affaires. On dirait qu'il va se mettre à pleuvoir d'un moment à l'autre.

Eva hocha la tête et ferma les yeux, comme si elle était épuisée.

Quand Irene revint avec la boîte remplie des objets rituels, Eva s'était redressée dans le sofa. Elle regardait par la fenêtre où les premières gouttes de pluie frappaient déjà les vitres.

– Qu'est-ce qui s'est passé ? demanda-t-elle à Irene sans la regarder. Je me souviens juste avoir vu un visage dans le gobelet et j'ai eu terriblement peur… mais après, c'est le trou noir. Je me souviens seulement de cette impression de mal extrême.

Elle détacha son regard de la fenêtre et le posa sur Irene. Cette dernière, dépitée, s'entendit répondre :

– Moi… moi aussi, j'étais dans une profonde méditation… Il est possible que je n'aie pas été vraiment réveillée…, bafouilla Irene avant de lui raconter ce qu'elle avait vu.

Un reste de son assurance passée brilla un instant dans les yeux bleu pervenche d'Eva, qui dit d'un ton presque moqueur :

– Vous ne voulez pas croire ce que vous avez vu. Mais cela ne fait rien. Nous avons quand même réussi à trouver quelque chose d'important.

– Quoi donc ?

– Il y avait une zone d'ombre chez Sten. Et c'était le mal.

Eva toucha doucement sa bosse à l'arrière du crâne.

– Vous pourriez aller chercher une bouteille froide ou un quelconque récipient en verre dans le réfrigérateur ? J'ai besoin de mettre de la glace sur cette bosse.

Irene alla à la cuisine et trouva une bouteille de Ramlösa dans le réfrigérateur. En la tendant à Eva, elle lui demanda :

– Qu'est-ce que vous vouliez dire ?

– Où que soit Sten à l'heure qu'il est, il ne se promène pas dans les pâturages célestes, affirma Eva.

– Vous voulez dire qu'il est en enfer ?

– Non, il n'existe pas d'endroit qui s'appelle l'enfer. Savez-vous ce qu'est l'enfer ? demanda Eva en regardant fixement Irene.

– Non.

– L'enfer, c'est simplement que tout est trop tard. Qu'on ne peut plus rien changer ou améliorer. La personne que vous avez été dans votre vie est aussi celle que vous serez après la mort. On ne peut rien changer à vos paroles ou à vos actes, et cela affectera, longtemps après votre mort, toutes les personnes que vous avez rencontrées ou simplement côtoyées. Pendant des générations, des siècles… oui, peut-être pour l'éternité. Toutes les religions veulent vous offrir la paix et la rédemption de vos péchés, au moins après la mort. La vérité, c'est que vous ne pouvez pas vous sauver de vous-même.

Il fallut du temps à Irene pour que les paroles de la jeune femme s'impriment dans son esprit. Eva reposa la bouteille sur la table.

– Bon, si nous allions chercher le chaton ?

Irene prit le volant, et Eva lui indiqua le plus court chemin, en passant par des sentiers défoncés et humides. De bons amis d'Eva avaient une chatte qui avait été en chaleur très tôt ce printemps. Les chatons étaient peut-être encore trop petits pour être séparés de leur mère, mais ils commençaient à se détacher d'elle. Comme sa nouvelle famille d'adoption avait l'habitude des chats, ce ne serait pas un problème.

– C'est ici qu'ils vivent, annonça soudain Eva en indiquant la petite ferme qu'elles apercevaient au loin.

Irene s'engagea sur un chemin et eut une pensée compatissante pour les suspensions de la voiture que les années n'avaient pas épargnées. Elle gara le véhicule, et Eva descendit pour entrer dans la maison sans prendre le temps de lui demander de l'accompagner.

La petite ferme était bien entretenue. La maison principale elle-même était peinte en blanc, contrastant avec les autres bâtiments et la grange qui étaient en bois et peints en rouge sang de bœuf. Toutes les plates-bandes autour de la maison avaient été retournées dans l'attente des semis de printemps.

Au bout d'un moment, Eva ressortit en courant à petits pas sous la pluie battante, portant une boîte en carton dans les bras. Irene lui ouvrit la porte pour qu'elle puisse s'engouffrer dans la voiture. Une fois qu'Eva fut assise avec la boîte à chaussures sur les genoux, Irene vit seulement la marque Ecco sur le couvercle percé de trous. Eva le souleva tout doucement et chuchota :

– Regardez comme elle est mignonne ! C'est une femelle qui s'appelle Felicia. N'oubliez pas de dire à sa nouvelle famille qu'ils ne doivent surtout pas lui donner un autre nom.

Irene entrevit une petite boule de poils clairs couleur abricot, enveloppée dans une serviette jaune.

– Felicia, répéta-t-elle à haute voix pour ne pas oublier.

Felicia dormit dans son carton pendant tout le trajet du retour jusqu'à la maison d'Irene. La pluie cessa juste quand elle tourna dans la rue Fiskebäcksvägen. Le soleil couchant réussit à percer le voile nuageux et leur donna, par en dessous, un bel éclat rouge doré. C'était un jeu de lumières absolument splendide.

Quand Irene eut rangé la voiture au garage, elle alla directement sonner à la porte des Bernhög. Margit Bernhög entrouvrit la porte après la deuxième sonnerie, et Irene fit de son mieux pour réciter le texte qu'elle avait préparé mentalement dans la voiture.

– Bonsoir, Margit. Je me demandais si vous pouviez vous occuper de la petite Felicia que j'ai ici. Une de mes amies m'a prié de lui trouver un nouveau foyer chez des personnes aimant les chats. Sinon, ils auraient été obligés de l'euthanasier, ce qui serait vraiment trop triste.

Margit Bernhög sursauta à cette dernière phrase et ouvrit de grands yeux. Elle finit malgré elle par baisser la tête et regarda le carton. Irene souleva le couvercle et lui tendit la boîte.

Ce fut l'instant que choisit Felicia pour se réveiller. Elle étira son petit corps laineux et bâilla en tirant sa minuscule langue rose. Délicatement, Margit souleva le chaton ensommeillé et enfouit son nez dans le pelage moelleux de l'animal.

– Ce que tu es mignonne... petite Felicia... Oh, merci, bredouilla-t-elle sans regarder Irene.

Elle était totalement absorbée par la petite boule de poils couleur abricot. Alors, Felicia tourna la tête et regarda Irene de ses yeux bleu pâle et tout ronds.

Chapitre 11

– C'est n'importe quoi, toute cette affaire autour des nerfs de Rebecka ! s'écria le commissaire Andersson.

Il n'était pas content du tout d'apprendre que le voyage à Londres d'Irene était reporté.

– Ce *Frenchy* a clairement l'intention de retarder l'interrogatoire, conclut-il, en colère.

Avec d'aussi longs pas que ses courtes jambes le lui permettaient, il marchait de long en large dans son bureau, l'air très contrarié. Sur la chaise du visiteur, Irene attendit que la tempête se calme. Debout à la fenêtre, malgré l'épaisse couche de saleté sur la vitre, Andersson faisait mine d'examiner la vue de la place Ernst-Fontell.

– Je comprends qu'elle ait eu un choc, et un vrai, en apprenant la nouvelle. Le contraire eût été étonnant. Mais nous avons besoin de lui parler en personne. Il y va de sa propre sécurité ! Nous n'avons toujours pas le moindre mobile pour ces crimes ! On n'a que ces foutues étoiles sataniques !

Irene allait rectifier ce qu'il venait de dire et expliquer la signification du pentagramme, mais elle se ravisa. Comment pourrait-elle expliquer ce qui s'était produit chez Eva Möller ? À vrai dire, le savait-elle seulement elle-même ?

Sans remarquer le silence d'Irene, le commissaire poursuivit :

– Est-ce qu'elle peut venir en Suède pour les funérailles sans courir de danger, ou devons-nous la protéger ? On n'en sait fichtrement rien ! Je suis sûr qu'elle doit savoir quelque chose qui nous donnerait un indice pour le mobile de ces meurtres !

151

Irene acquiesça et ajouta :

– Je suis d'accord. Je vais rappeler Glen Thomsen, on verra bien ce qu'il me dira.

– Elle dit qu'elle n'a pas la force d'en parler. J'ai essayé d'aborder le sujet avec elle, mais elle fond aussitôt en larmes.

La voix grave de l'inspecteur Glen Thomsen était douce et apaisante. Irene tenta, sans y parvenir, de se faire un portrait de l'homme.

– Mais je comprends parfaitement que, de votre côté, le temps presse. En l'absence de mobile… C'est vrai, cette histoire de symboles sataniques ? On en a récemment parlé dans les journaux… Les meurtres sont pour le moins spectaculaires, même pour un pays comme l'Angleterre.

– Oui, les symboles étaient tracés sur les deux écrans d'ordinateur avec le sang des victimes.

– Alors, les journaux ont dit la vérité. La dernière fois que j'ai vu Rebecka, je lui ai demandé si la famille Schyttelius avait reçu des menaces de la part des satanistes, mais elle a fait non de la tête. Puis elle s'est mise à pleurer. Il est très difficile de l'interroger…

– Naturellement. Le choc a dû être terrible…, commença Irene à qui l'inspecteur coupa la parole :

– C'est vrai, mais elle n'allait déjà pas bien. Je veux dire, sur le plan psychologique.

– Ah bon ?

– Non, le Dr Fischer dit qu'il la soigne depuis septembre pour une dépression.

Rebecka avait donc des problèmes psychologiques bien avant les meurtres. Son frère s'était mis en congé maladie pendant l'automne, lui aussi pour des raisons psychologiques, suite à son divorce. Enfin, si l'on en croyait la version de l'entourage. Et si c'était à cause de tout autre chose ? Le cours de ses pensées fut interrompu par la voix de Thomsen :

– Cela dit, en tant que Suédoise, vous aurez peut-être plus de chance quand vous lui parlerez.

– Il faut que j'essaie de la voir assez rapidement. En l'absence de mobile, l'enquête est vraiment au point mort. Nous ignorons toujours si Rebecka court réellement un danger ou pas.

– Elle nie qu'il y ait eu la moindre menace, mais elle peut mentir. J'ai vraiment le sentiment qu'elle nous cache quelque chose. Mais je peux me tromper.

« Rebecka est comme son père… les zones d'ombre de Sten… » Les paroles d'Eva Möller revinrent à Irene.

– J'ai besoin de quelques jours pour préparer Rebecka et le Dr Fischer. Il faut qu'elle comprenne qu'elle n'a pas le choix, qu'elle est obligée de vous parler. Au pire, nous l'interrogerons de force à l'hôpital.

– Je vous suis très reconnaissante pour votre collaboration, dit Irene en pesant ses mots.

– C'est la moindre des choses. Voyons… on est mardi. Si vous venez jeudi et restez une nuit, nous aurons deux jours. Cela devrait suffire.

Irene ressentit une pointe de déception. Elle aurait bien aimé rester un jour de plus, mais bien sûr il ne s'agissait pas de vacances.

– Ma sœur tient un petit hôtel à Bayswater. Je vais vous faire réserver une chambre pour la nuit de jeudi à vendredi. Appelez-moi dès que vous aurez les horaires de votre vol et je viendrai vous chercher. N'oubliez pas de me préciser à quel aéroport vous atterrissez.

– Merci d'avance, dit Irene confuse.

Elle réserva une place sur le vol de sept heures dix pour Londres, mardi matin, qui, selon la voix aimable à l'autre bout du fil, atterrissait à Heathrow. Elle décida de prendre le dernier vol de retour vendredi soir, à dix-neuf heures vingt. Peut-être aurait-elle le temps de voir un peu la ville, si la conversation avec Rebecka ne s'étirait pas en longueur.

Elle soupira, et son regard tomba sur une pile de dossiers. C'était incroyable, cette propension qu'avaient les documents à s'accumuler, même si elle faisait de son mieux pour résorber la pile dès qu'elle avait un moment de libre. Comment expliquer cela ? Est-ce que les papiers se reproduisaient tout seuls ? Son découragement s'évanouit dès qu'elle aperçut le visage constellé de taches de rousseur de Svante Malm dans l'embrasure de la porte.

– Salut, je pensais que tu avais peut-être envie de jeter un coup d'œil au livre qu'on a retrouvé chez Jacob Schyttelius.

Il entra et posa le livre d'Anton LaVey, *Church of Satan*, sur le bureau. Elle eut une furieuse envie de le jeter par la fenêtre. « Évitez tout ce qui a trait au mal », lui aurait sans doute conseillé Eva Möller.

– Des traces de doigts de Jacob Schyttelius à l'intérieur du livre, à la pelle, mais seulement les siennes. Quelques empreintes non identifiées à l'extérieur, probablement celles des employés de la librairie. Jacob avait même souligné des passages et écrit des notes dans la marge, ici et là.

– Tu les as lues ?

– Je les ai juste feuilletées. Je n'ai pas eu le temps de les lire calmement, mais je te l'emprunterai de nouveau. C'est intéressant.

– Pourquoi tu dis que c'est intéressant ?

Svante parut vouloir choisir ses mots. D'un ton hésitant, il finit par dire :

– C'est probablement parce que je me suis déjà occupé d'enquêtes criminelles ayant un lien avec les milieux sataniques. D'abord on a du mal à comprendre cet engouement pour le culte de Satan avec ses étranges rituels. Et puis, inconsciemment, quelque chose nous interpelle, et on veut comprendre ce attire tous ces gens.

– Et qu'est-ce qui les attire ?

– Le pouvoir. Ils veulent avoir du pouvoir sur les autres pour affirmer leur propre moi. Selon LaVey, rien ne saurait davantage vous limiter que vous-même et votre propre conscience, jusqu'au jour où on comprend que personne n'a le droit de prendre des décisions vous concernant. Personne n'a le droit de juger vos actes. Vous êtes libre de vous occuper de vous-même et de répondre à vos besoins. Du moment que vous, personnellement, vous vous sentez bien, alors le reste est parfait.

– Le reste ?

– Oui, tout le reste. Ce n'est pas un hasard si, aux États-Unis en particulier, des affaires importantes ont mis en évidence que de jeunes enfants avaient été drogués et violés durant des rituels. Le satanisme autorise les gens à aller au bout de leurs pulsions et à transgresser tous les interdits. La plupart des réunions de l'Église de Satan se terminent en partouzes. Sans parler de zoophilie. Et, comme nous le savons, ils sacrifient aussi des animaux durant leurs messes noires. Le sacrifice ultime étant celui d'un être humain. C'est arrivé, mais ce n'est pas si fréquent.

Irene réfléchit à ce que Svante venait de dire.

— Est-ce qu'on peut aller jusqu'à dire que Satan, pour eux, c'est la même chose que Dieu ?

De nouveau, Svante essaya de peaufiner sa réponse :

— Non, pas tout à fait. D'après ce que j'ai compris, ils célèbrent des messes noires pour s'approprier un peu du pouvoir du diable. C'est cette énergie qui permet aux gens de se libérer de leur éducation et de toutes les conventions religieuses. Ils osent laisser le diable entrer en eux. Dans de nombreuses religions, le personnage du Christ a souvent exercé un rôle de législateur, pour déterminer la frontière entre le bien et le mal. Ce n'est pas le cas dans le satanisme. Il s'agit simplement d'accepter son vrai moi, et Satan donne le pouvoir de le faire.

Irene regarda avec répulsion le livre posé devant elle sur le bureau.

— Ce « moi » est donc le mot clé, constata-t-elle.

Svante acquiesça.

— Et la satisfaction absolue de tous ses désirs. Je retrouve la trace de Satan dans la plupart des cas sur lesquels nous enquêtons.

Cette dernière déclaration laissa Irene abasourdie. Quand elle se fut ressaisie, elle dit, très troublée :

— Comment ça ? La trace de Satan dans les crimes… qu'est-ce que tu veux dire ?

— La plupart des crimes s'expliquent par le besoin de satisfaire des pulsions, des désirs. L'argent, le sexe, la puissance ou encore le pouvoir de laisser libre cours à sa colère. Le type dans la file qui s'est fait refouler à l'entrée d'une boîte et qui, de dépit, a poignardé le videur s'est peut-être laissé guider par le diable qui est en chacun de nous.

— Arrête. Il y a toujours des histoires de drogue derrière ce genre d'agressions. On ne poignarde pas quelqu'un parce qu'on se fait refouler à l'entrée d'une boîte ! De là à incriminer le diable !

Irene interrompit son flot de paroles quand elle vit le sourire ironique de Svante.

– Eh bien, disons que certains sont plus habités par Satan que d'autres, conclut-il avant de lui faire un petit signe de la main et de disparaître.

Irene resta un long moment à regarder la couverture du livre *Church of Satan*. Pourquoi Jacob Schyttelius avait-il lu ce livre ? Était-ce pour en apprendre davantage sur les adeptes du satanisme et leur mode de pensée, ou avait-il de tout autres raisons ? Était-ce pour cela qu'il avait dissimulé le livre dans une planque ? Pour que son père le pasteur ne le découvre pas par hasard sur une table ?

Restait à savoir si le satanisme était réellement lié ou non au triple meurtre. Et la seule personne qui aurait pu détenir la réponse était admise dans un service psychiatrique de l'autre côté de la mer du Nord.

Le moral du commissaire Andersson était au plus bas lorsqu'il s'approcha de la porte d'Yvonne Stridner au service de pathologie. À son soulagement, le voyant lumineux jaune « Attendez » était allumé, mais à l'instant où il pensait s'en retourner, le voyant s'éteignit. D'un pas lourd, il s'avança et appuya sur le bouton pour qu'on le laisse entrer. Un soupir involontaire lui échappa quand le voyant vert « Entrez » s'alluma aussitôt.

Le chef de la médecine légale trônait derrière son bureau encombré de documents. Ses lunettes Dior avaient glissé sur son nez, et elle avait l'air stressée, ce qui ne lui ressemblait pas. Une rougeur lui était aussi montée aux joues.

– Andersson ? Pour une fois, peut-être que vous allez pouvoir vous montrer utile. Que fait-on quand l'ordinateur est bloqué ? Je ne peux pas rédiger ma conférence ! lança-t-elle en donnant un coup sur la coque en plastique de son ordinateur IBM.

– Je... je ne m'y connais pas trop en informatique, bredouilla Andersson.

– Mais vous utilisez bien des ordinateurs dans votre travail ? demanda Stridner en regardant le commissaire droit dans les yeux.

Devant elle, il perdait toujours ses moyens et se sentait pris en faute comme un vulgaire écolier ou, pire, une espèce d'imbécile.

– Euh, oui... bien sûr, dit-il, mais lui-même entendait le ton mal assuré de sa voix.

Stridner pinça les lèvres et murmura quelque chose à propos de ces « petits chefs allergiques à la technique ».

Cela ne fit que raviver la colère d'Andersson, et il répondit sèchement :

– Je ne suis pas venu ici pour réparer des ordinateurs, mais pour savoir si les analyses ont pu déterminer l'heure des meurtres de manière plus précise.

Les yeux de Stridner, tout comme sa voix, étaient glacials quand elle répliqua :

– J'aurais pu vous le dire si mon ordinateur fonctionnait normalement.

Retour à la case départ. Andersson fixa piteusement la pathologiste à la chevelure d'un roux flamboyant et se tourna vers la porte pour repartir, quand il l'entendit dire :

– Mais je peux toujours aller voir sur l'autre ordinateur.

Sans attendre de réponse, elle passa devant lui et disparut dans le couloir où claquèrent ses talons aiguilles.

Andersson se laissa tomber sur la chaise inconfortable réservée aux visiteurs. Elle était en Skaï et avait fait son temps. Andersson soupçonnait la plupart de ceux qui s'asseyaient ici d'être dans un état de nervosité et de délabrement extrêmes. Il savait, pour l'avoir suffisamment vécu, qu'on transpire encore plus sur une chaise en Skaï. Qu'on soit étudiant en médecine ou inspecteur de police, on finissait tous les fesses en sueur quand on avait rendez-vous avec le professeur Stridner. Le temps de faire ces considérations, il entendit de nouveau le bruit des talons du professeur dans le couloir. Elle poussa la porte et s'assit précipitamment dans son beau fauteuil ergonomique en cuir bordeaux. Il semblait tout autant convenir à un salon qu'à un bureau, songea Andersson avec une pointe de jalousie, tandis que lui se tordait sur sa chaise si inconfortable.

Stridner remonta les lunettes sur son nez et regarda les papiers qu'elle tenait à la main. Puis elle lut à haute voix :

– L'intérieur du ventre de Jacob Schyttelius contenait des restes à moitié digérés de hot-dog et de purée de pommes de terre. Avec ça, il avait bu un soda à l'orange. Son dernier repas remonte à environ huit heures. Est-ce que cela coïncide avec vos informations ?

Stridner jeta un regard à Andersson par-dessus ses lunettes.

– Oui. La vendeuse du stand de hot-dogs sur la route de Södra s'est manifestée. Elle se souvient de lui. Apparemment, c'est un habitué et il vient toujours aux alentours de dix-huit heures, les soirs de semaine. Elle se souvient que c'était un lundi, parce que le lendemain elle avait mal à la tête et n'est pas venue travailler. Et le propriétaire d'une boutique de vêtements pour hommes nous a aussi contactés pour nous dire que Jacob est passé lundi soir, peu avant la fermeture.

Le commissaire s'en voulut de s'être montré si disert alors qu'un simple « oui » eût suffi. Quel besoin avait-il d'étaler toutes ces informations ?

Stridner se contenta de hocher la tête et se replongea dans ses documents.

– Je situerais donc l'heure du meurtre entre vingt-trois heures et vingt-trois heures trente. Nous ne pouvons pas être plus précis tant que nous ne savons pas l'heure exacte à laquelle Schyttelius a mangé son hot-dog avec de la purée. Concernant le contenu de l'estomac des parents, l'incertitude est encore plus grande puisque nous ignorons à quelle heure ils ont pris leur dernier repas, lequel était constitué de quenelles de saumon et de petits pois. D'après le stade de la digestion, le repas pourrait remonter à six heures avant le meurtre. Quant aux boissons…

De nouveau, Stridner marqua un temps d'arrêt et lança un regard sévère à Andersson. Dans un mouvement involontaire, le commissaire rentra son ventre proéminent qui pendait par-dessus sa ceinture.

– Elsa Schyttelius avait du café et de l'eau dans son tube digestif, et Sten Schyttelius de la bière et du whisky. Son taux d'alcoolémie était de 1,1 gramme par litre. Un taux élevé, mais il n'était pas ivre. L'état de son foie indique qu'il a beaucoup bu, ces dernières années.

– Il était alcoolique ?

Stridner hésita.

– Alcoolique ? Disons plutôt un grand consommateur régulier d'alcool. Son taux de glycémie était aussi un peu élevé, et il était en surpoids.

Elle prononça ces derniers mots en regardant Andersson avec insistance. Il se retenait de lui demander quelle avait été la tension du pasteur, tant qu'à faire ! Mais quand le professeur Stridner était contrarié, c'était encore pire que d'habitude, alors autant serrer les dents. Il se borna à préciser :

– Nous avons retrouvé la trace d'un appel téléphonique du presbytère vers le téléphone mobile de Jacob. Le coup de fil a eu lieu à dix-huit heures trente-deux. C'est le dernier appel qui ait été passé du presbytère, le soir du meurtre. Je me demande si l'un des parents a téléphoné à Jacob pour lui demander s'il ne voulait pas dîner avec eux. Si mes suppositions se révèlent exactes, cela voudrait dire que le couple Schyttelius a mangé aux environs de sept heures moins le quart ou un peu plus tard. Ce qui situerait l'heure du meurtre à une heure moins le quart. Avec une fourchette d'un quart d'heure, grand maximum, mais probablement plus près de une heure du matin.

Stridner acquiesça.

– C'est possible, commenta-t-elle en enlevant ses lunettes et en tapotant la monture contre ses dents de devant. C'étaient des exécutions, constata-t-elle froidement.

– Ces étoiles sataniques et toute cette foutue… mise en scène laissent à penser qu'il s'agit de meurtres commis par les satanistes, mais pourtant ce n'est pas vraiment ça non plus. On n'a pas trouvé de traces de rituels proprement dit.

– Non. Ici, il ne s'agit pas de meurtres rituels, renchérit Stridner.

– Avez-vous déjà vu un meurtre satanique ? hasarda Andersson.

– Oui, un. Le Meurtre pourpre. C'étaient mes débuts dans la médecine légale. Vous connaissez cette affaire ?

– Oui. Je m'en souviens, mais je n'ai pas participé à l'enquête.

– Je n'ai donc pas besoin d'évoquer les circonstances de l'affaire. L'homme a été retrouvé mort dans son appartement avec la gorge tranchée. Mais ce n'est pas tout. Quelqu'un avait gravé un pentagramme sur son estomac. Ce n'était pas très profond, mais suffisamment pour que les entrailles aient saigné. L'homme était vivant quand le pentagramme avait été incisé.

– Est-ce qu'il aurait pu se le faire lui-même ? demanda le commissaire.

– Non. C'était un travail très soigné, avec les pointes toutes de la même taille. Impossible de faire ça sur soi-même. Même debout face à un miroir. En outre, il était beaucoup trop drogué pour ça.

– Drogué ?

– Oui, avec du LSD. Une drogue qu'on retrouve d'ailleurs assez souvent lors de rituels sataniques, ai-je appris quelques années plus tard, lors d'un congrès à Philadelphie, par un collègue qui avait l'expérience de trois meurtres rituels ayant une relation avec le satanisme. Très intéressant ! Il y avait deux jeunes enfants et une adolescente qui…

Stridner s'interrompit.

– Mais revenons plutôt au Meurtre pourpre. L'homme avait donc pris du LSD ou quelqu'un l'avait forcé à en prendre. Il n'a pas dû sentir ce qui lui arrivait quand on a incisé le symbole sur son ventre. En dehors de son cou tranché, il avait également cinq coups de couteau dans le corps. Détail intéressant : les cinq coups avaient été infligés par la même arme, mais pas par la même personne.

Andersson, surpris, haussa les sourcils. Il n'avait pas eu vent de cette information.

– Je n'en ai jamais entendu parler ; certes, je n'étais pas sur cette affaire, à cette époque, mais c'est le genre d'info qui aurait dû circuler…

– Nous avons choisi de ne pas diffuser cette information tant qu'elle n'était pas davantage étayée. Disons que c'est resté une hypothèse vraisemblable.

– Sur quoi se fondait-elle ?

– L'homme aussi il était en vie quand on lui a tranché la gorge. Le sang a jailli à gros bouillons, et il s'est rapidement vidé de son sang. Les coups de couteau diffèrent beaucoup. Deux d'entre eux s'enfonçaient qu'à quelques centimètres et étaient situés autour de la cage thoracique. Un autre a touché directement le cœur, et le coup aurait été mortel, de même qu'un autre coup dans l'abdomen qui a perforé le foie. Quant au dernier coup, de manière étrange, il a été porté juste au-dessus de l'os pubien, vers la vessie. Toutes ces plaies ont donné lieu à un faible écoulement de sang… cela prouve que la victime était morte avant d'être ainsi poignardée.

– Je crois me souvenir qu'il y avait aussi des traces de relations sexuelles…

– Oui. Nous avons retrouvé des secrétions vaginales sur son pénis et du sperme dans son anus. Il a donc eu des relations sexuelles avec au moins un homme et une femme. Si cela s'était produit aujourd'hui, nous aurions pu faire des relevés avec des analyses d'ADN, mais cela ne se faisait pas à l'époque.

Stridner se tut et fixa un point au-dessus de la tête du commissaire.

– C'est étonnant comme vous vous souvenez bien de cette affaire, se hasarda à dire le commissaire.

– Oui. C'est une affaire qui ne vous lâche pas, répliqua-t-elle sèchement.

D'un geste mécanique, elle remonta les lunettes sur son nez et consulta les documents qu'elle avait sur la table.

– Si je me suis autant intéressée à cette affaire, c'est que je veux pouvoir étayer mes affirmations quand je dis que les meurtres perpétrés contre les Schyttelius ne me paraissent pas relever du rituel satanique. Pour commencer, nous disposons de l'apparence des scènes de crime. Et ici nous ne notons la présence d'aucun objet ou ustensile étrange utilisé lors de ces rituels, si ce n'est ce pentagramme peint sur les ordinateurs.

– Il y a aussi ce crucifix mis la tête en bas dans la chambre à coucher des Schyttelius…

– C'était pour vous induire en erreur. Rien sur les corps n'indique le moindre geste rituel. Ils s'agit tout simplement d'exécutions, faites de sang-froid.

Andersson hocha la tête et donna raison à Stridner. Lui-même avait suivi le même raisonnement.

– Mais si ce ne sont pas les satanistes qui les ont assassinés, alors qui ?

– Un meurtrier sans pitié. Habitué à manier des armes et sûr de toucher sa cible. Aucune des victimes n'a bougé après le meurtre. Il avait l'absolue certitude qu'elles étaient mortes.

Andersson réfléchit à ces dernières phrases.

– Ce qui est étrange, dans cette affaire, c'est que les deux personnes sachant manier les armes et toucher leur cible, ce sont les victimes, Sten et Jacob Schyttelius, dit-il avec un certain découragement dans la voix.

Irene commença ses préparatifs pour son voyage à Londres le mardi soir. Elle repassa son pantalon en lin bleu avec la veste assortie. Ses nouvelles chaussures bleu foncé avec un petit talon seraient très jolies avec, mais que porter sous la veste ? Elle finit par se décider pour un haut sans manches, décolleté en V. Entre l'enregistrement et la montée à bord de l'avion, elle aurait le temps de flâner dans les boutiques de l'aéroport. Elle devait acheter, entre autres, un nouveau rouge à lèvres et un nouveau parfum. Son mascara, d'ailleurs, était lui aussi presque terminé…

La porte s'ouvrit, et Katarina se précipita à l'intérieur.

– Devine quoi !

– Bonjour, d'abord. Quoi donc ?

– J'ai retiré ma candidature pour le concours. J'ai appelé le club où doit avoir lieu la finale samedi et je leur ai dit que je n'avais plus le temps de participer à leur truc de beauté.

– Et qu'est-ce qu'ils ont dit ?

– Ils étaient furieux. Mais je m'en contrefous. Ces imbéciles n'ont qu'à faire leur concours comme ils veulent.

Sur ce, elle disparut dans sa chambre.

Quel brusque changement ! Pourquoi leur fille n'avait-elle plus besoin de prouver qu'elle était assez jolie ? Était-ce par peur de gagner ? Ou…

Irene comprit tout à coup pourquoi.

– Il s'appelle comment ? lança-t-elle à travers la porte de la chambre de Katarina.

Katarina pointa la tête dans l'entrebâillement de la porte, la mine étonnée :

– Il ? Comment tu sais que ?…

Puis un large sourire vint éclairer son visage.

– Johan.

Et elle referma la porte. Irene sourit en son for intérieur, ayant l'impression de ne pas être un mauvais détective.

Mais quand elle repensa aux meurtres des Schyttelius, cette impression disparut aussi vite qu'une goutte d'eau dans le désert. Et si elle revenait bredouille de son voyage à Londres ? Rebecka n'avait peut-être pas la moindre idée du mobile du meurtre ou de l'assassin. Elle n'avait pas vécu en Suède, ces dernières années, et c'était comme si elle n'avait pas vraiment eu de contact avec sa famille. Ils n'avaient pas retrouvé la moindre lettre ou carte postale de Rebecka adressée à ses parents ou à son frère.

Soudain, une pensée frappa Irene : chacun d'eux avait accès à un ordinateur. Peut-être avaient-ils communiqué par ce biais ? En s'envoyant des e-mails et en chattant… Mais ce serait impossible à prouver, puisque les disques durs avaient été détruits.

Et si on retrouvait malgré tout une trace sur des CD-Rom ou périphériques de stockage, que ce soit chez Sten ou chez Jacob ? Les enquêteurs avaient supposé que tout avait été sur les disques durs, mais si ce n'était pas le cas ? Si le meurtrier avait tout emporté avec lui ? Comment détruit-on de l'extérieur un CD-Rom ? Cela variait sans doute selon le type de support. Il faudrait examiner cette question le lendemain, au plus vite.

Ce mercredi, la réunion du matin venait à peine de se terminer que le téléphone sonna dans le bureau d'Irene. Elle se précipita pour ouvrir la porte et se jeta sur le téléphone pour ne pas manquer l'appel.

– Inspecteur Huss, je vous écoute.

Elle entendit à l'autre bout du fil la respiration lourde de quelqu'un qui essayait de se calmer.

– Allô ? Qui est à l'appareil ? demanda Irene d'une voix maîtrisée.

La personne s'éclaircit la gorge nerveusement.

– Oui… enfin, je ne sais pas si je fais bien… mais je suis le pasteur assistant Urban Berg à Bäckered.

– Bonjour.

– Bonjour… Voilà, j'ai appris quelque chose qui n'a peut-être rien à voir avec l'affaire, mais sait-on jamais…

– Voulez-vous que je vienne vous voir pour que nous en parlions ou pouvons-nous le faire par téléphone ?

– Euh, non… Je dois aller en ville aujourd'hui… on pourrait peut-être se voir dans l'après-midi ? Je préférerais que personne ne sache que je vous ai parlé.

– Quelle heure vous conviendrait ?

– Deux heures, ça irait pour vous ?

– Très bien. Alors vous n'avez qu'à décliner votre identité à l'accueil et je viendrai vous chercher.

163

– Merci.

Un soulagement évident était perceptible dans sa voix.

Quand elle eut raccroché, Irene resta pensive un moment. Que savait Urban Berg qu'il ne pouvait pas dire au téléphone ? Était-ce enfin la première piste qu'ils attendaient tant ? Bon, inutile de se faire trop d'illusions.

Irene passa toute la matinée à exécuter des tâches administratives et fut heureuse de laisser enfin un bureau plus dégagé quand elle partit déjeuner peu avant une heure. La cantine de la caisse d'assurances proposait une fricassée de volaille tout à fait convenable.

Elle chercha des yeux Tommy, mais ne le vit nulle part. Sans doute était-il encore sur son affaire Speedy. Elle ne pouvait pas en dire autant. Comme ce n'était pas elle qui avait interrogé Urban Berg, une semaine plus tôt, elle aurait aimé parler un peu avec Tommy de l'impression que lui avait laissée ce pasteur, avant de rencontrer l'homme en question. Urban Berg aurait dit, se souvint-elle, que Bengt Måårdh était un coureur de jupons. Ce n'était sans doute pas faux : Bengt était un homme raffiné, avec de belles manières… peut-être un peu trop belles, justement.

Irene se rappela avoir vu en Urban Berg un homme réservé, lorsqu'elle l'avait aperçu dans la salle de la paroisse. Et, selon Bengt Måårdh, il avait des problèmes d'alcool.

Quel terme avait employé Tommy pour qualifier ces deux pasteurs ? Ah oui ! « des petites commères ». Chacun ayant dit du mal de l'autre. Sans doute parce que tous deux étaient en lice pour reprendre le poste de doyen. Bengt Måårdh était même allé jusqu'à sous-entendre l'homosexualité de Jonas Burman, qui se prétendait pourtant extrêmement religieux et orthodoxe.

Ce fut donc avec une certaine curiosité qu'elle prit l'ascenseur pour aller chercher Urban Berg. La personne à l'accueil l'avait annoncé à deux heures précises.

Elle l'aperçut collé contre le mur de la salle d'attente, tout près de l'étagère de livres. La pièce n'offrait pas beaucoup d'endroits pour se cacher, mais le pasteur avait trouvé le seul qui existât. L'expression sévère, il fixait trois hommes à la peau mate, assis sur le canapé des visiteurs. Il devait avoir les yeux partout, car il ne quittait pas non plus des yeux un homme à l'allure louche qui, au fond d'un fauteuil, parcourait la dernière édition du *Göteborgs-Posten*. Irene aurait pu prévenir Urban Berg qu'il s'agissait d'un détenu en tenue civile qui attendait qu'on vienne le chercher. Mais à quoi bon ? Elle ouvrit la porte vitrée et vint au-devant du pasteur avec un sourire. Berg se hâta de la suivre.

– J'ai beaucoup réfléchi à ce que je devais faire… mais j'ai décidé de parler, commença-t-il.

Le dos droit sur la chaise, il avait décliné l'offre d'Irene de prendre un café. Irene le laissa seul un instant, le temps d'aller en chercher un pour elle-même. En revenant, elle put constater qu'il n'avait pas bougé d'un millimètre.

Il regarda Irene bien en face et répéta :

– J'ai décidé de parler.

Il s'interrompit encore. Irene but son café et attendit qu'il veuille bien poursuivre.

– C'était le vendredi qui a précédé les meurtres. Sten est venu me voir chez moi dans l'après-midi, et on a parlé longtemps. C'était très agréable, on a mangé un peu. Très agréable, vraiment. Il a dit…

Le pasteur marqua une pause et jeta un regard sur le côté avant de continuer. Irene sentit qu'il avait un énorme poids sur la conscience. Devait-elle lui demander s'ils avaient beaucoup bu ? Connaissant la réputation des deux hommes, ils avaient dû boire, et pas qu'un peu. Berg se racla la gorge et se lança :

– Il a dit qu'il soupçonnait Louise Måårdh d'avoir détourné de l'argent de la paroisse.

Irene se montra surprise. Louise Måårdh, détourner de l'argent ? La belle et élégante… Irene revit soudain l'extraordinaire collier de perles et la robe si bien coupée qu'elle portait la semaine précédente. Irene dut reconnaître qu'à la vue de Louise, l'adjectif « luxueux » lui était venu à l'esprit.

– Avait-il la preuve de ce qu'il avançait ?

Urban Berg tressaillit avant de répondre.

– Je… nous avons parlé du fait que Bengt et Louise venaient encore de s'acheter une nouvelle voiture, alors que leur dernière

165

Volvo remonte à trois ans à peine. Une flambant neuve ! Et maintenant, ils viennent d'acheter une BMW !

Il écarquilla les yeux en disant ces derniers mots. Apparemment, il voyait dans cette BMW la preuve flagrante des malversations des Määrdh. Comme Irene ne commentait pas cette révélation, il eut d'abord l'air déçu, mais au bout d'un court instant, il retrouva toute sa détermination.

— L'hiver dernier, ils sont partis aux Maldives, et l'été dernier, en Italie, et cet été, ils ont prévu d'aller en Grèce. Leurs fils étudient à l'université sans avoir eu besoin de recourir à un prêt étudiant et ils ont chacun leur propre appartement. Et j'oubliais de dire qu'ils ont acheté un bateau – et pas un petit ! – qui est amarré à Björlanda Kile. Il faut de l'argent pour tout ça !

Il avait du mal à cacher un air de triomphe dans sa voix. Irene prit le soin de choisir ses mots pour répondre :

— Est-ce que Sten Schyttelius soupçonnait sa comptable de détournement de fonds uniquement à cause de son train de vie ?

Une légère rougeur monta du cou du pasteur et se répandit sur ses joues pâles, ce qui n'était pas particulièrement seyant.

— Il… Il trouvait comme moi que c'était étonnant qu'ils aient les moyens de s'offrir tout ça. Les prêtres de l'Église suédoise sont connus pour avoir des salaires assez bas.

— Mais il n'avait aucune preuve pour étayer ses soupçons, constata Irene.

— Peut-être pas directement. Mais, ces dernières années, il y a eu des rumeurs persistantes au sein de la paroisse. D'après Sten, nous n'étions pas les seuls à nous poser des questions.

Irene examina l'homme au dos raide qui lui faisait face. Elle était tentée de donner raison à Tommy et de penser qu'Urban Berg n'était qu'une vulgaire commère. Mais l'expérience lui avait montré à plusieurs reprises qu'il se cache souvent un brin de vérité derrière des rumeurs. Cela valait quand même la peine d'aller y regarder d'un peu plus près. Mais quelqu'un d'autre devrait s'en charger, puisqu'elle allait à Londres.

— J'ai parcouru les forêts autour de Norrsjön et du presbytère. Il n'est pas si difficile que ça de trouver son chemin.

Fredrik avait collé ensemble les deux pages de cartes que le commissaire avait déchirées de son atlas routier, quand il avait émis l'hypothèse que le meurtrier avait pris un raccourci à travers les bois.

– Les premiers cent cinquante mètres en partant de la maison de campagne sont un peu délicats, mais on arrive ensuite à une bande de terrain qui a été dégagée pour faire passer les lignes électriques. Et, en décrivant un arc de cercle, elle nous amène directement à Kullahult ! À certains endroits, les lignes électriques traversent des prairies et des champs, mais elles ne s'approchent jamais de la moindre maison avant d'arriver à Kullahult. C'est un jeu d'enfant de rejoindre le presbytère à pied.

Fredrik leva les yeux de la carte pour vérifier que tous le suivaient. Assis autour de la table, Irene, Hannu et le commissaire Andersson l'avaient écouté avec la plus grande attention. Conforté dans son exposé, il enchaîna :

– Les lignes électriques se poursuivent dans le grand champ qui se trouve derrière le presbytère. Si vous passez par ce champ, vous débouchez donc derrière la colline de l'église. Là, il n'y a pas une seule maison. Pas avant qu'on n'arrive de l'autre côté où se trouve la ferme qui possède ce champ. On est alors trop loin pour entendre quoi que ce soit ou voir si quelqu'un s'approche de l'église.

– On peut donc utiliser sans problème une lampe de poche sans risquer d'être vu, conclua Hannu.

– Absolument. Mais pour en être tout à fait sûr, le mieux est de se tenir à la bordure du champ. J'ai fait le test hier soir sur le coup de onze heures. Aucun problème pour avancer sans lampe de poche si on longe la forêt. Elle s'étend jusqu'à la colline de l'église, puis un mur de pierres prend le relais. Si on le suit, on arrive à la haie d'épicéas qui pousse derrière le presbytère. Arrivé là, j'ai fait comme le chien d'Irene.

Fredrik marqua une pause, arborant un sourire en coin.

– Et peut-on savoir ce que fait le chien d'Irene ? s'enquit le commissaire.

– Suivre l'animal. J'ai donc suivi la trace des chevreuils qui se sont frayé un passage dans la haie d'épicéas. Ce sont les grosses tulipes dans le jardin qui les attirent. Le trou était un peu petit pour moi, mais j'ai quand même réussi à me faufiler. Je peux vous garantir que c'est le chemin emprunté par le meurtrier.

167

Il avait du mal à dissimuler son triomphe. Les autres se taisaient devant ce qui avait été une sorte de représentation théâtrale, dont il espérait profiter au maximum.

— Au milieu du passage, j'ai trouvé une empreinte de pied et un fil de laine rouge. J'ai appelé les techniciens avant de poursuivre plus avant. Ils ont pris le bout de fil et fait un relevé de l'empreinte. Ce matin, j'ai parlé à Åhlén et toute son équipe. Ils disent que le bout de laine est du même type que les deux retrouvés par Irene et moi. Ma théorie du meurtrier qui devait porter quelque chose avec des franges ou un pompon tient bon.

Irene étouffa un fou rire mais se rendit vite compte qu'elle était la seule à trouver ça drôle. Hannu et le commissaire semblaient fascinés par la démonstration. Sentant qu'il avait l'aval pour continuer, Fredrik reprit :

— L'empreinte du pied était parfaite, la pluie ne l'avait pas emportée. C'est la trace d'une solide chaussure de sport Adidas, taille quarante-quatre. D'après Åhlén, il s'agirait même d'un modèle d'hiver, qui ressemble presque à une bottine.

— En Goretex, précisa Hannu.

— Probablement. Légère, chaude et imperméable. Les techniciens essaient en ce moment de trouver quelle chaussure a laissé cette empreinte. Ça ne devrait pas être trop difficile à déterminer.

— Nous recherchons donc un type de petite taille avec un bonnet à pompons, de grands pieds et des bottes en Goretex. C'est vrai qu'on devrait facilement retrouver quelqu'un comme ça…, résuma Irene.

Elle imaginait un petit homme portant un bonnet à pompon, se frayant un chemin à travers les bois, trébuchant dans ses grandes bottes. Mais à la pensée de ce qu'il avait fait à ses victimes, elle le trouvait soudain beaucoup moins drôle.

— J'ai aussi calculé le temps que ça prend d'aller d'un lieu du crime à l'autre. Une heure cinq, conclut Fredrik.

Irene parla de la visite d'Urban Berg, et Hannu promit de vérifier s'il y avait le moindre fondement dans les accusations portées à l'encontre de Louise Måårdh. Dissimuler des malversations pourrait être un mobile du crime. Mais il devrait s'agir de très grosses sommes, pensa Irene.

Chapitre 12

Il y avait peu de monde à l'aéroport de Landvetter à six heures et quart, ce matin-là. Irene avait enregistré son sac de voyage et se traîna, encore mal réveillée, jusqu'à la première cafétéria ouverte pour commander un café.

– Un simple ou un double ? demanda gaiement la jeune fille derrière le comptoir.

– Un triple, dit Irene d'une voix sourde.

Sans se départir de son sourire, la jeune fille se retourna, prit une tasse en céramique et la remplit aux deux tiers.

– Du lait ou de la crème ? Je peux réchauffer le lait si vous voulez.

Rencontrer une personne qui comprenait ses désirs primaires du matin remplit Irene de gratitude.

– Non merci, je le préfère noir.

Irene voulut esquisser un sourire mais sentit que c'était trop exiger d'elle-même. Les muscles de son visage étaient encore engourdis. Elle fut vraiment touchée que la jeune vendeuse pose une serviette et un After Eight sur son plateau. Elle comprit qu'elle devait vraiment ressembler à l'épave qu'elle avait l'impression d'être ce matin-là.

Après avoir bu son café, Irene fut d'attaque pour faire quelques achats. Elle alla à la parfumerie et commença à choisir des articles pour elle-même et les jumelles, à partir de la liste qu'elles lui avaient remise. Elle se rendit vite compte que si dix pour cent de son panier était pour elle-même, le reste était pour ses filles.

Après deux heures de vol à peine, l'avion atterrit à Heathrow. De la grêle vint frapper la carlingue, avant de se transformer en une pluie fine lorsque les passagers sortirent de l'avion et descendirent la passerelle. Il y avait du vent, le temps était exécrable.

De l'autre côté du contrôle des passeports, plusieurs personnes attendaient avec des pancartes. Sur l'une d'elles était écrit « Mrs Irene Huss ». Irene comprit que ce devait être l'inspecteur Glen Thomsen. Sa surprise dut être manifeste, car l'inspecteur, souriant, l'accueillit avec un petit rire.

– Bienvenue à Londres. Je me présente, Glen Thomsen.

Ses dents blanches contrastaient avec sa peau mate et ses cheveux noirs, courts et bouclés. Il était légèrement plus grand qu'Irene – et sensiblement plus jeune aussi.

Il lui tendit la main. Irene réussit à se ressaisir et à décliner son identité.

Glen Thomsen prit son sac et dit :

– Je crois que nous allons d'abord nous rendre à votre hôtel.

Quand ils sortirent de l'aérogare, un pâle soleil apparut derrière les nuages.

– Un vrai temps de mois d'avril, commenta Irene.

Thomsen lui adressa un bref sourire et hocha la tête. Il se dirigea vers une Rover noire et déverrouilla les portes. En gentleman, il tint la portière pour Irene et posa son sac sur la banquette arrière.

– Nous avons eu des journées splendides pendant deux semaines, mais hier le temps a changé, et il a plu toute la journée. La météo a annoncé une amélioration pour aujourd'hui.

Irene ne lui trouvait pas le moindre accent ; s'il n'était pas né en Angleterre, il avait dû grandir ici, pensa-t-elle.

Ils traversèrent un paysage printanier de prairies verdoyantes. Irene vit avec étonnement que les cerisiers étaient sur le point de fleurir. C'était un mois plus tôt qu'à Göteborg. En arrivant sur Londres et les premiers immeubles, elle aperçut des forsythias jaunes et des magnolias déjà en bouton.

Plus ils s'approchaient de Londres, plus la circulation devenait dense. Tous roulaient du mauvais côté ! Irene se félicita de ne pas avoir à conduire. Glen Thomsen paraissait très à l'aise dans le trafic. Quand Irene lui avoua que c'était la première fois qu'elle venait à Londres, il dit aussitôt :

– Dans ce cas, je vais passer par un autre chemin pour que vous découvriez les grands axes de la ville. Cela vous aidera à vous repérer par la suite. C'est bien de pouvoir se promener sans risquer de se perdre.

Tout en parlant, il lui montra du doigt les monuments célèbres, sans paraître accorder la moindre attention aux autres automobilistes.

– Je vous ai réservé une chambre dans l'hôtel de ma sœur. Notre père l'avait fait construire après la guerre. Il était écossais et s'est marié sur le tard. Ma mère travaillait à Londres dans une troupe de danse brésilienne, et y est restée quand elle a rencontré cet homme entre deux âges. Il est mort il y a quelques années. Alors ma mère a ouvert un restaurant, non loin de l'hôtel. Ce restaurant, c'était son rêve d'enfant – au fait, là, c'est Marble Arch, et sur la gauche, Hyde Park –, oui, ce restaurant lui plaît énormément. Vous la rencontrerez ce soir. Toute la famille Thomsen se retrouvera pour dîner, et nous espérons que vous accepterez d'être des nôtres.

– Merci, avec plaisir, répondit Irene.

Elle se sentait confuse de tant d'attentions et de gentillesse.

– J'ai appelé Rebecka Schyttelius hier soir. Elle venait de sortir de l'hôpital et m'a dit que nous pourrions venir la voir aujourd'hui dans la matinée, poursuivit Thomsen.

Ils avancèrent dans la circulation intense du matin, entre les grandes pelouses de Hyde Park et les magnifiques maisons de pierre avec leurs luxueuses façades. Glen Thomsen tourna soudain au coin d'une rue.

Le contraste était frappant. La rue était beaucoup moins large et presque sans voitures. Les maisons aux façades en brique ou en stuc étaient assez hautes, mais sans la beauté de celles de la grande avenue. De modestes boutiques et restaurants aux noms exotiques occupaient les rez-de-chaussée. Irene remarqua aussi le nombre impressionnant d'entrées d'hôtels.

– C'est fou, tous ces hôtels ici, fit-elle.

– Oui. Certains sont très chics, mais la plupart sont petits et tenus par une même famille.

171

Ils s'engagèrent dans une rue encore plus étroite et s'arrêtèrent. Quelques marches conduisaient à une lourde porte dont le panneau supérieur s'ouvrait par des vitres de plomb. Deux colonnes soutenaient un portique. Sous le toit, une frise en élégantes lettres dorées indiquait « Thomsen Hotel ». À travers de grandes fenêtres, de chaque côté de l'entrée, on pouvait apercevoir la réception. L'hôtel n'était pas plus large puisque les façades des maisons voisines commençaient juste après. La haute bâtisse étroite semblait avoir été rénovée récemment. Les stucs blancs étincelaient, tout comme l'encadrement bleu pâle des fenêtres, fraîchement repeint. Irene aima immédiatement ce petit hôtel.

Glen Thomsen lui tint la porte et insista pour porter son sac. Irene fut accueillie dans une entrée lumineuse par une souriante jeune femme, sans doute la sœur de Glen. Son sourire mettait en évidence sa ressemblance avec son frère, bien qu'elle fît une tête de moins que lui et ait le teint plus clair. Elle paraissait avoir à peu près l'âge d'Irene.

– Bienvenue à l'Hôtel Thomsen. Mon nom est Estell, dit-elle en tendant une main et en rajustant son chignon de l'autre. Sa robe marron à manches courtes lui allait à ravir et rappelait la couleur de ses yeux. La femme bien conservée qui se tenait devant Irene avait dû être d'une grande beauté.

– Salut, Estell. Tu peux m'offrir une tasse de thé pendant qu'Irene monte voir sa chambre et s'installe un peu ?

Glen se tourna vers Irene et demanda :

– Dans un quart d'heure, ça ira ?

– Absolument.

– Parfait. Je vous attends ici, sur ce canapé.

La chambre était située au dernier étage. Pour la première fois de sa vie, Irene monta dans un ascenseur monoplace. Impossible de s'y tenir à deux, à moins d'être enlacés, et encore sans bagage ! Quand les portes s'ouvrirent enfin au quatrième étage, Irene décida que, dorénavant, elle prendrait l'escalier.

La chambre était étonnamment spacieuse et décorée dans des teintes émeraude et beige doré. Tout avait été récemment rénové et paraissait flambant neuf, du tapis jusqu'à la salle de bains

172

carrelée du sol au plafond. Une lithographie représentant le carnaval de Rio ornait le mur.

Irene accrocha ses quelques vêtements dans la penderie et en profita pour aller aux toilettes. Puis elle descendit à la réception.

– Et si on y allait à pied ? C'est à peine à un ou deux kilomètres d'ici, annonça Glen Thomsen.

– J'adore marcher, dit Irene ravie.

Le soleil brillait, mais la température restait fraîche, surtout à cause du vent.

De nombreuses façades étaient recouvertes d'un échafaudage, d'autres venaient de toute évidence d'être ravalées. Bayswater était un quartier qui, visiblement, retrouvait son caractère d'antan. Comme s'il avait lu dans les pensées d'Irene, Glen déclara :

– Il y a pas mal d'immigrants qui habitent à Bayswater, mais nous avons parallèlement un flux d'Anglais bon teint qui veulent vivre au centre de Londres. Bien sûr, il existe des quartiers plus résidentiels, tels que Mayfair ou Holland Park, mais les maisons là-bas sont hors de prix. Bayswater aussi est devenu un quartier à la mode, même si ce n'est pas encore Notting Hill. C'est là qu'habite Rebecka Schyttelius. Vous avez vu le film avec Julia Roberts et Hugh Grant ?

– Non.

– Vous n'avez pas manqué grand-chose. Cela dit, le film a eu un impact incroyable, et maintenant c'est devenu très branché d'habiter Notting Hill.

Irene nota qu'ils allaient vers l'ouest. Rapidement, les maisons devinrent plus sales et délabrées. On y comptait aussi de nombreux échafaudages, mais on voyait bien qu'ici les façades d'origine n'avaient pas le même charme que celles de Bayswater.

– Notting Hill est un ancien quartier ouvrier, même si on y trouve aussi de très jolies maisons comme celle que nous avons devant nous, dit Glen en montrant du doigt une grande bâtisse blanche à trois étages, avec une splendide façade ornée.

Le long des appartements du premier étage, des balcons étroits couraient sur toute la largeur du bâtiment, avec des fleurs épanouies dans des jardinières. Ces balcons donnaient sur un parc ombragé entouré d'une haute grille en fer. Les passants avaient juste le droit de jeter un coup d'œil au travers, car un écriteau précisait que le parc était privé.

Irene et Glen passèrent devant une grande maison de brique rouge de style Tudor, continuèrent jusqu'à la prochaine rue perpendiculaire et se retrouvèrent dans Ossington Street. Le coin de la rue était occupé par un pub qui, d'après l'enseigne noire ornée de lettres dorées, s'appelait Le Shakespeare. Le bâtiment qui hébergeait le pub paraissait beaucoup plus vieux que ceux alentour. Bas, avec de petites fenêtres à cadre de plomb, il arborait une peinture triste d'un brun verdâtre.

Même ici, à Ossington Street, les échafaudages étaient légion, surtout d'un côté de la rue. La plupart des maisons de l'autre côté venaient d'être ravalées. Glen Thomsen s'arrêta devant une maison blanche avec une porte rouge vif. Deux plaques en cuivre brillaient sur la porte, mais la distance était trop grande pour qu'Irene puisse les lire.

– C'est ici, annonça Glen après avoir vérifié l'adresse sur un bout de papier.

Irene remarqua que la maison de Rebecka et celle d'à côté étaient identiques, avec deux plaques sur chaque porte. Si ce n'est que la porte de ses voisins était bleu électrique.

Un long escalier en pierre menait à la porte rouge. « Datacons. Lefèvre & St Clair », disait la grande plaque. « Rebecka Schyttelius » était gravé sur l'autre, plus petite. Cela voulait-il dire que Rebecka vivait sur son lieu de travail ?

Glen Thomsen appuya sur le bouton rutilant en laiton, et une sonnerie étouffée retentit à l'intérieur de la maison. Après quelques secondes, Glen et Irene entendirent des pas, et la porte s'ouvrit.

Pour la deuxième fois en quelques heures, Irene eut la stupéfaction de découvrir un homme qu'elle s'était imaginé tout autre. Car l'homme devant elle était censé être mort depuis de nombreuses années. Son meurtrier avait fait la une des journaux du monde entier. Et maintenant, le défunt se tenait là, la fixant de son regard brun perçant, derrière des lunettes rondes à montures métalliques. Ses cheveux brun foncé, avec une raie au milieu, lui arrivaient aux épaules. Il portait une chemise blanche de coton, à col ouvert et aux manches retroussées flottant par-dessus son jean délavé. Il avait les pieds nus dans ses sandales.

Son nom était John Lennon.

Mais quand il tendit la main pour se présenter, il prétendit s'appeler Christian Lefèvre.

Il eut un petit rire en voyant le trouble d'Irene.

– J'ai gagné un concours de sosies, expliqua-t-il sur un ton amical. Les gens ouvrent toujours de grands yeux quand ils me voient. C'est plutôt amusant. Surtout quand on sait que les Beatles sont mes idoles, même si j'étais trop jeune quand eux étaient au sommet de leur gloire.

Christian Lefèvre s'écarta pour laisser entrer les visiteurs. Ils accrochèrent leur manteau dans l'entrée sombre et furent introduits dans une pièce spacieuse et haute de plafond. La lumière du soleil pénétrait largement à travers les fenêtres sans rideaux, filtrée seulement par les grandes plantes vertes. Aux murs, des affiches dans de beaux cadres luxueux présentaient les derniers modèles d'ordinateurs. Des haut-parleurs dissimulés diffusaient dans la pièce *Yesterday* des Beatles.

Irene compta jusqu'à sept ordinateurs, trois petits et quatre gros sur les bureaux dont la surface avait été vernissée afin de mieux mettre en valeur le grain du bois. Les trois petits, fins et en métal, étaient des portables présentés sur une table à part. Seuls deux des grands ordinateurs étaient allumés.

– Malheureusement, Rebecka n'a pas eu la force de vous recevoir. J'ai dû la conduire chez le Dr Fischer, ce matin.

– Est-ce qu'il va la garder ? voulut savoir Glen.

– Aucune idée. Mais elle va certainement prendre un calmant. Vous ne pourrez pas lui parler aujourd'hui.

Était-ce le fruit de son imagination ? Irene perçut une pointe de satisfaction dans le ton de Christian Lefèvre.

Glen resta un moment à fixer le sosie de John Lennon et déclara :

– Dans ce cas, nous allons vous interroger, vous.

Ce n'était pas tout à fait ce qu'avait escompté Lefèvre. Ce dernier ne put cacher son étonnement.

– Moi ? Pourquoi cela ? Je ne sais rien.

– Peut-être, mais nous aimerions bien vous parler malgré tout.

– C'est que j'ai beaucoup de travail… Surtout que ça fait un petit moment que Rebecka n'a pas pu travailler…

– Ce ne sera pas long.

Le ton de Glen montrait qu'il ne céderait pas sur ce point, et Lefèvre l'entendit. Il haussa les épaules, comme les Français le font souvent, et se dirigea vers une porte fermée.

– On peut s'asseoir ici, dit-il en ouvrant la porte et en leur faisant signe d'entrer.

C'était une petite cuisine avec un canapé et des fauteuils en cuir noir. Un tapis rouge vif recouvrait une grande partie du sol, seule tache de couleur dans un ensemble noir et blanc. L'unique décoration sur les murs était une élégante tête de cheval en céramique vernissée rouge.

– Café ou thé ?

– Café, répondit aussitôt Irene avant que Glen ait pu décliner la proposition.

Il avait eu droit à sa tasse de thé à l'hôtel, mais pas Irene, et elle avait grand besoin d'un café. Christian remplit d'eau une bouilloire électrique et la fit chauffer. Irene comprit trop tard qu'il s'agissait de café en poudre. *Du moment que ce n'est pas du décaféiné, ce sera toujours mieux que rien*, se dit-elle pour se consoler.

Lefèvre prit tout son temps pour poser les mugs en plastique, les sachets de thé, le sucre, le lait et le café soluble. Quand l'eau eut bouilli et qu'il l'eut versée dans les mugs, il ne pouvait plus retarder le moment fatidique et dut s'asseoir. Il était clair qu'il ne goûtait guère la situation.

Glen l'observa attentivement avant de demander :

– Pourquoi n'avez-vous pas envie de nous parler de Rebecka ?

Christian garda les yeux fixés sur son mug. L'eau qui prenait une couleur brun doré avec le sachet de thé paraissait être la chose la plus fascinante qu'il ait jamais vue. Il finit par répondre, à contrecœur :

– Je ne cherche pas à vous empêcher de parler à Rebecka.

– Il semblerait que si.

Christian sortit son sachet de thé et le jeta, agacé, dans un mug vide qu'il avait posé au milieu de la table.

– Vous avez peut-être raison. Je veux sans doute la protéger. Elle n'a même pas la force de penser à ce qui s'est passé.

Encore moins d'en parler. Il suffit qu'on mentionne quelque chose... concernant ce qui s'est passé, pour qu'elle retombe malade.

– Ça fait combien de temps qu'elle est malade ?

Il leva les yeux un instant avant de les rebaisser aussitôt.

– Qu'est-ce que vous voulez dire ? Depuis le meurtre...

– Non. Je veux parler de la dépression qu'elle avait avant.

– Comment le savez-vous ?... Depuis septembre.

– A-t-elle été en congé maladie durant toute cette période ?

– Non. Elle a pas mal travaillé. Ça lui a même fait du bien, et chassé les pensées obsédantes d'angoisse. Évidemment, elle n'allait pas bien... Écoutez, je ne vois vraiment pas le rapport avec les meurtres commis en Suède !

Irene intervint :

– Nous ne savons pas. Nous cherchons un mobile. Avez-vous déjà rencontré les parents ou le frère de Rebecka ?

– Non.

– Est-ce que Rebecka vous a confié qu'une personne de sa famille était menacée ?

Christian eut d'abord l'air surpris par la question, puis il répondit d'un ton vague :

– Non, elle ne m'a rien dit à ce sujet. Mais il me semble que les journaux ont parlé d'une piste satanique...

– Les journaux l'ont écrit, en effet. Est-ce que Rebecka vous a dit quelque chose à propos des satanistes ?

Il trempa ses lèvres dans le thé brûlant, ce qui lui laissait le temps de réfléchir.

– Oh, il y a très longtemps. Son père lui avait demandé de l'aide pour rechercher la trace de satanistes sur Internet.

– Cela remonte à quand ?

– Rebecka m'en a parlé cet automne et elle m'a dit que son père lui avait demandé de l'aider – cela faisait déjà un an. Cela doit remonter à environ un an et demi.

– Et elle ne vous a jamais dit qu'elle se sentait personnellement menacée ?

– Non, jamais, affirma Lefèvre, catégorique.

– Elle n'a rien dit au début de la semaine dernière qui aurait pu vous mettre la puce à l'oreille ?

– Vous voulez dire, avant qu'on découvre les meurtres ?

– Oui, c'est-à-dire le lundi ou le mardi.

– Non. Tout était comme d'habitude. On a travaillé tous les deux, le lundi, non-stop. Cela a peut-être été trop pour Rebecka, qui est allée se coucher sur le coup de six heures parce qu'elle avait trop mal à la tête. Moi je suis allé au Shakespeare, le pub à l'angle de la rue. On se retrouve à plusieurs copains, sans faute tous les lundis, pour faire des paris groupés pour la semaine.

– Qu'avez-vous fait après ?

– Je suis revenu.

– Vous avez revu Rebecka ?

– Non. Elle était déjà rentrée chez elle.

Glen ne put se retenir davantage :

– Vous ne vivez pas ensemble ici ?

– Oui et non. Je possède la maison voisine, celle à la porte bleue. Le bureau est situé au rez-de-chaussée, et j'ai gardé les étages au-dessus pour moi-même. Comme je me sentais trop à l'étroit dans ce bureau, j'ai cherché un autre espace. C'est alors que l'appartement d'à côté s'est libéré. Je l'ai acheté et j'ai proposé à Rebecka d'habiter dans un logement semblable au mien, puis d'abattre la cloison pour avoir un bureau plus spacieux. Comme vous voyez, cela fonctionne très bien.

– Vous ne vivez donc pas ensemble, comme couple, je veux dire ?

– Non, et je ne vois vraiment pas en quoi cela concerne l'enquête, répliqua Lefèvre avec un regard furieux.

– Rebecka est le seul membre de la famille Schyttelius à être encore en vie. Tout ce qui a trait à sa vie est important pour l'enquête, rétorqua Glen sans se départir de son calme.

Ce n'est pas vrai que tout est important pour l'enquête, songea Irene, mais cette réponse fit taire le Français. À supposer qu'il fût réellement français.

Lefèvre s'agita sur sa chaise. Puis il finit par déclarer :

– Eh bien, si vous n'y voyez pas d'inconvénient, j'aimerais retourner à mon travail.

– Tiens, à propos, qu'est-ce que vous faites comme travail, vous et Rebecka ? Il y a plusieurs employés ? demanda Glen d'un ton doux mais ferme.

Christian poussa un gros soupir avant de répondre :

– Ici, à Londres, il n'y a que Rebecka et moi. Andy St Clair est reparti à Édimbourg et travaille là-bas. Il faut dire qu'il s'occupe de plusieurs autres sociétés. Alors on travaille surtout ensemble, Rebecka et moi. On accepte différentes missions et interventions concernant des ordinateurs et des réseaux informatiques pour des entreprises ou des organisations. Pour l'instant, nous travaillons sur des réseaux exponentiels et ouverts. Principalement sur des questions relatives à la sécurité. L'identité de notre client doit rester secrète, mais je peux vous révéler que des intérêts militaires sont en jeu. Le risque qu'un groupe terroriste paralyse tout le système informatique n'est pas à prendre à la légère.

– Mais on ne peut pas paralyser tout Internet ! Il faudrait détruire pour cela des millions de sites web, objecta Irene.

– Pas forcément. C'est assez simple. Internet est un réseau ouvert. Il n'est pas sensible à des problèmes occasionnels, mais l'est aux attaques contre les gros ordinateurs – les serveurs – qui constituent la colonne vertébrale du système. Par une attaque ciblée contre les serveurs, Internet peut se réduire à des îlots isolés.

– Je n'ai jamais entendu parler de ça, dit Glen. Qu'est-ce que c'est, un réseau « exproportionnel », ou comment on les appelle ?

Sa voix trahissait un réel intérêt et une vraie curiosité pour la question. Christian avait un peu baissé la garde, quand il s'était mis à parler d'Internet. Visiblement, il se sentait plus à l'aise dans le cyberespace que dans la réalité.

– Vous voulez parler des réseaux exponentiels qui n'ont pas de serveurs. Tous les ordinateurs de ces réseaux sont connectés entre eux, *peer-to-peer*. Cela rend le réseau sensible aux problèmes occasionnels, mais cela le protège contre les attaques.

– Rebecka travaille aussi sur ces questions ?

– Oui. Nous sommes des spécialistes pour tout ce qui a trait à ces différents types de réseaux, et nous intervenons quand le service informatique sur place déclare forfait.

– Ce genre d'activités doit rapporter pas mal, j'imagine.

– Effectivement, il y a beaucoup d'argent à gagner.

Glen se frotta le front, l'air pensif.

– Voyons… nous en étions à parler de ce fameux lundi. Il ne s'est rien passé de particulier, le mardi ?

Le sourire de Christian s'évanouit comme si quelqu'un avait appuyé sur l'interrupteur.

– Non. Il ne s'est rien passé de particulier, ce mardi-là. Si ce n'est que je ne me suis pas réveillé le matin. Ce qui n'est pas dans mes habitudes. J'avais dû forcer un peu la dose sur le whisky, la veille, au pub. Mais je suis quand même sorti acheter des croissants et des pâtisseries danoises pour me faire pardonner. Rebecka avait déjà pris son petit déjeuner, elle a malgré tout grignoté une viennoiserie avec moi.

– Quelle heure était-il ?

– Entre neuf heures et demie et dix heures, je dirais, fit Christian avec un geste d'impuissance, en haussant à nouveau les épaules.

– Vous avez travaillé ici tous les deux durant toute la journée ?

– Oui. J'avais pourtant dit à Rebecka qu'elle pouvait s'arrêter à quatre heures. Moi, j'ai continué jusqu'à huit heures.

– Rebecka a-t-elle reçu un coup de téléphone suspect pendant ces deux jours ?

– Non.

– Et pas de conversation étrange dont vous ayez eu connaissance ?

– Non.

– Ni par e-mail ?

– Non, je viens de vous le dire.

Christian n'arrivait plus à dissimuler son agacement. Il se leva de manière ostentatoire et entreprit de débarrasser la table. Irene resta assise puisque Glen n'avait pas bougé et ne faisait pas mine de vouloir briser le silence.

– Si vous pouviez me laisser, maintenant ! J'ai vraiment beaucoup de travail…

Christian avait de plus en plus de mal à rester maître de lui-même. Il s'avança vers la porte et l'ouvrit en grand, alors qu'elle était restée entrouverte durant tout leur entretien. Sa pomme d'Adam n'arrêtait pas de monter et de descendre, preuve qu'il essayait de ravaler son exaspération.

– Vous n'avez qu'à me contacter si vous avez d'autres questions à me poser, mais je n'ai vraiment plus de temps à vous consacrer, dit-il le plus calmement possible.

Irene et Glen traversèrent la salle blanche et impersonnelle avec les ordinateurs et les belles plantes vertes, et se retrouvèrent dans l'entrée sombre. La voix de John Lennon chantant *Hey Jude* les accompagna dans leur sortie. Irene comprit enfin pourquoi ce vestibule était si étroit. Il était divisé par un mur, et une porte menant à l'appartement de Rebecka.

– Est-ce que vos deux appartements se ressemblent ? demanda-t-elle à Christian.

– Oui.

L'expression sur le visage de l'homme fit clairement comprendre à Irene que cela ne la regardait pas.

– Ce type nous cache quelque chose. Il avait l'air tendu. Il se peut qu'il veuille réellement épargner les nerfs fragiles de Rebecka, mais j'en doute, déclara Glen lorsqu'ils rentrèrent à l'hôtel.

– C'est difficile à dire. Mais que voudrait-il dissimuler ?

– Je ne sais pas. Peut-être une menace qu'il ne veut pas révéler. À moins qu'il ne sache vraiment rien. Dans ce cas, il est juste ce qu'il prétend être : un jeune crack de l'informatique millionnaire, qui bosse dur et cherche à protéger son associée.

Glen venait de formuler quelque chose qui trottait dans la tête d'Irene depuis un moment.

– Vous ne trouvez pas qu'il est très prévenant pour son associée ? Je veux dire, il a laissé Rebecka emménager dans la maison voisine qu'il a rénovée.

– C'est vrai. Mais ce pourrait être pour des raisons purement pratiques, le fait d'avoir pu agrandir les bureaux. De nos jours, ça coûte une fortune d'avoir de l'espace à Londres. Il économise sans aucun doute beaucoup d'argent en ayant son bureau à la maison, dans un bâtiment dont il est le propriétaire, dit Glen.

Ils prirent d'autres rues de Bayswater qu'à l'aller. Ici, elles étaient plus larges et la foule se pressait sur les trottoirs. Partout, ce n'étaient que boutiques et restaurants. Irene se rappela qu'elle devait rapporter un souvenir de Londres. De nouveau, Glen montra un don inquiétant pour lire dans ses pensées.

181

– À propos, si vous voulez faire des achats, nous pouvons aller chez Whiteley's. C'est là, en face. Vous trouverez tout au même endroit. C'est là que j'emmène ma femme et mes enfants quand nous allons faire les magasins. Ils achètent, et moi je vais au pub du dernier étage, lire le journal.

Il rit de son rire contagieux, et Irene fut confortée dans l'idée que cet homme savait prendre la vie du bon côté. Un homme qui acceptait d'accompagner sa femme et ses enfants dans leur virée shopping ! Certes, il trichait un peu et leur faussait compagnie en allant au pub, mais, du moins, il venait avec eux.

Ils s'approchèrent d'un immeuble qui, en plein soleil, ressemblait davantage à une gigantesque pièce montée ou à une immense cathédrale qu'à un grand magasin. Passé les portes vitrées, Glen s'arrêta à l'intérieur, près des colonnades.

– Je propose qu'on se retrouve pour déjeuner ici dans une heure. Pendant que vous ferez vos achats, je vais essayer de joindre le Dr Fischer.

Irene entra dans plusieurs magasins et comprit vite qu'elle aurait à peine le temps d'en voir une infime partie. Elle se rendit compte aussi que la couronne suédoise ne pesait pas lourd à côté de la livre anglaise. Et pourtant, que de belles choses elle aurait aimé pouvoir s'offrir !

La boutique qu'elle trouva la plus tentante fut celle consacrée à la lingerie, sur deux étages, présentant les sous-vêtements les plus bizarres et dans toutes les couleurs imaginables. Elle choisit un soutien-gorge et un slip bleu clair coûtant chacun douze livres. Elle était là à se demander si c'était cher ou non, quand une jeune femme vint vers elle.

– Laissez-moi prendre vos mesures, je vais vous aider à trouver la bonne taille et le bon modèle.

Quoique sceptique, Irene se laissa conduire vers une cabine d'essayage, et la vendeuse prit ses mesures de poitrine et de hanches. Puis elle disparut et revint aussitôt avec quatre soutiens-gorge et leurs slips assortis. Irene en retint deux. En tenant l'élégant sac jaune clair où la marque s'inscrivait en lettres dorées, elle retourna vers l'entrée, le point de rendez-vous avec Glen. Son ventre criait famine.

Malheureusement pour elle, Glen avait choisi un restaurant qui s'appelait Mandarin Kitchen. Pour une fois qu'elle était à Londres, elle n'avait pas envie de manger chinois ! Les restaurants chinois ne manquaient pas à Göteborg. Mais dès que la nourriture fut sur la table, Irene changea d'avis. Ici, pas de produits précuits, tout était frais et venait directement du marché. Sur les conseils de Glen, elle commanda des coquilles Saint-Jacques avec une sauce à l'ail dont le parfum et le goût étaient divins. La bière fraîche nettoya son gosier des gaz d'échappement et de la poussière de la grande ville.

Ils firent l'impasse sur le dessert, mais commandèrent un café. Glen sortit son paquet de cigarettes et en proposa une à Irene, qui déclina poliment. Il alluma la sienne dont il tira une bouffée d'un air voluptueux.

– J'ai pu joindre le Dr Fischer, et il a parlé avec Rebecka. Elle propose que nous la rejoignions chez le docteur demain, à condition qu'il puisse assister à l'entretien. Il est d'accord. Est-ce que cela vous va ?

– Bien sûr.

– Nous avons convenu de venir à onze heures à son cabinet.

– C'est parfait.

Glen sourit à travers les volutes de fumée et dit :

– Bon, il faut que je retourne travailler, mais je pensais que vous aviez peut-être envie de venir avec moi. Je vous laisserai devant New Scotland Yard. Je n'ai malheureusement pas le temps de vous faire visiter, car j'ai une réunion. Mais si vous voulez, je vous montrerai l'arrêt du bus spécial touristes, pour visiter la ville. C'est près de Victoria Street.

– Parfait ! Je ne sais pas grand-chose de Londres.

– Alors, c'est idéal de faire un tour en bus pour découvrir la ville. Estell vous attendra dans le hall à sept heures pour vous emmener au Vitória.

– Vitória ?

– Le restaurant de ma mère. Ma grand-mère maternelle s'appelait Vitória. Alors, à ce soir !

New Scotland Yard était un gigantesque immeuble de verre et de béton. On l'aurait dit conçu par un architecte qui en serait

183

resté au stade du Lego. En revanche, les monuments alentour étaient beaux et impressionnants.

– Là, ce sont les Houses of Parliament, qui sont le siège du Parlement depuis le xvᵉ siècle. Et là-bas, vous apercevez Big Ben. Ce n'est pas la tour, mais l'horloge qu'on appelle Big Ben, précisa Glen.

Il déposa Irene à un arrêt de bus près de la Tamise, non loin d'un pont – d'après la plaque, le Westminster Bridge. Irene se rendit compte qu'elle aurait besoin d'une carte. Dans un petit kiosque près de l'arrêt de bus, une aimable femme aux cheveux blancs vendait des cartes et des tickets d'excursion d'un jour. Elle avait l'air d'être retraitée depuis la Seconde Guerre mondiale.

– Vous pouvez descendre et monter du bus où vous voulez, expliqua-t-elle avec un beau sourire, bien qu'édenté.

Irene grimpa à l'étage du bus et referma le col de son manteau, car l'air montant du fleuve était froid.

Il était cinq heures et demie quand Irene poussa enfin la porte de sa chambre d'hôtel. La tête lui tournait d'avoir vu tant de choses, et ses pieds lui faisaient mal. Elle se sentait vidée. Elle jeta tous ses sacs de courses sur le lit et alla se faire couler un bain. Elle avait d'abord besoin d'un bon moment de détente, puis d'un café bien corsé. Par chance, l'hôtel mettait à la disposition de ses clients une bouilloire électrique dans chaque chambre. À côté de tasses en céramique, il y avait un bol rempli de sachets individuels de thé, de café en poudre et de sucre. Irene remplit la bouilloire d'eau, la brancha et vida trois sachets de café instantané dans une seule tasse.

Sur le chemin du retour, elle était descendue à Oxford Street, juste devant le grand magasin Selfridges. Un tour rapide dans les rayons lui avait confirmé que les prix étaient trop élevés pour son budget. Mais elle découvrit une boutique H & M un peu plus loin dans la rue, et là elle acheta un joli cardigan vert pâle et un top noir dans une matière brillante. Le tout était ravissant et bon marché, puisque le cardigan était en solde à moitié prix. Irene fut ravie de ses trouvailles, mais elle en éprouva aussi une certaine gêne. Aller à Londres pour entrer dans un magasin de la chaîne suédoise H & M, c'était un peu comme sortir de chez soi pour boire de l'eau du robinet chez le voisin. Donc, si quelqu'un venait à lui demander où elle avait acheté ces vêtements, mieux vaudrait répondre simplement « à Londres » sans en spécifier la marque.

Elle emporta sa tasse fumante dans la salle de bains et la posa sur le rebord de la baignoire. Quel plaisir de s'enfoncer dans l'eau chaude et de boire quelques gorgées de café fort ! La caféine descendit dans son corps et chassa toute la fatigue de la journée, tandis que la chaleur du bain activait la circulation dans son corps. Enfin, elle pouvait se détendre…

Des nuages sombres barraient l'horizon et s'abattirent sur la plage de sable. Ce qui avait été si agréable, il y a encore un instant, devint soudain froid et menaçant. Irene frissonna, mais elle ne savait pas quoi faire pour que la température remonte. Ses bras et ses jambes gelés refusaient de lui obéir. Elle fut prise d'une peur panique quand elle comprit qu'elle était paralysée et allait mourir de froid. La pluie glaciale et le froid la gagnaient de manière inexorable, et la marée allait bientôt l'emporter au loin, dans l'océan. Au milieu de toute cette souffrance, un coup de tonnerre retentit dans le ciel…

D'un seul coup, Irene se redressa dans la baignoire. C'était le grondement du tonnerre. Elle mit du temps avant de comprendre que quelqu'un frappait simplement à la porte. Tremblant de froid, elle s'enroula vite dans une grande serviette et alla ouvrir. C'était Estell.

Son chignon était aussi impeccable que ce matin. Elle était vraiment ravissante, dans une robe ivoire qui semblait faite sur mesure, avec des chaussures assorties. Elle avait jeté sur une épaule une veste de la même étoffe que la robe. Elle sourit et demanda :

– Vous êtes bientôt prête ?

– Non… Je me suis endormie dans la baignoire.

– Ma pauvre ! Vous avez dû partir de bonne heure, ce matin, et vous n'avez pas arrêté de courir toute la journée. Pas étonnant que vous vous soyez endormie. Il est seulement six heures et quart. Je vais appeler pour dire que nous serons un peu en retard.

185

Perchée sur ses hauts talons, elle s'éloigna dans le couloir sans trébucher. *Certaines femmes savent marcher avec des talons aiguilles, et d'autres non*, pensa Irene, qui faisait définitivement partie de la seconde catégorie.

Elle prit une douche éclair avec de l'eau très chaude pour relancer sa circulation. Elle n'eut pas le temps de laver ses cheveux, mais elle put leur redonner un peu de gonflant avec le sèche-cheveux de l'hôtel. Elle enfila rapidement son top violet clair et son costume en lin bleu. Une touche de mascara, un peu de son nouveau rouge à lèvres, et la voilà prête à retrouver Estell, qui l'attendait. À la dernière minute, elle se souvint des bijoux qu'elle voulait porter, cadeau de Krister pour ses quarante ans. Vite, elle changea ses petites perles aux oreilles pour de plus grandes, en or, et elle passa autour du cou une longue chaîne avec un joli pendentif ovale en or. C'était Anna, la cousine de Krister, orfèvre à Karlstad, qui avait réalisé ces bijoux, les plus chers qu'Irene ait jamais possédés et qu'elle adorait. Un coup d'œil dans la glace lui assura qu'elle était digne de dîner dans un restaurant de Londres.

— Vous avez mis seulement douze minutes. Je suis impressionnée, dit Estell.

Elles sortirent de l'hôtel et firent à peine cent mètres dans la rue. Le restaurant Vitória se trouvait dans un grand immeuble en brique rouge à un angle de rue. De l'extérieur déjà on entendait des rythmes sud-américains, et à l'intérieur régnait une ambiance de carnaval. Une trentaine de personnes, tous âges confondus, étaient assises à la table d'hôtes. Toutes chantaient sur la musique en levant leur verre et en portant des toasts les unes après les autres. Irene fut presque obligée de crier pour couvrir la musique.

— Vous fêtez quelque chose ?

— Glen ne vous l'a pas dit ? s'étonna Estell.

— Non, quoi donc ?

— C'est les soixante ans de maman.

— Dans ce cas, je ne voudrais pas…

Dans sa confusion, Irene ne se rappelait pas comment on disait « déranger » en anglais. Mais Estell la rassura :

186

– Vous ne dérangez nullement. C'est maman qui a eu l'idée de vous inviter. Elle trouvait que c'était triste que vous soyez seule le soir dans une grande ville comme Londres. Maman adore être entourée.

Une femme rondelette, tout sourire et vêtue d'une robe rouge, feu vint à leur rencontre en ouvrant les bras.

– Soyez les bienvenues ! Maintenant que tout le monde est là, la fête peut vraiment commencer ! Bienvenue à vous deux, et surtout à vous, Irene ! Je m'appelle Donna !

L'instant d'après, Irene se retrouva le nez plongé dans une masse de cheveux gris aux fragrances de nourriture et de parfums, et les bras plaqués contre elle par l'étreinte puissante de la femme.

Puis Donna la repoussa doucement et leva les yeux vers elle en disant :

– Si tous les officiers de police en Suède sont aussi grands que vous, je veux bien que vous m'en envoyiez un exemplaire masculin de mon âge. J'ai un faible pour les hommes grands !

Son large sourire illumina tout son visage et, l'espace d'une seconde, Irene pensa au commissaire Andersson, à sa pâleur et à ses formes. En voilà un qui aurait bien besoin de quelqu'un pour égayer sa vie, le jour où il partirait à la retraite – ce qui n'allait pas tarder. Et si elle l'envoyait voir Donna ? L'âge allait, mais pas la taille. Et cette dame si intense l'achèverait en quelques semaines. Irene elle-même commençait déjà à sentir des signes d'épuisement au bout de ces quelques minutes.

Glen l'appela en lui montrant deux chaises vides de l'autre côté de la table, où il avait pris place. Estell parvint à se frayer un chemin, Irene dans son sillage.

– Irene, laissez-moi vous présenter mon épouse, Kate, et les jumeaux Brian et... où est passé Kevin ?

Glen se leva et s'adressa en criant à un groupe d'enfants. Pendant qu'il cherchait sa progéniture, Irene fit la connaissance de Kate. C'était une belle femme à l'épaisse crinière blond vénitien, avec de grands yeux bleus et un teint pâle constellé de taches de rousseur. À ses côtés, le garçon aux cheveux bruns et bouclés avait retrouvé son homologue, que Glen avait fini par extraire de la bande d'enfants.

– Moi aussi j'ai des jumeaux, enfin, des jumelles. Elles viennent d'avoir dix-huit ans. Et elles ne sont pas…

Irene s'interrompit, car de nouveau un mot lui manquait. Comment disait-on « pas du même œuf » en anglais ?

– De vraies jumelles, compléta Kate en souriant.

Un serveur vint leur apporter des consommations sur un plateau. La boisson ambrée qui brûla l'estomac d'Irene devait être du rhum, mais elle n'en était pas tout à fait sûre. Ensuite la nourriture arriva sur la table. Des crevettes et des moules nageaient dans une sauce très épicée où il fallait tremper un pain délicieux qui sortait tout droit du four. Puis il y eut des brochettes de poulet et de légumes, avec une sauce au chili vraiment relevée. Voilà pourquoi, sans doute, le vin rouge disparaissait aussi vite. Plus le niveau des verres baissait, plus l'ambiance autour de la table montait. Irene, qui n'avait déjà plus faim, vit avec horreur arriver encore plus de nourriture, en l'occurrence d'énormes steaks. La viande était servie avec une sauce au vin rouge et des pommes de terre sautées.

– De la viande d'Amérique latine ! Pas d'Angleterre. Aucun danger de vache folle ! s'écria Donna à l'autre bout de la table.

C'était succulent, mais il lui fallut deux verres de vin rouge pour réussir à tout avaler. Les effets de l'alcool commencèrent à se faire sentir. Irene se dit qu'il convenait à présent de faire attention. Autant éviter d'avoir la gueule de bois pour l'interrogatoire de Rebecka Schyttelius le lendemain.

L'ambiance et la température montèrent encore d'un cran dans le petit restaurant quand les invités chantèrent pour souhaiter un joyeux anniversaire à Donna. Même Irene, qui ne connaissait pas un mot de portugais, fit de son mieux pour chantonner avec eux.

On servit en dessert une énorme tarte aux fruits, puis le café. Irene refusa poliment le digestif qui l'accompagnait, car elle voulait à tout prix éviter le mal de tête.

Les invités parlaient, riaient et chantaient, et il fut bientôt minuit. Irene sentit qu'elle ne réussirait pas à rester éveillée encore très longtemps. La journée avait été suffisamment longue et riche en événements.

Irene alla voir Donna et la remercia pour cette magnifique fête et le délicieux dîner. Donna attira son visage contre le sien pour lui plaquer un gros baiser sur chaque joue.

– Promettez-moi de m'envoyer un policier à la retraite ! Un grand ! gazouilla Donna.

Irene promit de faire de son mieux.

L'air frais de la nuit fit du bien à ses joues enflammées. Elle prit quelques inspirations profondes pour ventiler ses poumons engorgés par l'air chargé de fumée et d'alcool du restaurant. Glen avait proposé de la raccompagner à l'hôtel, mais elle avait décliné son offre en voyant qu'il avait assez à faire pour récupérer ses jumeaux surexcités. Un taxi ralentit à son passage, et poursuivit sa route puisqu'elle ne lui fit pas signe. C'était à deux pas d'ici, elle ne risquerait pas de se perdre.

La rue était calme et déserte. Aussi, quand une voiture vint derrière elle, elle l'entendit. Elle entendit également le véhicule s'arrêter et une portière s'ouvrir. Elle pensa seulement qu'on déposait quelqu'un et elle ne s'attendait pas une seconde à être agressée par derrière. Quelqu'un lui tordit le bras et la poussa de force à l'arrière d'un taxi. Elle se cogna si fort le front contre le cadre de la porte qu'elle en vit trente-six chandelles.

– Mais démarre, putain ! marmonna une voix rauque avec un accent apparemment typique de Londres.

Elle respira une haleine écœurante – des relents d'alcool et de dents pourries.

Pendant une seconde, l'esprit d'Irene avait été paralysé par la surprise et la peur. Elle n'avait pas eu le temps de crier que la portière de la voiture s'était déjà refermée et qu'elle se retrouvait plaquée sur le sol à l'arrière du taxi. Impossible de voir son agresseur qui était à la fois derrière et sur elle. Au prix d'un énorme effort, elle parvint à tourner la tête mais aperçut seulement la nuque du chauffeur derrière la vitre qui le séparait des passagers, une nuque de taureau, bien rasée, avec un grand tatouage noir.

Qu'est-ce que ces hommes lui voulaient ? Qui étaient-ils ? L'homme qui l'avait attaquée commença à lui peloter les seins, et elle fut convaincue qu'il s'agissait d'une tentative de viol.

Mais quand il essaya d'arracher son pendentif avec l'œuf en or, elle comprit qu'il en voulait seulement à ses bijoux.

Du coup, elle retrouva son calme. L'homme avait relâché sa prise sur le bras d'Irene, mais continuait à l'étrangler de son bras gauche. Irene tendit instinctivement les muscles de son cou et attrapa d'une main le bras de l'homme. De toutes ses forces, elle donna un violent coup de coude dans le ventre de son agresseur qui, manquant de suffoquer, relâcha immédiatement sa prise d'étranglement. Rapide comme l'éclair, Irene se dégagea pour se retrouver à côté de l'homme. Encore heureux que les taxis londoniens soient si spacieux à l'arrière ! Irene fit une clé à son agresseur et le força à rester sur le ventre. Elle verrouilla la prise en s'asseyant sur son dos, lui entrant le genou sous les omoplates, et de l'autre main elle lui maintint le bras plaqué au sol. Le moindre mouvement ne faisait qu'augmenter la pression dans le dos et la douleur. Il était enfin immobilisé.

Tout avait été l'affaire de quelques secondes. Le chauffeur n'avait pas vraiment eu le temps de voir ce qui s'était passé, mais il avait compris que quelque chose clochait.

– Eh ! vous faites quoi ? cria-t-il.

Il essaya de tourner la tête pour voir ce qui se passait derrière lui, sur le sol de son taxi. Irene entendit alors un juron à demi étouffé, et la voiture se mit à zigzaguer. Les freins crissèrent, et Irene eut du mal à maintenir l'homme plaqué au sol. La voiture s'arrêta net en heurtant un obstacle avec un bruit sourd. Le chauffeur n'avait pas attaché sa ceinture de sécurité, et sa tête cogna violemment le pare-brise avant de retomber sur le volant.

L'homme sous Irene ne bougeait plus non plus, et elle craignit qu'il ne respirât plus. Peut-être avait-elle appuyé trop fort sur son dos quand la voiture avait arrêté sa course brusquement ? C'était une prise dangereuse, et qui avait déjà tué. Irene se pencha au-dessus de l'homme et, avec soulagement, l'entendit respirer. Il semblait seulement inconscient.

Elle réussit à s'extirper de la voiture et reçut l'aide d'un passant qui accourut vers elle. Il la soutint d'une main et, de l'autre, appela les secours avec son téléphone mobile :

190

– ... un accident à l'angle de Westbourne et Lancaster Gate...
une seule voiture, oui... a embouti un lampadaire... une femme
est indemne, mais l'homme a l'air touché... vaudrait mieux
une ambulance...

Quand l'homme se retourna pour s'enquérir des circonstances
de l'accident, la femme avait disparu.

Chapitre 13

Malgré sa résolution d'éviter de se lever avec un mal de tête, Irene se réveilla exactement dans cet état. Ce n'était pas la faute de l'alcool, mais d'une grande bosse au front bleuissait et la lançait terriblement. Preuve que les événements de la veille ne s'étaient pas seulement déroulés dans son imagination, dans un terrible cauchemar. La bosse ainsi qu'une légère égratignure, juste sous la ligne d'implantation de ses cheveux, seraient à peine visibles si elle ramenait sa frange bien en avant à l'aide du sèche-cheveux – même si ça lui faisait une drôle de tête.

Elle s'était éclipsée avant l'arrivée des secours. Faire une déposition au poste de police à une heure aussi avancée de la nuit lui semblait alors au-dessus de ses forces. Elle avait tout juste eu assez d'énergie pour regagner son hôtel et sa chambre. Après cette journée mouvementée, elle avait plongé dans un profond sommeil sans rêves. À moins qu'elle se fût évanouie ?

Irene descendit en titubant jusqu'à la salle du petit déjeuner, située au sous-sol, et vida plusieurs tasses de café en poudre à la file. Elle n'avait toujours pas faim après le dîner d'anniversaire de Donna. Elle se força néanmoins à avaler une demi-tartine avec du fromage. Son mal de tête commença à se dissiper, et elle put rassembler ses esprits.

Naturellement, elle devait dire à la police ce qui s'était passé. La première chose à faire était de contacter Glen Thomsen. Il était convenu qu'il viendrait la chercher devant l'hôtel à onze heures moins vingt, mais le mieux serait qu'il puisse venir plus tôt.

De retour dans sa chambre, Irene sortit la carte de visite de Glen et composa le numéro de son bureau. Par chance, il décrocha aussitôt. Irene essaya de lui expliquer qu'il lui était arrivé quelque chose la veille au soir, mais il l'interrompit :

– J'arrive le plus vite possible.

Irene descendit dans le hall et s'assit pour l'attendre. Estell passa rapidement en lui souhaitant un *Good morning* plein d'entrain avant de s'éclipser. Elle n'avait pas dû dormir beaucoup, mais cela ne se voyait pas du tout. Irene, quant à elle, ne se faisait guère d'illusions : on devait voir sur son visage que la nuit avait été courte, mais Estell pensait sans doute qu'elle avait dû boire trop de vin.

La Rover noire se gara devant l'entrée de l'hôtel. Le sourire de Glen s'évanouit dès qu'il vit la tête d'Irene.

– Allons dans votre chambre, suggéra-t-il.

Irene lui raconta en détail sa mésaventure. Glen se montra très attentif et ne l'interrompit pas une seule fois. Quand elle eut terminé son récit, il secoua la tête :

– C'est incroyable ! Mais la question, dans cette histoire, est de savoir qui a eu le plus de malchance. Vous, qui vous faites agresser la première nuit que vous passez à Londres, ou les agresseurs qui tombent sur une ex-championne de jiu-jitsu !

Il sourit, mais redevint aussitôt sérieux.

– Je vais prévenir tout de suite la police locale.

Glen se servit du téléphone de la chambre. Il s'entretint longuement avec différentes personnes, gardant plusieurs fois le silence et acquiesçant. Parfois, il lançait un regard en direction d'Irene, et elle eut l'impression qu'une lueur brillait au fond de ses yeux. Difficile de la définir, mais on aurait dit qu'il était atterré.

– Venez. Il faut y aller. Je vous raconterai dans la voiture, dit-il.

Il ne démarra pas dès qu'ils furent assis, mais considéra Irene d'un air grave.

– On peut dire que vous vous en êtes bien tirée. Vos compétences en jiu-jitsu vous ont permis d'éviter le pire.

Il se tut et tourna la clé de contact. Le moteur ronronna doucement, et il se dégagea du trottoir.

– Le taxi était volé. On a retrouvé le chauffeur dans un état critique, poignardé à plusieurs reprises, sans un sou sur lui, dans l'arrière-cour d'une maison qu'on est en train de démolir, à quelques rues du Vitória. Il avait une cagoule sur la tête et les mains attachées dans le dos avec du gros ruban adhésif. Il a été transporté à l'hôpital. Seule consolation, ses agresseurs y sont aussi.

Glen s'arrêta pour laisser une vieille dame traverser la rue sur un passage piéton. Quand elle fut de l'autre côté, il appuya sur l'accélérateur et poursuivit sa route.

– L'homme à l'arrière qui vous a attaquée s'appelle Ned Atkinson, plus connu sous le nom de *The Gravedigger.*

Il se tut à nouveau. Irene sentit un léger mal de tête à la hauteur du front. Elle s'était donc battue contre un homme qu'on surnommait « le Fossoyeur ». Elle voulut parler, mais les mots ne venaient pas.

– Ned est un ancien taulard et un drogué. Il vient de ressortir de prison, voici quelques mois à peine, après avoir purgé une peine de douze ans pour complicité de meurtre. Sa spécialité est de donner un coup de main lors de meurtres pour des commanditaires de la pègre ; c'est lui qui se débarrasse des corps. D'où son surnom de Fossoyeur.

Irene retrouva l'usage de la parole et essaya de se rassurer en esquissant un faible sourire.

– Et puis-je demander le surnom de l'autre ?

Glen attendit un peu avant de répondre :

– *The Butcher.*

Autrement, dit, « le Boucher ». Irene préféra ne pas en savoir davantage.

– Vous avez eu de la chance que ce ne soit pas lui qui vous ait tiré à l'intérieur de la voiture. Le Boucher doit peser dans les cent trente kilos et il a une force monstrueuse. Mais il s'est blessé quand il s'est échappé de prison, le mois dernier. On lui a découvert une grande plaie infectée au genou quand on l'a transporté à l'hôpital la nuit dernière pour sa blessure à la tête. Le commissaire avec qui j'ai parlé m'a dit qu'une personne normale n'aurait pas pu se déplacer avec une telle blessure. Mais le Boucher n'avait pas le choix, il ne pouvait pas

195

se présenter aux urgences, car un mandat d'arrêt national avait été lancé contre lui.

Ils avaient dépassé Marble Arch et poursuivirent en direction d'Oxford Street. La circulation était dense, et les trottoirs fourmillaient de monde. Glen ralentit pour tourner dans une rue perpendiculaire.

– On l'a transporté dans un hôpital pour criminels psychopathes. Il a été incarcéré pour une série de meurtres et de viols d'une rare perversité. Certains étaient des contrats, d'autres ont été commis pour son propre plaisir.

Glen gara la voiture le long du trottoir. Quand il eut coupé le moteur, il dit doucement :

– Ned a manqué d'oxygène un peu trop longtemps pendant votre prise d'étranglement. Il va survivre mais gardera des séquelles toute sa vie, encore que ses lésions cérébrales puissent aussi être dues à une overdose. On a retrouvé d'importantes quantités de morphine dans son sang. Il faut dire que c'est un héroïnomane de longue date. Son système nerveux est très endommagé, et son état physique général désolant. La tête du Boucher a heurté le pare-brise, et le cerveau a été touché. Le pronostic vital est engagé. Lui aussi gardera des séquelles – s'il s'en sort.

Glen marqua une pause et regarda Irene droit dans les yeux.

– Ils ont retrouvé un grand couteau à côté du Boucher. Le même dont il venait de se servir pour poignarder le chauffeur de taxi. Il était encore ensanglanté…

Vol. Viol. Coups de poignard et peut-être meurtre. Voilà ce qui l'aurait attendue si elle n'avait pas réussi à s'échapper. Irene ne put s'empêcher de chanceler en sortant de la voiture. Et malgré les treize degrés de la température extérieure, elle sentit une sueur froide ruisseler le long de son dos.

Le Dr Fischer avait son cabinet dans une jolie maison en pierre, dans une rue calme, non loin pourtant de l'agitation d'Oxford Street. Toutes les maisons ici avaient été rénovées avec soin et goût.

Après avoir décliné leur identité à l'interphone, Glen et Irene furent autorisés à entrer. Le vestibule avait été préservé dans le pur style victorien, avec beaucoup de marbre et des boiseries d'acajou sombre. Au soulagement d'Irene, l'ascenseur n'était pas d'époque et offrait assez d'espace pour deux personnes.

Quand ils en sortirent, un homme imposant et frisant la soixantaine les attendait sur le pas de la porte son cabinet. Ses cheveux gris acier, soigneusement peignés en arrière, dégageaient son grand front, et il avait une petite barbe grise. Il portait un costume gris clair resserré au niveau des épaules et dans le dos, qui paraissait venir d'un grand tailleur. Son visage était large et imposant. Si son sourire dévoilait une dentition puissante, on était surtout frappé par son regard gris-bleu très pénétrant. Malgré l'élégance de sa mise, Irene lui trouva davantage l'air d'un chasseur de grands fauves que d'un médecin. Il les jaugea par-dessus le bord de ses lunettes.

– Les inspecteurs de police Thomsen et Huss, si je ne me trompe. Je suis le Dr John Fischer. Veuillez entrer, je vous prie.

Il s'inclina légèrement et les salua sans leur tendre la main. En revanche, il fit un signe à l'attention de quelqu'un, à l'intérieur. Ils traversèrent une entrée sombre et arrivèrent dans un petit salon qui servait de salle d'attente. Les meubles anciens s'harmonisaient avec les stucs du plafond. De beaux tapis recouvraient le sol. À l'évidence, ce n'était pas le cabinet d'un simple médecin de quartier, et ses honoraires devaient être en conséquence.

– Rebecka aimerait que l'entretien ait lieu ici, annonça le Dr Fischer.

Le médecin ouvrit une porte et passa le premier. Il se dirigea vers la femme recroquevillée dans un fauteuil près de la fenêtre et posa une main sur son épaule.

La lumière tombait de côté et éclairait la moitié droite du visage de Rebecka. Irene constata aussitôt qu'elle était beaucoup plus maigre que sur les photos prises à Noël. Vêtue d'un polo en coton blanc et d'un tailleur noir en fine étoffe à la coupe impeccable, elle ne portait, autant qu'Irene pût en juger, aucun bijou. Ses cheveux étaient de la même longueur que sur les photos, et tout aussi épais, mais ils paraissaient ternes, comme s'ils n'avaient pas été lavés depuis longtemps. Les kilos en moins lui allaient bien, mettant davantage en relief sa bouche pulpeuse et ses pommettes hautes. Dans ce visage si pâle, ses grands yeux au

197

regard vide trahissaient son inquiétude et son angoisse. Irene crut comprendre pourquoi Christian Lefèvre avait cherché à soustraire Rebecka à leur interrogatoire : pour la protéger contre elle-même, contre ses craintes et ses propres souffrances.

La voix d'Eva Möller résonna aux oreilles d'Irene : « Rebecka est comme son père… »

— Rebecka, voici les inspecteurs de police qui désirent te parler, annonça le Dr Fischer.

Irene et Glen s'avancèrent, lui serrèrent la main et se présentèrent. La main de Rebecka était molle et froide. Irene ne savait pas trop par où commencer, alors elle dit en suédois :

— Je ne sais pas bien comment vous présenter toutes nos condoléances, de ma part ainsi que de celle de mes collègues. Ce qui est arrivé à votre famille est tragique, et nous faisons tout ce qui est en notre pouvoir pour élucider ces meurtres. Mais pour cela, nous avons besoin de votre aide. Beaucoup trop de questions restent sans réponse. Croyez-vous avoir la force de répondre à quelques-unes d'entre elles ?

Rebecka acquiesça sans regarder Irene.

— Ma première question est : avez-vous la moindre idée de ce qui aurait pu être le mobile de ces meurtres ?

Un faible non de la tête fut la seule réponse.

— Est-ce que vos parents ou Jacob vous ont dit, à un moment ou un autre, qu'ils étaient menacés ?

— Non, répondit-elle d'une voix sourde.

— Et vous-même, avez-vous été menacée ?

De nouveau, un non de la tête, mais plus marqué.

Personne, dans la famille, n'avait donc reçu de menaces, mais trois de ses quatre membres étaient morts à présent. Quelque chose clochait. Rebecka devait forcément savoir quelque chose, peut-être sans même en avoir conscience, d'ailleurs.

— Sauriez-vous qui aurait pu en vouloir suffisamment à vos parents pour les tuer ?

— Non.

— Jacob non plus n'avait pas d'ennemis, à votre connaissance ?

— Non.

Ni le Dr Fischer ni Glen ne comprenaient bien sûr un mot de leur conversation, mais ils restaient parfaitement immobiles. Irene aurait préféré que Glen se charge de l'interrogatoire, car elle ne se sentait pas très bien après les événements de la nuit précédente. Mais ce travail lui incombait et elle décida de prendre un autre angle.

– Nous avons entendu dire que votre père vous avait demandé de l'aide pour retrouver la trace de satanistes par le biais d'Internet. Est-ce bien cela ?

– Oui.

– Et cela a donné des résultats ?

Pour la première fois, Rebecka regarda Irene mais détourna rapidement les yeux.

– Nous avons trouvé une foule de documents de propagande. Mais ce que mon père voulait, c'était retrouver les incendiaires de l'église. On est seulement tombés sur des chats.

– Quel genre ?

– Quelqu'un qui félicitait quelqu'un d'autre pour « le raid victorieux contre le temple ennemi près du lac ». Et c'était signé « Le fidèle serviteur de Satan ». J'ai pu déterminer le lieu d'origine du message : un lycée à Lerum. Mais après ça, plus rien.

Rebecka avait du mal à parler, et Irene vit à la sueur qui perlait à son front qu'il lui en coûtait beaucoup.

– Savez-vous si votre père a réussi à trouver quelque chose de son côté ?

– Non, je ne crois pas.

– Vous n'êtes pas venue ce Noël-ci, n'est-ce pas ?

– Non.

– Cela fait donc longtemps que vous n'aviez pas revu vos parents ?

Irene laissa volontairement la question en suspens, car elle ne savait pas trop comment poursuivre dans cette voie. Mais Rebecka tressaillit et répondit dans un chuchotement :

– Oui.

– Quand les avez-vous vus pour la dernière fois ?

Rebecka humecta ses lèvres sèches :

– À Pâques… il y a un an…

– N'avez-vous rien remarqué de particulier ? Une atmosphère différente ? Quelqu'un qui aurait dit quelque chose de bizarre ?

Rebecka parut réfléchir.

– Non.

– Est-ce que votre père parlait des satanistes ?

– Non.

– Et votre mère, a-t-elle exprimé quelque chose à leur sujet ?

– Non.

Rebecka s'appuya contre le dossier du fauteuil. Son visage était d'une couleur de cendres, et Irene comprit qu'elle ne tiendrait pas beaucoup plus longtemps. Ce qui allait suivre était délicat, mais il fallait tenter le coup. D'une voix douce, Irene dit :

– Nous avons découvert un livre sur le satanisme chez votre frère. Il était caché dans la maison de campagne. Il est écrit par un des pionniers du satanisme...

– LaVey.

– Vous connaissez ce livre ?

– C'est moi qui l'ai acheté. Ici, à Londres.

– Pourquoi ?

– Il voulait l'avoir. Je le lui avais offert en cadeau de Noël.

– Au Noël dernier ?

– Non. Au Noël d'avant.

– Le Noël où vous étiez venue ?

– Oui.

– Vous l'avez lu ?

– Non.

– Le livre était dissimulé derrière une latte amovible du mur dans la chambre à coucher. Là où il cachait aussi un fusil. Connaissiez-vous cette cachette ?

– Oui.

– Mais saviez-vous qu'il y avait un fusil derrière cette latte en bois ?

Rebecka hocha lentement la tête.

– Qui d'autre était au courant de cette planque ?

– Seulement la famille. On s'en servait comme... d'un coffre-fort.

Rebecka ferma les yeux et laissa retomber sa tête en arrière. On aurait dit qu'elle n'avait plus la force de la soutenir. Le Dr Fischer commença à se racler la gorge et à s'agiter un peu sur son fauteuil. Irene devint fébrile, car elle comprenait que les minutes étaient comptées. Soudain elle se souvint d'un fait qui l'avait intriguée :

— Quelqu'un m'a dit que vous étiez venue cet été et que vous étiez accompagnée par votre petit ami. Vous me le confirmez ?

Rebecka donnait l'impression de dormir, mais elle releva les paupières et regarda Irene bien en face.

— C'étaient Christian et moi. On a été appelés à Stockholm... pour un travail. Christian n'était jamais allé en Suède. On a atterri à Landvetter et loué une voiture. On a roulé... pour qu'il puisse voir le paysage. Et on est passé par Kullahult. Personne n'était à la maison. C'était bizarre.

— Vos parents savaient que vous alliez venir ?

— Non. Ça s'est décidé à la dernière minute. Comme une idiote, j'étais sûre qu'ils seraient là... ils ne sortent jamais. Et il a fallu que, juste ce jour-là, ils rendent visite à un vieux camarade de classe de mon père, dans le Värmland. Ils sont allés à un marché, je crois.

— Vous leur avez dit, plus tard, que vous étiez venus à Kulla-hult ?

— Je ne crois pas. De toute façon, on ne faisait que passer.

— Avez-vous rencontré Jacob ?

— Non. Il n'est revenu dans la région qu'en août.

— Quand êtes-vous allés à Stockholm, Christian et vous ?

— Fin juillet.

— Christian n'a, par conséquent, jamais rencontré votre famille ?

— Non.

— Et il n'est pas non plus votre petit ami ?

Rebecka se contenta de secouer faiblement la tête.

— Qui alliez-vous voir à Stockholm ?

Rebecka détourna la tête et ne répondit pas tout de suite.

— L'organisation Save the Children en Suède, chuchota-t-elle.

Le Dr Fischer tapa résolument des paumes sur les accoudoirs de son fauteuil et dit :

— Bon, je crois que ça suffit, maintenant. Rebecka n'en peut plus.

Irene vit qu'il avait raison. Au fond de son fauteuil, Rebecka ressemblait à un ballon crevé.

– Je vous remercie, Rebecka, d'avoir accepté de répondre à mes questions. Je devine ce qu'il vous en a coûté, commença-t-elle quand elle fut interrompue par un « Personne ne peut comprendre » murmuré par Rebecka, mais elle n'en était pas sûre d'avoir bien entendu.

Irene sortit sa carte et la tendit à Glen.

– Si vous pouviez noter, s'il vous plaît, le numéro de l'hôtel Thomsen et vos numéros de téléphone, au cas où Rebecka voudrait me contacter plus tard dans la journée.

Glen fit ce qu'elle lui demandait, et Irene remit la carte à Rebecka.

– Vous pouvez me joindre, encore aujourd'hui, au numéro noté au dos de la carte, jusqu'à cinq heures et demie. Après, je prends l'avion pour retourner en Suède. Ensuite, vous pourrez me joindre sur les numéros habituels, inscrits sur ma carte. Vous pouvez m'appeler à tout moment sur mon mobile. Mais n'oubliez pas de taper le numéro de la Suède, le quarante-six, si vous m'appelez.

Rebecka fit oui de la tête et laissa retomber la main tenant la carte de visite sur ses genoux, sans même y jeter un coup d'œil.

– J'ai une réunion à trois heures. Que diriez-vous d'aller déjeuner maintenant ? suggéra Glen.

Irene trouva que c'était une bonne idée. Elle commençait à avoir faim, étant donné que son petit déjeuner avait été pour le moins frugal.

– Je passerai vous prendre ce soir à cinq heures et demie. Vous pouvez garder votre chambre jusque-là. Ensuite, vous pourrez toujours grignoter un morceau à l'aéroport avant le décollage. Y a-t-il quelque chose de spécial que vous aimeriez faire cet après-midi ? lui demanda Glen, quand ils furent de nouveau dans la voiture et pris dans le flot de la circulation.

– À vrai dire, je n'en sais trop rien. Que proposez-vous ? demanda Irene.

– Vous préférez les vieilles pierres ou faire les magasins ?

– J'ai déjà fait des achats hier, et les vieilles pierres, ce n'est pas vraiment mon truc. Je préférerais quelque chose d'amusant mais qui ne coûte pas trop cher, avoua Irene.

Glen réfléchit un instant, puis son visage s'éclaira :

– J'ai trouvé ! La Tate Modern. Là, nous pourrons manger dans un bon restaurant des environs.

Ils traversèrent la Tamise et tournèrent à gauche après le pont. Glen trouva une place pour garer la Rover en manœuvrant comme un chef pour faire son créneau. Puis ils entrèrent dans un immeuble à trois étages qui se révéla êtreun restaurant sur trois niveaux. Une grande terrasse occupait presque tout le dernier étage. Un panneau indiquait qu'on pouvait réserver tout l'étage pour des fêtes et des réceptions privées. Ce jour-là, le vent et le temps gris étaient assez dissuasifs, et Irene opta pour un déjeuner bien au chaud, au rez-de-chaussée.

Ils trouvèrent une table libre et posèrent leurs vestes sur les dossiers de chaise pour montrer que les places étaient prises. Aux quatre coins du plateau, avaient été insérés des disques en métal où était gravé le numéro de chaque table. Il fallait passer commande au bar, indiquer son numéro de table et attendre qu'on vous apporte les plats à votre place. Bien sûr on ne revenait pas les mains vides du bar, on emportait son verre de bière.

Irene avait choisi des lasagnes, et Glen des pommes de terre au four avec du thon. Les portions étaient généreuses, et la nourriture très bonne. Irene se demanda d'où pouvait venir cette mauvaise réputation des Anglais quant à leurs talents culinaires, car elle avait très bien mangé durant ces deux jours à Londres. Certes, cela n'avait pas été de la cuisine traditionnelle anglaise, mais des plats chinois, sud-américains et italiens. Et elle avait partagé ces bons moments avec un Brésilien à moitié écossais, à la peau mate et qui s'appelait Glen. Au fond, dans son voyage, rien n'avait été typiquement anglais. Ah si, la bière !

– Quelle impression vous a fait Rebecka ? voulut savoir Glen.

– Elle est vraiment malade, ça se voit. Mais je ne sais pas si elle souffre d'une dépression normale ou si elle est submergée par l'angoisse. J'ai comme le sentiment que la terreur a sapé toutes ses forces. Elle était complètement épuisée.

– Je l'ai aussi trouvée angoissée, renchérit Glen. Même si elle a quand même répondu à vos questions.

– Oui, elle a répondu à mes questions. Cela dit, je n'ai pas appris grand-chose. Mais j'ai le sentiment qu'elle ne m'a pas tout dit. De quoi a-t-elle peur ? De qui a-t-elle peur ? Pourquoi ne parle-t-elle pas ?

– Cela fait beaucoup de questions sans réponse, conclut Glen.

– Je ne sais toujours pas si elle craint pour sa vie. Elle a nié que quelqu'un de sa famille ait été menacé. Et pourtant trois d'entre eux ont été assassinés.

Glen la regarda pensivement.

– Rebecka est un mystère. Il y a en elle quelque chose qui me fascine. Elle est belle, intelligente, et pourtant terrorisée et repliée sur elle-même. Il faudra revenir la voir une autre fois. Cela peut prendre du temps, mais vous devriez arriver à la faire parler. Le problème, c'est qu'elle ne veut pas entendre parler des funérailles ou de son voyage en Suède. Il est impossible d'aborder ce sujet avec elle, dit-il.

– Comment le savez-vous ?

– Le prêtre de l'église suédoise ici m'a accompagné lorsque nous sommes venus apprendre à Rebecka la terrible nouvelle. Il lui a dit de ne pas hésiter à le contacter si elle avait besoin d'aide, par exemple pour trouver une entreprise de pompes funèbres. Je lui ai téléphoné pour savoir si Rebecka l'avait recontacté, mais elle ne l'a pas fait. Il s'en est inquiété, car il y a toujours beaucoup de questions pratiques à régler pour les obsèques et la succession.

– Je peux lui passer un coup de fil, si vous voulez. Ce serait peut-être une bonne idée de lui demander d'en toucher un mot au Dr Fischer. Il pourrait aborder cette question avec Rebecka dès qu'elle ira mieux et qu'elle aura la force d'en discuter.

– Cela pourrait effectivement être une solution.

Glen sortit un carnet qu'il feuilleta avant de trouver le numéro qu'il cherchait.

– Le voici. Église suédoise, le pasteur Kjell Sjönell, lut Glen à haute voix.

Irene ne put s'empêcher de rire en entendant Glen essayer de prononcer le son « sj » en suédois. Elle nota le numéro de Kjell Sjönell et les heures où il était joignable.

Ils se promenèrent le long de la Tamise et passèrent en revue les événements dramatiques de ces dernières vingt-quatre heures.

– Je vais rédiger votre compte-rendu de l'agression et je vous le faxerai pour que vous puissiez en prendre connaissance avant de le signer, si vous êtes d'accord. Je ne sais pas encore si votre présence sera requise pour témoigner au procès contre ces malfrats. Encore faudrait-il que le procès ait lieu, et vu leur état, rien n'est moins sûr. Mais je vous tiendrai au courant, promit Glen.

— Pourquoi croyez-vous qu'ils m'aient choisie comme victime ? voulut savoir Irene.

— Oh, ils ont vu une femme quitter seule le restaurant, un restaurant où on faisait la fête. Alors ils se sont dit qu'elle devait avoir pas mal bu. Une victime tout indiquée pour un vol.

Soudain Irene revit la scène : le taxi aperçu en sortant, sa veste laissée ouverte parce qu'il faisait chaud à l'intérieur du restaurant, le Fossoyeur et le Boucher qui avaient dû voir briller ses bijoux dans la lumière des phares… Instinctivement, elle porta la main au pendentif en or qu'elle avait gardé autour du cou.

Après un kilomètre environ de marche, Glen montra du doigt un immense bâtiment qui se dressait non loin de la Tamise.

— C'est la Tate Modern, une ancienne station électrique transformée en musée d'art contemporain. La hauteur du plafond dans l'ancienne salle des turbines s'élève à trente-cinq mètres. Mais c'est amusant de se balader à l'intérieur et d'y jeter un coup d'œil. Kate et moi y sommes allés, voilà quelques semaines. Il y a beaucoup de choses à voir. Et c'est gratuit.

— Comment ça, gratuit ?

— Le musée a été construit grâce à des donations. Le fonds Guggenheim, je crois.

Irene n'avait jamais entendu parler de ce fonds, mais il semblait avoir les moyens pour financer ce bâtiment massif qui s'élevait devant eux. Bien sûr, ce fonds n'avait pas eu à construire le musée lui-même, mais il l'avait rénové et rempli d'œuvres d'art.

Irene passa un bon moment dans les salles de la Tate Modern, parmi les œuvres de quelques-uns des plus grands artistes. Pour la première fois de sa vie, Irene vit des tableaux originaux de Picasso, Monet, Dali, Van Gogh, Léger et Mondrian. Elle se rendit compte qu'un grand nombre de ces artistes, qu'elle jugeait « modernes », avaient été productifs au milieu du XIXe siècle et jusqu'au milieu du XXe, ce qui n'était pas tout à fait la même chose. On disait d'eux qu'ils avaient ouvert la voie à l'art moderne. Irene sentit la puissance et l'originalité de ces œuvres. Ce qui avait été qualifié de « nouveau » au tournant du XXe siècle avait influencé l'art à tout jamais.

Elle apprit beaucoup de choses en se promenant dans les salles, mais elle avait les pieds fatigués. Elle fit une pause au sommet du musée, au septième étage, où se pressaient les visiteurs, et réussit à trouver un siège libre au bar où elle commanda une bière. C'était dépaysant de voir et d'entendre tous ces gens venant des quatre coins du monde. Quand elle était lasse de les regarder, elle pouvait admirer les sommets des toits ou encore les bateaux qui glissaient sur la Tamise. Le temps passait trop vite, et elle ne pouvait pas s'attarder indéfiniment. Il était l'heure de rentrer à l'hôtel, puis d'aller à l'aéroport.

Glen la conduisit jusqu'à Heathrow. Avant de prendre congé, Irene lui dit :

— J'ai pu joindre le pasteur Kjell Sjönell. Il m'a promis de contacter le Dr Fischer et de me passer un coup de fil après. Nous verrons bien si Rebecka est ou non en état de rentrer en Suède. Sinon, je devrai revenir.

Glen sourit :

— Ce serait un grand plaisir de vous accueillir à nouveau. Mais, bien sûr, j'espère que Rebecka va se rétablir. Je pense beaucoup à elle et au mystère qu'elle dégage. Selon moi, c'est elle qui détient la clé de la vérité. Qu'elle en ait conscience ou non.

— Je pense exactement comme vous, repondit Irene en hochant la tête.

Chapitre 14

Irene se précipita dans le bureau de Hannu Rauhala en brandissant l'édition de dimanche du *GT*.

– Hannu ! Tu peux m'expliquer ?

Il lut le gros titre de la première page : « La comptable d'une paroisse interrogée dans le cadre des meurtres sataniques est soupçonnée d'escroquerie ! ».

– Je n'en sais pas plus que toi. J'ai découvert ça hier.

Irene était tellement en colère que sa voix tremblait.

– Comment as-tu pu en parler à Kurt Höök !

– Mais c'est pas moi.

Hannu s'adossa à son fauteuil et la regarda droit dans les yeux. Irene savait qu'il ne mentait pas. Même s'il avait besoin d'argent depuis qu'il avait eu un enfant et acheté une nouvelle maison, jamais il ne ferait une chose pareille. Höök était le célèbre journaliste du *GT*, spécialisé dans les affaires criminelles, et il avait ses propres sources. Si on avait un tuyau relatif à un crime et qu'on voulait monnayer ses infos, Höök était la personne à appeler.

Elle jeta le journal sur le bureau de Hannu et se laissa tomber sur la chaise des visiteurs.

– À vrai dire, je n'y croyais pas non plus. Mais qui ça peut être ? Il n'y avait que toi, Sven et moi à connaître ces rumeurs. J'étais à Londres, et Sven n'aurait jamais parlé à Kurt Höök. Ils se détestent royalement. As-tu pu vérifier si ces accusations sont fondées ou non ?

– Eh bien, la comptable m'a présenté tous les livres de comptes de ces dix dernières années, et il n'y a pas la moindre trace d'un quelconque détournement de fonds.

– Mais alors, c'est une catastrophe pour Louise et Bengt Måårdh ! Ça va prendre une éternité avant qu'ils soient blanchis.

– Qui a intérêt à propager ces médisances ?

Irene plissa le front et déclara :

– Urban Berg.

Hannu acquiesça.

Irene alla dans son bureau et prit le temps de faire le point. Puis elle se décida et passa un coup de fil. Elle en aurait un autre à passer, plus tard dans la journée, mais pas maintenant.

Louise Måårdh restait visiblement marquée par les événements de la veille. Ses cheveux n'étaient pas peignés, et sa seule tentative de maquillage se réduisait à un peu de rouge à lèvres rouge vif, posé à la va-vite et qui n'allait pas du tout avec son pull roux. En dessous, elle portait un T-shirt vert pâle avec une tache encore humide de café sur le devant. Son jean bleu foncé était froissé, et elle était pieds nus dans de vieilles pantoufles. D'un geste las, elle invita Irene à entrer.

Les Måårdh n'habitaient pas dans un presbytère, mais dans une maison relativement neuve à l'extérieur de Ledkulla. La maison était décorée dans des tons pastel, qui s'harmonisaient avec le mobilier contemporain en pin clair. Des étagères couvertes de livres couraient le long du mur. L'atmosphère qui régnait dans la maison avait quelque chose à la fois d'apaisant et sophistiqué. Même pour un œil peu entraîné comme celui d'Irene, les tapis et les œuvres d'art affichaient une qualité exceptionnelle. Elle comprit que cela ait fini, au fil du temps, par susciter l'envie et la jalousie. « Comment peuvent-ils se le permettre ? Avec quel argent ? Elle brasse de si grosses sommes que ça doit être un jeu d'enfant de piocher dans la caisse… »

Irene prit place dans un élégant fauteuil en daim gris clair. Quel confort ! Louise, quant à elle se laissa lourdement tomber dans le canapé en cuir gris en face.

Irene se sentait mal à l'aise et balbutia :

– Je comprends à quel point tout cela est affreux pour vous. Nous mettons tout en œuvre pour comprendre comment pareille calomnie est arrivée jusqu'au journal. Ce n'était qu'un élément parmi beaucoup d'autres, à partir d'une déclaration comme il en surgit souvent au cours du travail de routine que nous devons faire au début d'une enquête... Mais comment c'est remonté jusqu'au *GT*, nous l'ignorons encore.

– Je ne peux plus aller travailler. La presse nous a étripés, déjà jugés et déclarés coupables. Peu importe si je suis blanchie par la suite. Les gens murmureront toujours « Il n'y a pas de fumée sans feu » et des phrases dans ce genre. Nous avons déjà reçu des coups de fil anonymes. Je n'ose même plus sortir chercher le courrier.

– Est-ce que la presse vous a appelée ?

Comme pour répondre à cette question, la sonnerie du téléphone retentit à cet instant. Après deux sonneries, le silence retomba. Quelqu'un à l'autre bout de la maison avait décroché. *Bengt doit être là*, pensa Irene.

– Ils appellent tout le temps. Il n'est pas très difficile de deviner l'identité de la comptable d'une paroisse où des meurtres sataniques ont eu lieu récemment. Il n'y en a qu'une, moi.

Sa voix était atone à faire peur. Mais elle ne put se contrôler plus longtemps et fut secouée de sanglots. De grosses larmes roulèrent sur ses joues. Irene réussit à trouver un mouchoir en papier dans l'une des poches de sa veste. Elle le tendit à Louise, qui le prit.

Le sentiment de compassion qu'éprouvait Irene vis-à-vis de Louise mêlait d'une colère grandissante. Les fausses rumeurs sont méchantes, désagréables, cruelles – on n'a aucun moyen de s'en défendre. D'un geste décidé, Irene vint s'asseoir à côté de Louise sur le canapé. La colère qu'elle ressentait envers la personne qui avait fait circuler ces calomnies durcit le ton de sa voix.

– Écoutez, je vais vous dire ce qui s'est passé. Urban Berg est passé me voir au commissariat pour me raconter que Sten Schyttelius vous soupçonnait de détourner l'argent de la paroisse. Comme nous enquêtons sur des homicides pour le moins inhabituels, nous sommes contraints de suivre la moindre piste.

209

Le risque que les malversations puissent être découvertes constitue, en soi, un mobile plausible pour un meurtre…

Irene n'alla pas plus loin. Louise bondit du canapé, son apathie et ses larmes avaient laissé place à la fureur.

– Urban Berg ! Cet espèce d'ivrogne hypocrite ! Je vais le tuer !

Étant donné les circonstances, le choix de ces mots n'était pas très heureux, mais Irene comprit la colère de cette femme. Toujours est-il que Bengt Måårdh s'arrêta, hésitant, sur le pas de la porte du salon.

– Mais chérie, qui est-ce qui…, hasarda-t-il maladroitement, avec, derrière ses lunettes, une expression confuse dans ses yeux marron.

– Urban Berg ! C'est ce salaud d'Urban ! C'est lui qui a tout manigancé !

Il leur fallut dix bonnes minutes, en recourant à tout leur talent de persuasion, pour calmer Louise et pour qu'Irene puisse la rassurer.

– Écoutez, Louise. Voici comment nous allons procéder…

La première chose que fit Irene en rentrant dans son bureau fut d'appeler le journaliste. Elle avait le numéro de sa ligne directe.

– Ici Höök, j'écoute, répondit-il d'un ton brusque.

– Bonjour, c'est Irene Huss.

– Ah, très bien ! Bonjour !

Il paraissait sincèrement heureux de l'entendre, et Irene éprouva une pointe de culpabilité à l'idée de ce qu'elle allait faire. Mais elle se ressaisit, car elle le faisait pour Louise et Bengt. Pas question de se démonter maintenant ! Il fallait à tout prix que Kurt rétablisse la vérité.

– Oui, je vous appelle car vous allez interviewer quelqu'un.

Il s'ensuivit un bref silence.

– Ah bon ? Et qui ? demanda-t-il.

– Moi.

Pause plus longue que la première. Il était clairement sur la défensive.

– Vraiment ? Et à quel sujet ?

– Vous risquez d'être traîné devant les tribunaux pour calomnie. Et vous perdrez ce procès…

– Hé, attendez une seconde, ma petite …

– Je ne suis pas votre petite ! Vous n'avez pas vérifié vos sources, et cela a des conséquences désastreuses pour les personnes incriminées. Vos informations sont fondées sur de purs mensonges. Louise Måårdh n'a jamais fait l'objet du moindre soupçon de malversations, ni de la moindre enquête de police.

– Comment ça ! J'ai appelé et demandé à l'audit. Il n'était pas là… mais une personne proche de lui m'a confirmé que la police était venue pour vérifier les comptes.

– C'est exact. Nous devions savoir si les accusations étaient fondées ou non, mais nous n'avons rien trouvé, absolument rien. Ni l'audit ni personne d'autre ne nourrit le moindre soupçon à l'égard des Måårdh. Il n'y a aucun rapport officiel de police, et aucune décision n'a été prise d'enquêter à ce sujet. Aucune poursuite n'a été engagée. Personne n'a jamais mis en doute la probité de Louise Måårdh ; ces soupçons ne sont que de la malveillance, de la pure calomnie, rien d'autre !

Höök resta silencieux. Irene en profita pour enfoncer le clou, mais d'un ton plus pédagogue, cette fois.

– L'assistant du doyen, Urban Berg, vous a piégé, mais vous n'êtes pas le seul. Il m'a fait le même coup. Il est venu me voir pour me raconter que Sten Schyttelius soupçonnait Louise Måårdh de détourner de l'argent. Personne n'en avait jamais entendu parler, et, comme vous savez, Sten Schyttelius est mort. Urban Berg a sans doute pensé que le mort ne pourrait pas le contredire. Il m'a menti sans vergogne.

– Mais pourquoi ? Qui pourrait imaginer qu'un pasteur mente ainsi ?

– Il cherche à se débarrasser de son concurrent le plus sérieux pour le poste de doyen. Berg a été arrêté deux fois pour conduite en état d'ivresse. La seule chose que l'on ait reprochée à Bengt Måårdh, c'est de ne pas être indifférent au charme des femmes, et encore je m'aperçois que cette réputation lui vient aussi de Berg ! Le temps que soit disculpé Louise Måårdh, il aurait été nommé nouveau doyen de Kullahult. Au cours de l'enquête, nous avons plaisanté en disant que les pasteurs étaient de jolies commères, mais Urban Berg est bien plus que ça : c'est un menteur et un manipulateur.

Kurt soupira.

– Bon, alors qu'est-ce qu'on fait ?

– Jetez Urban Berg en pâture aux lecteurs. Nous allons dire au public exactement ce qui s'est passé. Je vais ressortir ses anciennes arrestations pour conduite en état d'ivresse. Je vais aussi retrouver les termes qu'il a employés quand il est venu me voir au commissariat la semaine dernière. L'essentiel est de démontrer très clairement que Louise Måårdh est innocente. Vous allez purement et simplement rétablir toute la vérité.

– Il n'y a donc aucun fondement sur le fait que M. et Mme Måårdh ont dépensé des sommes importantes – et d'une origine douteuse – ces dernières années ?

Irene sourit en lui répondant :

– Bengt m'a révélé que son frère et lui ont hérité une importante somme d'argent à la mort d'un oncle qui n'avait pas d'enfants. Ni Louise ni Bengt n'ont parlé de cet héritage autour d'eux, pour éviter, justement, que l'on jase.

– Je vais donc en parler aussi, dit Kurt avec détermination

– Bien sûr.

– Urban Berg va déguster, mais moi aussi par contrecoup…

– Vous l'aurez bien cherché, l'un et l'autre. En tout cas, le moins que vous puissiez faire, c'est de rétablir la vérité. Des innocents ont été accusés. N'oubliez pas, cela doit faire la une des journaux !

– Bon, d'accord ! Je le ferai.

– Deux jours à Londres à nos frais, et la seule chose que tu nous ramènes, c'est un pansement au front !

Le commissaire Andersson tambourinait des doigts sur son bureau. Irene venait de lui raconter son voyage à Londres. Ils en reparleraient tous ensemble l'après-midi, puisque la séance de débriefing du matin avait été écourtée en raison d'une réunion spéciale de commissaires. On pouvait, sans trop se tromper, deviner que sa mauvaise humeur venait en partie de là.

L'autre raison, c'était que Jonny Blom avait renouvelé son congé maladie. Comme l'unité était déjà en sous-effectif, l'absence d'une seule personne se ressentait tout de suite : ceux qui restaient croulaient sous le travail. Les dossiers s'accumulaient sur leur bureau, et ils ne savaient pas où donner de la tête. Pas facile d'expliquer à la vieille dame qui, sous la menace d'un couteau, s'était fait voler cent quarante-trois couronnes – quand elle appelait pour la septième fois en trois jours – que cette enquête n'était pas vraiment leur priorité. Pour elle, ce qui s'était passé avait été un cauchemar, tandis que pour la police, ce n'étaient que des documents de plus qui s'empilaient sur un bureau. Peut-être finiraient-ils par obtenir une description détaillée du voleur, s'il y avait d'autres agressions similaires dans le quartier, et par mettre la main sur le coupable. Sinon, le dossier rejoindrait les profondeurs de la pile à laquelle des dossiers plus récents viendraient s'ajouter.

– Je pense néanmoins avoir obtenu un certain nombre de renseignements, déclara Irene. J'ai appris, par exemple, que Rebecka était venue en Suède, l'été dernier, avec Christian Lefèvre. Ils se sont arrêtés à Kullahult, mais n'ont pu rencontrer ni les parents ni le frère de Rebecka. Ils sont allés à Stockholm pour un travail informatique au sein de l'antenne suédoise de l'organisation caritative Save the Children. Puis ils sont rentrés directement en avion à Londres sans prendre contact avec les Schyttelius.

– Elle n'a jamais dit à ses parents qu'ils étaient passés au presbytère ? demanda Fredrik.

– Je lui ai posé la question, et elle a répondu que non.

– Qu'est-ce qu'ils ont fait pour Save the Children ? voulut savoir Hannu.

– Aucune idée. Je n'ai pas pu lui poser la question, car elle était à deux doigts de s'évanouir. On n'a qu'à appeler Save the Children directement pour le savoir.

– À quoi bon ? Je vois mal ce qu'ils ont à voir avec les meurtres ! s'exclama le commissaire.

Il n'était vraiment pas dans un bon jour. Irene avait une furieuse envie de l'envoyer rencontrer Donna Thomsen. En partie, pour être débarrassée de lui, en partie aussi parce que ça lui aurait fait le plus grand bien. Mais Donna serait déçue. Un petit commissaire grassouillet et chauve, avec une forte tension, ce n'était pas vraiment l'homme dont elle rêvait. Mieux valait pour les parties concernées qu'Andersson reste à Göteborg.

– Je sais que c'est peut-être une impasse, mais nous ne devons négliger aucune piste, surtout en ce qui concerne les outils informatiques. Jusqu'ici, nous savons seulement que des pentagrammes ont été tracés avec du sang sur les écrans des ordinateurs, et qu'on a effacé le contenu des disques durs. Sten Schyttelius utilisait des ordinateurs et Jacob aussi. Rebecka travaille en informatique au plus haut niveau, tout comme Lefèvre. La seule personne qui n'ait rien à voir avec les ordinateurs, c'est Elsa Schyttelius.

– Et les CD ? demanda Hannu tout à coup.

– Nous n'en avons pas retrouvé un seul, répondit Fredrik.

– C'est vrai. D'habitude, il y en a des piles. Ne serait-ce que pour sauvegarder les documents, renchérit Irene.

– Mais qu'est-ce qu'ils font exactement, Rebecka et ce type ? demanda Fredrik.

– Lefèvre n'a pas hésité à m'expliquer, quand je l'ai interrogé, qu'il travaillait sur des questions relatives à la sécurité sur Internet. J'ai cru comprendre qu'il s'agissait de sécuriser des sites pour éviter tout sabotage. Quelque chose concernant la sûreté de l'État, peut-être.

– Et quel rapport avec les meurtres ? insista le commissaire.

– Peut-être aucun. Mais cela peut nous amener à découvrir autre chose. Nous avons suivi la piste satanique, et cela n'a rien donné. Qui sait si Sten Schyttelius, en essayant de retrouver les satanistes, n'a pas levé un lièvre ? Quelque chose qui mette suffisamment en péril plusieurs personnes pour qu'on décide de le liquider sans autre forme de procès ? Cela expliquerait qu'Elsa et Jacob aient eux aussi été tués. Le meurtrier n'aurait pas voulu courir le risque que Sten Schyttelius aille confier à son plus proche entourage ce qu'il avait découvert.

Il y eut un silence dans la pièce. Hannu prit alors la parole :

– Dans ce cas, Rebecka est toujours en danger.

– Je le crains. Le meurtrier ne peut pas savoir si Sten ou Jacob ont eu le temps de lui faire des révélations. Elle était extrêmement angoissée, oui, elle donnait l'impression d'être terrorisée.

– Mais pourquoi elle ne déballe pas ce qu'elle sait ? s'étonna Fredrik.

– Rebecka est une personne très réservée. Peut-être qu'elle n'a aucune idée de ce dont il s'agit. Ou bien elle en a une vague idée mais refuse de l'admettre, pour oublier qu'elle est, dans ce cas, directement menacée. Elle est peut-être dans le déni, je ne sais pas.

– Si le meurtrier a pris le temps de détruire les disques durs, alors il a sans doute détruit les CD de sauvegarde et ce genre de choses. À moins qu'il ne les ait gardés pour se servir des informations qu'ils contiennent et les ait cachés quelque part dans le coin, suggéra Fredrik.

Il aurait été idiot de détruire les disques durs et de laisser les CD de sauvegarde. Sinon, toutes les informations importantes sur le disque dur auraient été retrouvées. À moins qu'ils n'aient négligé de faire une sauvegarde ? Certaines personnes ne sauvegardent pas systématiquement leurs données.

– Est-ce qu'on a fouillé les maisons de fond en comble ? demanda Irene sans se faire trop d'illusions.

– Oui. Les maisons ont été passées au peigne fin. N'oublie pas que les techniciens ont trouvé la cachette dans le mur, derrière la latte de bois, dans la maison de campagne.

– À propos de cette cachette, Rebecka m'a confié qu'ils s'en servaient dans la famille comme d'un coffre-fort. Mais qui a besoin d'un coffre-fort à la campagne ? s'interrogea Irene.

– Peut-être par peur des cambriolages ? Le nombre de cambriolages dans les maisons de campagne a augmenté de manière astronomique, marmonna le commissaire.

– Mais ce n'était pas très loin du presbytère. Pourquoi avoir un coffre-fort pour des choses précieuses dans la maison de campagne ? insista Irene.

– Peut-être pour dissimuler à sa femme les bouteilles d'alcool ? suggéra Fredrik.

– Mais à en croire Rebecka, tout le monde dans la famille connaissait l'existence de cette planque ! rappela Irene.

– Il ressemble à quoi, ce type ? demanda Hannu.

Tout le monde mit un peu de temps à comprendre qu'il parlait de Christian Lefèvre.

– Un sosie de John Lennon qui est aussi un employeur compréhensif. Il se fait beaucoup de souci pour Rebecka. Il la surprotège. Il veut lui éviter tout contact avec la police. Maintenant que j'ai vu Rebecka de mes propres yeux, je le comprends mieux. Elle est vraiment dans un état pitoyable, dit Irene.

– Tu es sûre qu'elle ne joue pas la comédie ? demanda Andersson, soudain intéressé.

– Oui, elle est réellement très malade. Le Dr Fischer a confié à… l'inspecteur Thomsen qu'il avait déjà commencé, l'automne dernier, à la traiter pour dépression. Cet homme semble jouir d'une certaine réputation. Un cabinet médical très classe.

– Et Lefèvre et Rebecka ne sont pas ensemble ? s'étonna Fredrik.

– Apparemment non. Mais ce n'est pas très clair.

– Il faut qu'Irene retourne là-bas, déclara Hannu en regardant le commissaire.

Andersson devint tout rouge.

– Ce n'est pas possible. Vous savez ce que cela nous coûte ?

– Rebecka détient la réponse, dit Hannu.

– Possible. Mais ça attendra. D'après Irene, elle est trop malade pour nous aider.

Irene décida que le moment était venu de prendre la parole :

– J'ai parlé avec le pasteur à l'Église suédoise de Londres. Il a promis de me contacter dès que Rebecka irait mieux.

– Alors on attendra jusque-là, conclut Andersson.

Il fallut un bon moment avant qu'Irene parvienne à joindre la bonne personne, celle qui s'était le plus occupée de l'enquête était partie en vacances de Pâques à Ildre. Après être passée d'un service à l'autre, Irene fut enfin mise en relation avec une responsable, une certaine Lisa Sandberg. Irene déclina son identité et la raison de son appel.

– Ma question est donc la suivante : quel genre de travail Rebecka Schyttelius et Christian Lefèvre ont-ils effectué pour l'association en charge de la protection des enfants Save the Children ?

– Ce n'est pas un secret, même si nous aimerions que vous gardiez cette information pour vous. Il y a probablement plusieurs personnes qui se réjouiraient de voir livrées sur un plateau les têtes de Rebecka Schyttelius et de Christian Lefèvre ! dit Lise d'un ton sérieux.

– L'information restera confidentielle. Seule l'équipe d'investigation criminelle sera mise au courant, la rassura Irene.

– O.K. Ce qui est arrivé, c'est que par le plus grand des hasards, nous avons reçu un tuyau à propos d'un réseau pédophile qui diffusait de la pornographie avec des enfants sur Internet. Ils avaient créé une communauté web, une sorte de club fermé. Nous avons pu retrouver leur trace, mais nous n'avons pas réussi à pénétrer dans le site pour accéder à leurs archives et leurs films. Puis quelqu'un dans notre groupe a parlé d'une certaine Rebecka Schyttelius en disant qu'elle travaillait avec un type très doué. Ils avaient déjà effectué ce type de tâche pour d'autres organisations humanitaires. Alors nous avons contacté cette jeune femme, et elle est venue ici avec son associé. Nous leur avons donné toutes les informations dont nous disposions, et ils sont retournés à Londres pour travailler à partir de ces données. Là-bas, ils ont réussi à infiltrer le réseau sans se faire démasquer. Un petit groupe constitué de cinquante-sept personnes réparties dans toute la Scandinavie. Un bulletin et un blog leur permettaient d'échanger photos et fantasmes. C'est à ce jour la plus importante communauté pédophile dans les pays du Nord que nous ayons identifiée.

– Y avait-il des personnes que vous n'auriez jamais soupçonnées appartenir à un réseau pédophile ?

– Oh oui, un professeur de littérature comparée à deux doigts de la retraite, une chargée de mission pour la municipalité et mère de quatre enfants, un célèbre créateur de meubles danois… On est vraiment tombés des nues. La seule chose que nous ayons retenue de cette enquête, c'est qu'on ne peut jamais prédire qui développera une perversion mettant en scène des enfants, qui nourrira une obsession de la pédopornographie.

– Comment avez-vous réussi à identifier toutes ces personnes ?

– Ça été très difficile. Chacun se donne un pseudonyme et possède une adresse e-mail anonyme. Le travail de Rebecka et de Christian a consisté à démasquer ces internautes.

– Est-ce qu'ils ont réussi à les identifier tous ?

– Non. Cinq ont résisté à toutes les tentatives de décodage : deux en Suède, deux en Norvège et un au Danemark.

– Quels étaient les pseudos utilisés en Suède ?

– Peter et Pan.

– Est-ce que Peter et Pan se connaissaient ? On ne peut s'empêcher de penser à Peter Pan.

– Non. On l'a d'abord cru, mais rien n'est venu étayer cette hypothèse.

– Rebecka et Christian ont donc infiltré ce réseau et fini par révéler les identités des membres qu'ils avaient démasqués ?

– Oui. Ils ont suivi les activités du groupe pendant quelques mois et rassemblé des preuves. Par exemple, ils ont trouvé quand, où et comment les adresses e-mail ont été utilisées pour d'autres services sur le Web. Ainsi, ils ont pu découvrir qui se cachait derrière les pseudos. Si j'ai bien compris, ils ont fait ce travail uniquement par ordinateur. Je crois qu'il existe quelque chose qu'on appelle une adresse IP... Mais j'avoue que je m'y perds un peu en informatique dès que ça devient pointu.

– Oui, je comprends. C'est pour cette raison que vous avez appelé Rebecka et Christian à la rescousse.

– Oui. Ils ont fait un travail fantastique. Les photos et les films sont épouvantables et montrent de violentes agressions sexuelles commises sur des enfants. On peut dire que la condition d'admission à ce club était de faire circuler ses propres photos et films et de les compléter aux archives.

– Nous sommes en train d'identifier les enfants concernés, et ce n'est pas facile, croyez-moi, car les photos viennent du monde entier. Tous ceux qui ont vu ces images en étaient malades. Ce sont des documents abominables. Moi-même, je souffre à présent d'insomnies et de moments dépressifs. Ces images surgissent dans ma tête sans crier gare, et cela me mine.

Irene fut frappée par une pensée : était-ce d'avoir travaillé sur ces images pédophiles qui avait fait sombrer Rebecka dans la dépression ? Si ces documents étaient si violents qu'ils affectaient des personnes habituées à voir certains dysfonctionnements, ils pouvaient avoir eu un effet catastrophique sur une personne comme Rebecka. Devait-elle aborder cette question avec le Dr Fischer, voire avec Rebecka elle-même ?

– Merci d'avoir pris le temps de me raconter tout ça, dit Irene.

– C'est tout naturel. Une des missions de Save the Children est précisément de faire circuler l'information sur les dangers d'Internet. Les agressions sexuelles sur les enfants sont quotidiennes, et les photos circulent grâce à un simple clic d'un bout à l'autre de la planète. Ces images peuvent alors être copiées par un nombre inconnu d'ordinateurs de par le monde. Et bien sûr ici aussi, en Suède.

– Le combat paraît presque perdu d'avance. Qu'est-ce que vous pouvez faire contre ça ?

– C'est difficile de répondre. Internet a, en quelque sorte, sa vie propre, où les frontières du temps et de l'espace sont abolies. Mais il ne faut jamais abandonner espoir, jamais. Au nom des enfants. Ils n'ont que nous. L'homme de la rue n'a pas trop envie de savoir ce qui se passe réellement et il n'aime pas non plus qu'on parle de ces choses-là. Il fait la sourde oreille et joue l'innocent. La plupart des adultes adoptent ce comportement. Mais en sachant ce qui se passe et en ne faisant rien pour l'empêcher, on s'en rend complice. C'est du moins mon opinion.

Irene la rejoignait sur ce point. Elle avait enquêté sur quelques cas d'inceste, ces dernières années. Et il était frappant de constater que bien souvent des adultes proches des enfants abusés soupçonnaient ou savaient ce qui se passait, et pourtant n'avaient rien fait pour leur venir en aide.

Après avoir raccroché, Irene réfléchit longuement. Est-ce que Rebecka avait eu accès à des informations hautement compromettantes lors de son enquête sur les réseaux pédophiles ? En avait-elle parlé à ses parents et à son frère ? S'étaient-ils servi à leur tour de ces informations ? Si c'était le cas, ils avaient dû en faire un mauvais usage puisque tous trois étaient morts.

Une seule personne pouvait éclairer sa lanterne : Rebecka. Hannu avait raison. Irene devrait retourner à Londres dès la fin du week-end de Pâques.

Le mardi matin, un jeune ornithologue appela le commissaire Andersson. Tandis qu'il se promenait le dimanche pour observer les oiseaux, il avait trouvé les restes d'un feu de camp près de la rive nord du lac de Norssjön. Au début, il n'avait pas spécialement fait attention aux cendres, sauf au moment de quitter les lieux, comme mû par une impulsion. Il était formel : il restait des fragments de CD dans les cendres. Grâce à la presse, tout le monde était au courant des disques durs détruits et des pentagrammes sanglants sur les lieux des crimes. Mais il lui avait fallu tout le lundi pour se convaincre que cette découverte avait quelque chose à voir avec les meurtres.

Andersson convint d'un rendez-vous pour que le jeune homme puisse leur montrer l'emplacement du feu de camp. Sven bipa Fredrik Stridh sans obtenir de réponse. Puis il appela Irene sur sa ligne directe. Elle était dans son bureau et promit de se rendre aussitôt sur place. Le commissaire lui communiqua ce qu'il venait d'apprendre et la pria de venir accompagnée d'un technicien.

Le jeune ornithologue de quinze ans faisait les cent pas à l'endroit convenu, à l'entrée d'une pizzeria de Kullahult. La déception se lut sur son visage couvert d'acné quand Irene sortit de sa voiture banalisée et se présenta comme inspecteur de police. S'il était si déçu, c'était de voir une femme et de ne pas monter à bord d'une grosse voiture noire avec des gyrophares lançant des flashs bleus. Irene se remit au volant. Svante Malm était à l'arrière, sa sacoche de technicien à côté de lui. Le jeune garçon dit qu'il s'appelait Tobbe Asp et monta à l'avant. Il les dirigea vers Norrsjön et les fit se garer dans un chemin, quelques centaines de mètres avant le sentier qui menait à la maison de campagne des Schyttelius. Le temps était radieux, même s'il faisait encore un peu froid. Sachant à quoi s'attendre après sa première tentative, Irene avait emporté des bottes en caoutchouc. Ils emboîtèrent donc le pas à l'ornithologue en herbe et descendirent vers le lac.

Sur la rive, dans une profonde anfractuosité de la roche, ils trouvèrent effectivement le feu de camp déserté. À l'œil nu, Svante Malm put corroborer les dires du jeune garçon : les cendres recelaient bien des restes de CD.

Pendant que Svante Malm relevait les traces et inspectait les environs, Irene reconduisit Tobbe, le jeune homme si serviable, à la pizzeria. Il demanda s'il pouvait venir au laboratoire de la police scientifique pour voir les examens prévus pour les cendres qu'il avait trouvées. Irene dit sur un ton complice que, pour des raisons de procédure, il était impossible d'accéder à sa demande, mais que sa découverte était inestimable. Cela parut le satisfaire.

Chapitre 15

– **M**ais c'est elle qui m'a suggéré de la filmer !

Tommy agitait le DVD qu'il tenait à la main. Dans une des grandes pièces qui servent aux interrogatoires, Irene, le commissaire Andersson et Fredrik étaient aux premières loges pour assister à la première.

La mine cérémonieuse, il inséra le DVD dans le lecteur et fit démarrer le film. Ses collègues entendirent la voix de Tommy annoncer la date, ce qui était superflu puisqu'elle apparaissait déjà dans un coin de l'écran. Puis la voix continuait :

« Les personnes présentes sont votre serviteur en personne, à savoir l'inspecteur Tommy Persson, le procureur Inez Collin et l'avocat Henning Neijlert. Le témoin interrogé est madame Ritzman. »

La caméra s'attarda sur le profil d'Inez Collin. Les cheveux blonds attachés en une queue-de-cheval, elle portait une veste en cuir marron clair et un haut en soie couleur caramel avec, autour du cou, son collier de perles habituel. Dans un geste inconscient, elle caressait les perles. Irene remarqua ses longs ongles couverts d'un vernis bronze et une bague avec un gros diamant à son annulaire gauche.

L'avocat Neijlert était un homme dans la cinquantaine, nerveux, qui ne cessait de cligner des yeux. Il avait le front presque entièrement dégarni, mais les cheveux bouclés et argentés qui lui restaient étaient épais et vigoureux. Cependant, les traits de son visage le faisaient ressembler à un vieux caniche.

221

Tommy avait dit à Irene que Gertrud Ritzman venait d'avoir quatre-vingts ans. Cela se voyait, mais son apparence hagarde était plus le fait de sa maladie que de son âge proprement dit. Ses mains, qu'on aurait pu prendre pour des serres, tremblaient quand elle resserrait son pull bleu clair autour d'elle. Sa peau, presque transparente, et paraissant trop grande pour elle, était toute ridée et constellée de taches. Ses lèvres avaient un reflet bleuté sur son teint jaunâtre, sa respiration était rauque et difficile. À côté d'elle, il y avait un ballon d'oxygène, d'où partait une canule en plastique allant jusqu'à sa narine pour l'alimenter en oxygène supplémentaire.

— Mme Ritzman m'a demandé de filmer son témoignage sur ce qui s'est passé dans la nuit en question, ou plus exactement très tôt ce matin-là. Elle se considère comme suffisamment malade pour ne pas avoir l'assurance d'être… d'être encore en vie quand se tiendra le procès d'Asko Pihlainen, expliqua Tommy.

— Je vais bientôt mourir. J'aurais déjà dû être morte, mais je suis solide.

Avec détermination, la petite femme se mit d'elle-même à expliquer comment elle avait vu Asko Pihlainen et son voisin, Wisköö, garer la voiture juste en face de ses fenêtres, le fameux matin. Il était presque cinq heures et demie. Il était donc hors de question qu'ils aient passé la nuit à jouer au poker avec leurs épouses jusqu'à cinq heures, comme ils le prétendaient.

Inez Collin posa quelques questions pour vérifier que Gertrud Ritzman ne se trompait ni sur la date ni sur l'horaire. La vieille femme ne montra pas le moindre signe d'hésitation dans ses réponses. Elle avait l'esprit parfaitement clair et se montrait formelle. Le groupe lui posa d'autres questions. Vers la fin, son regard clair se voila, et sa voix se mit à trembler entre deux respirations difficiles. Elle était épuisée et ne tiendrait pas longtemps. Tommy avait dû s'en rendre compte lui aussi, car il finit par un plan sur les personnes présentes dans la pièce. Puis l'écran redevint noir.

Andersson brisa le silence.

— Est-ce que cela suffira ? demanda-t-il.

— Selon le procureur, cela devrait suffire à la cour, répondit Tommy.

— Et où on en est avec la brigade des stups ?

– Ils suivent plusieurs pistes pour savoir où va la drogue, une fois débarquée. Mais vous connaissez les stups, ils ne sont pas très causants.

– Bon. Reste en contact avec eux, dit Andersson.

Irene demanda la permission de prendre la parole et leur rapporta ce que Lisa Sandberg, de Save the Children, lui avait appris. Elle termina en leur soumettant sa propre théorie.

– Apparemment, les photos sont si choquantes que ceux qui les ont vues souffrent tous de problèmes post-traumatiques. La dépression de Rebecka, cet automne, a commencé pendant qu'elle infiltrait ce réseau de pédophiles. Je commence à croire qu'elle a découvert des choses qui menacent une personne en particulier. Peut-être s'en est-elle ouverte à ses parents et à son frère. Ces derniers ont dû révéler ce qu'ils savaient à cette personne-là, sans se rendre compte qu'ils se mettaient en danger. Et ladite personne a dû se sentir tellement sous pression qu'elle les a purement et simplement supprimés tous les trois.

– Mais alors, pourquoi Rebecka ne nous dit-elle pas de quoi il en retourne vraiment et qui c'est ? s'exclama Fredrik.

– Je ne sais pas. Peut-être ne le sait-elle pas elle-même. À moins qu'on l'ait réduite au silence.

– Hein ? Elle n'a pas cherché à protéger sa propre famille contre le meurtrier ? explosa Andersson.

– Je reconnais que c'est étrange, mais c'est la seule conclusion à laquelle je suis arrivée.

– Rebecka est la clé de tout, résuma Fredrik. Il faut absolument essayer de la faire parler. Il faut qu'elle comprenne qu'elle est la prochaine victime toute désignée.

Le commissaire, dont le visage s'empourprait, tambourina la table de ses doigts boudinés et remua les lèvres comme s'il pensait à voix basse.

– Bon. Il faut que Rebecka crache le morceau, Irene, dit-il en frappant soudain la table de sa paume. Bref, tu dois reprendre contact avec elle et arranger une nouvelle rencontre.

Il fit la moue :

– Mais il y a quelque chose qui ne colle pas avec cette fille. Et si c'était elle qui avait fait le coup ? demanda-t-il.

Irene mit quelques secondes à comprendre que les paroles d'Andersson voulaient dire qu'elle devrait retourner à Londres. Néanmoins, cette dernière hypothèse la prit au dépourvu. Cette idée ne lui avait jamais traversé l'esprit.

– Non, répondit-elle. Rebecka a un alibi. Christian Lefèvre affirme qu'elle a travaillé toute la journée, puis qu'elle avait eu mal à la tête et qu'elle était rentrée se coucher. Et elle était déjà au travail quand Christian est arrivé le mardi matin. Jacob et ses parents ont été tués dans la nuit. Non. Je vois mal comment elle aurait pu le faire. De plus, honnêtement, je pense qu'elle serait incapable de tuer quelqu'un.

– Et Lefèvre ? demanda Tommy.

– C'est peu probable. Il n'a jamais rencontré la famille de Rebecka. Et après son travail, il a passé toute la soirée dans son pub habituel avec ses amis à mettre au point leur stratégie de paris groupés. On devrait pouvoir vérifier ça.

– Eh bien, vérifiez ça, trancha le commissaire.

La séance était levée.

– Bonjour, Glen, dit Irene.

Après de nombreux essais infructueux, Irene réussit à le joindre au téléphone. Il parut sincèrement heureux qu'elle revienne à Londres pour interroger encore une fois Rebecka Schyttelius. Irene lui fit part de ce qu'elle avait appris par Save the Children.

– C'est une piste possible, dit Glen après avoir pris connaissance de ces nouvelles informations. En un sens, cela me paraît beaucoup plus plausible que la piste satanique. À moins que la recherche des satanistes sur le Net ait donné les mêmes résultats que la recherche des pédophiles. Cela signifie que Rebecka a trouvé des données compromettantes sur une personne qui a tout fait pour que cela ne s'ébruite pas.

– Vous voulez dire que nous devons laisser tomber la piste satanique ?

– Non, pas tout à fait. Il y a quand même cette histoire de pentagrammes.

Il avait raison. Pour Irene, la piste pédophile était assez vraisemblable, puisque la dépression de Rebecka s'était déclarée au courant de l'automne, au moment même où elle travaillait à infiltrer

224

ce réseau. Mais il y avait aussi les pentagrammes sanglants. Le meurtrier devait être au courant des recherches de la famille Schyttelius sur le Net à propos des satanistes. Comment un pédophile, à moins d'être un proche de la famille, aurait-il pu être au courant ?

Irene dut admettre qu'il ne fallait pas abandonner la piste satanique.

Ils convinrent que Glen vérifierait la visite de Christian Lefèvre au pub, histoire surtout de rassurer le commissaire Andersson. Irene prendrait contact avec Kjell Sjönell, le prêtre de l'Église suédoise, et rappellerait Glen dès qu'elle aurait arrêté la date de sa prochaine visite.

— Je n'ai pas eu le temps de rappeler le Dr Fischer comme je vous l'avais promis. Mais comme Rebecka est malade, j'ai pensé qu'il n'y avait pas urgence, expliqua Kjell Sjönell en guise d'excuse.

— C'est vrai. Mais il est de la plus grande importance que je reparle à Rebecka. Vous et moi n'avons guère eu le temps de nous entretenir, lors de mon dernier appel, mais je voudrais savoir comment Rebecka a réagi en apprenant ce qui est arrivé à sa famille, dit Irene qui s'était rendu compte qu'elle avait oublié de lui poser la question.

— J'ai beaucoup pensé à la pauvre Rebecka. Lui apporter la nouvelle a été une des pires choses que j'aie eues à faire dans ma carrière. Et pourtant on m'a souvent confié ce genre de mission.

La voix de Sjönell était pleine de compassion.

— Comment a-t-elle réagi ?

— Tout d'abord, elle n'a pas eu l'air de comprendre ce que je venais de lui dire. Quand elle a enfin compris ce qui s'était passé, c'est comme si une terreur glaciale l'enveloppait soudain et la figeait sur place.

— Que voulez-vous dire ?

— Elle est devenue livide et s'est comme pétrifiée, bouche bée, une expression de terreur dans les yeux. C'est tout. Elle était là, immobile, dans le fauteuil. Reste à savoir si cette terreur est toujours ancrée en elle. Je crois qu'elle n'a pas encore pu mettre de mots dessus.

Il avait sans doute raison. Cet homme, qui avait eu toutes sortes d'expériences et rencontré une foule de personnes à différentes étapes de leur vie, devait bien connaître la nature humaine. Ce qu'il venait de décrire, c'était précisément ce qu'Irene avait ressenti en voyant Rebecka.

– Est-ce que l'inspecteur Thomsen et vous l'avez rencontrée dans son appartement ?

– Oui. C'était un intérieur absolument magnifique. Quoique un peu minimaliste à mon goût. Ne vous méprenez pas, c'est volontairement minimaliste, comme on le voit dans des magazines de décoration. Mais j'ai eu un sentiment de… solitude. Il est clair qu'on ne faisait pas souvent la fête dans cet appartement, si vous voyez ce que je veux dire.

– Oui. Vous entendez par là que Rebecka est une personne solitaire.

Sjönell parut peser ses mots avant de répondre :

– En tant que pasteur, je suis souvent confronté à la solitude humaine. C'est même une des maladies de notre société. Oui, je crois que Rebecka est très seule. Elle n'a confiance qu'en l'homme avec lequel elle travaille et le Dr Fischer. C'est ce dernier qu'elle m'a demandé d'appeler quand elle a réussi à articuler quelques mots.

– Il est donc venu dans son appartement ?

– Oui.

– Est-ce que le Dr Fischer et vous savez quoi que ce soit concernant les funérailles ?

– Non, mais je peux l'appeler cet après-midi. J'ai un ami qui dirige un grand bureau de pompes funèbres à Göteborg. Il pourra aider Rebecka à régler tous les détails pratiques. Mais peut-être vaudrait-il mieux attendre encore quelques semaines ? Rebecka pourrait alors se sentir suffisamment rétablie pour avoir la force de faire le voyage.

– Dans ce cas, il vaut mieux attendre, en effet, admit Irene.

Elle voyait mal Rebecka se rétablir d'ici-là, mais préféra ne rien dire.

À l'approche du week-end de Pâques, un certain calme gagnait le service de la brigade. C'était l'accalmie avant la tempête, avant le chaos du soir de Pâques : querelles familiales, ivresse, agressions, viols, meurtres ; bref, le lot de drames qui accompagnent malheureusement les grandes fêtes. En cas de meurtre, les inspecteurs de service ce soir-là devraient s'en occuper. Mais pour la première fois depuis plusieurs années, Irene ne serait pas de service. Quatre jours de congé. C'était presque trop beau pour être vrai. Il faut dire qu'elle avait travaillé tout le week-end de Noël et serait aussi de service pour la Saint-Jean. Alors ces quelques journées de liberté à Pâques étaient une contrepartie légitime.

– Cela tombe bien de parler des cendres aujourd'hui, le mercredi des Cendres, déclara Svante Malm.

Il était venu sur le coup de trois heures de l'après-midi pour faire son rapport. Irene le soupçonna d'avoir senti l'odeur du café jusque dans son laboratoire. À moins que ce ne fût l'odeur du gâteau Tosca qui sortait du four. C'était un cadeau de Tommy, dont l'anniversaire tombait le lundi de Pâques. Le lendemain, à savoir le jeudi saint, il irait à Åre avec toute sa famille pour ses proches vacances de ski et de snowboard. Irene ne l'enviait pas. Huit cent kilomètres aller et retour dans une vieille Volvo, avec deux adultes et trois enfants de neuf à quinze ans, plus un chien remuant – à vrai dire, un ancien petit de leur chien, Sammy –, sans oublier une tonne de bagages… non, ce n'était vraiment pas l'idée qu'elle se faisait de vacances de rêve. Même si la voiture était un combi, ils y seraient entassés. Pour sa part, elle se réjouissait à l'idée de passer un week-end reposant auprès des siens.

– Il y avait effectivement des débris de disques dans les cendres. Mais tout était quasiment consumé. Impossible de retrouver ce qu'ils contenaient.

Il se pencha en avant et montra un gros sac en plastique transparent, rempli de petits morceaux carbonisés et de poudre noire. À première vue, rien que des cendres tout à fait normales.

– C'est intéressant, poursuivit le technicien en faisant un large sourire.

Les policiers présents essayèrent de prendre un air intéressé.

– Il – ou elle – a apporté du charbon pour faire le feu.

– Du charbon ? répéta Andersson, sans comprendre.

– Du charbon pour allumer un barbecue, précisa Svante Malm.

Cela n'éclaira guère leur lanterne. Alors, avec beaucoup de patience et d'un ton pédagogue, Svante Malm poursuivit :

– Il faisait froid, et il s'est mis à pleuvoir, la nuit des meurtres. Il n'aurait pas été facile d'allumer un feu avec des branches mouillées. Alors, le meurtrier a emporté du charbon de bois pour faire partir le feu. Nous avons aussi retrouvé des traces de butane. Le charbon de bois brûle plus longtemps que le bois. Il devient très chaud et carbonise tout autour de lui.

– Du charbon de bois et du butane. Le meurtrier avait donc planifié de brûler les CD et les films. Il savait avant de commettre les meurtres ce qu'il allait trouver et ce qu'il allait en faire, constata Tommy.

– Cela dit, il n'a pas eu tout à fait la chance de son côté. Un souffle de vent a dû dérober ceci du brasier, car on l'a retrouvé pris dans un buisson à quelques mètres de là. Nous pensons qu'il s'agit de la couverture d'une boîte d'allumettes. Une publicité.

Svante se pencha et attrapa un sac en plastique plus petit. Au début, Irene crut qu'il était vide, avant d'apercevoir, dans un coin, un minuscule bout de carton clair, à moitié calciné. Après avoir encore fouillé dans un autre sac, il sortit une grande feuille de papier qu'il plaça sur le tableau derrière lui.

– Un agrandissement, dit-il en s'écartant pour que tous puissent mieux voir.

« e Pu
Mosc »

– Moscou. Une racaille qui vient de Russie, dit aussitôt Jonny Blom en riant, pour bien montrer que cela se voulait une blague. Mais sa plaisanterie tomba à plat.

– Pu. Ce pourrait être « publique » ou « pub », hasarda Irene.

– C'est possible. Le mot a été coupé juste après le u de « Pu » et juste après le c de « Mosc ». Je ne suis pas vraiment sûr qu'il s'agisse d'un e devant « Pu », mais on en dirait un. Il a une autre apparence que les autres lettres. Une écriture d'autrefois.

– Gothique, dit Hannu.

– Tiens donc ! dit Svante.

Il acquiesça intérieurement, comme si cela confirmait quelque chose. Puis il reprit :

– Le texte est blanc sur fond noir, sauf le e gothique qui est en doré.

Il se produisit comme un déclic tout au fond de la mémoire d'Irene, mais c'était trop loin pour qu'elle puisse saisir de quoi il s'agissait. Avait-elle déjà vu ce texte quelque part ? Sur le moment, impossible de s'en souvenir.

Sur le chemin du retour, elle acheta le *GT.* Sur la première page du journal s'étalait : « Faux témoignage du pasteur lié aux meurtres sataniques ! ».
Bon travail, Kurt, se dit-elle avec satisfaction.

Le jeudi saint s'annonçait splendide. La météo avait prédit du beau temps tout le week-end, mais comme souvent ses promesses n'étaient pas des plus fiables. Au fond, autant se fier aux boules de cristal et aux incantations magiques d'Eva Möller. En y repensant, Irene se demanda si elle avait réellement été hypnotisée ou si elle avait ingéré une quelconque drogue hallucinogène chez la belle et étrange sorcière. Pourtant, elle ne se souvenait pas avoir eu le temps de boire ou de manger quoi que ce soit. Avait-elle vraiment vécu cette expérience, ou n'était-ce qu'une sorte de rêve ?
Telles étaient ses réflexions, ce matin-là, en enfilant sa veste pour se rendre à son travail.
À la porte, elle rencontra Mme Bernhög. La petite Felicia batifolait autour d'elle au bout d'une fine laisse en soie rose.
– J'essaie de lui apprendre à marcher en laisse. Juste quelques minutes par jour pour l'habituer, lui confia Margit Bernhög.
La petite touffe de poils abricot était occupée à renifler des crocus fanés. Elle dut inhaler du pollen, car elle se mit à éternuer. Elle était irrésistible, et Mme Bernhög la prit tendrement dans ses bras. Irene ne put s'empêcher de caresser Felicia doucement sur le dos, et le chaton leva les yeux. Ce regard la fit fondre.

Kjell Sjönell, le pasteur, a téléphoné. Il faut que tu le rappelles. Tel était le texte du petit mot laissé sur son bureau. *Voilà une personne bien matinale*, pensa Irene. Elle-même avait besoin d'une tasse de café, au moins, avant d'être vraiment réveillée. Trois heures de sommeil de plus n'auraient pas été de refus. Elle se sentait si fatiguée, mais c'était sans doute parce qu'elle savait que c'était la dernière ligne droite avant son congé pascal.

La réunion matinale fut vite expédiée. Jonny Blom était encore absent et il n'avait pas non plus appelé. Irene s'inquiéta, car elle le savait de service ce long week-end. Il n'y avait personne d'autre, puisque Tommy et elle ne travailleraient pas.

Irene ne parvint pas à joindre Kjell Sjönell sur sa ligne au bureau, mais il répondit sur son mobile. Il lui demanda s'il pouvait la rappeler plus tard, étant en chemin pour régler une affaire urgente. Pas de problème pour Irene, puisqu'elle avait l'intention de passer la journée à ranger son bureau.

Sjönell la rappela vers onze heures.

– Désolé de n'avoir pu vous parler tout à l'heure quand vous m'avez appelé, mais je devais m'occuper d'une tentative de suicide. Un jeune homme sur un bateau a essayé de mettre fin à ses jours, la nuit dernière. Il avait besoin de parler.

Sa voix était lasse et triste.

– Je vous en prie. Je comprends parfaitement que vous ayez vous aussi des obligations, dit Irene.

– Oui, cela arrive parfois. Si je vous ai appelée ce matin, c'est que j'ai parlé avec Rebecka et aussi avec le Dr Fischer. Tous deux pensent que c'est une bonne idée que mon ami en Suède se charge d'organiser les funérailles. Il procédera même à un inventaire des biens et restera en contact avec Rebecka pour la tenir informée au fur et à mesure.

– Ce doit être un soulagement pour elle de pouvoir s'en remettre à lui et d'avoir ce fardeau en moins, fit observer Irene.

– Certainement. Mais elle a dit quelque chose d'étrange. Quand je lui ai demandé si elle n'était pas inquiète pour les maisons et si elle ne désirait pas faire installer un système d'alarme pour dissuader d'éventuels cambrioleurs, elle m'a répondu qu'elle ne voulait rien avoir de ces maisons et que le mieux serait qu'elles brûlent. Elle a perdu toute sa famille, on aurait pu légitimement penser qu'elle voudrait garder quelques objets en souvenir.

– Une attitude étrange, en effet. Mais peut-être les maisons et les objets lui auraient-ils sans cesse rappelé ce qui s'était passé.

– Ce doit être ça. J'ai aussi parlé, comme je vous l'ai dit, au Dr Fischer et je lui ai fait part de votre désir de rediscuter avec Rebecka. Cela le contrarie, mais je lui ai dit qu'il y avait de nouveaux éléments dans l'enquête que seule Rebecka pouvait éclaircir. Il a évoqué la possibilité d'une rencontre la semaine suivant Pâques. Cela ne sert à rien d'essayer avant.

Cela convenait parfaitement à Irene. Au moment de raccrocher, Sjönell ajouta :

– J'ai oublié de vous dire que le docteur aimerait être présent à l'entretien. Est-ce que c'était le cas, la première fois ?

– Oui. La rencontre avec Rebecka a eu lieu dans son cabinet médical.

– Il paraît s'impliquer personnellement pour ses patients. À moins qu'il n'ait une relation avec Rebecka.

– Cette pensée m'a aussi traversé l'esprit.

La conversation laissa Irene songeuse. Puis elle prit une décision et appela Glen Thomsen.

– D'accord, dit Glen. Je vais vérifier si Christian Lefèvre était bien au pub, ce lundi soir, et je vais rendre visite à ce psy. Y a-t-il quelque chose de spécial concernant le Dr Fischer que vous aimeriez savoir ? demanda Glen.

– Non. Ce serait bien de le connaître un peu mieux. Il protège effectivement Rebecka de très près.

– Je sais. Il la protège contre nous, dit Glen en riant.

– C'est bien l'effet que ça me fait, admit Irene.

– Si vous veniez la semaine prochaine, mieux vaudrait éviter le mardi et le mercredi. Je serai absent et ne rentrerai que mercredi, tard dans la soirée. Jeudi ou vendredi, ce serait l'idéal pour moi.

– Alors, retenons ces jours-là.

Glen promit de réserver une chambre à l'hôtel Thomsen pour la nuit de jeudi à vendredi, au cas où elle voudrait séjourner à Londres.

– Cela dit, c'est possible de faire l'aller-retour dans la journée, même si c'est un peu fatigant, déclara-t-il.

– Non, ce serait trop fatigant, trancha Irene.

Il fallait sauter sur l'occasion, maintenant qu'elle avait la possibilité de retourner à Londres. De plus, il était impératif qu'elle parle à Rebecka en toute quiétude. Elle ne savait pas à quel moment l'entretien pourrait avoir lieu, donc autant ne pas être trop pressée par le temps.

Irene réserva le même vol que la fois précédente. Elle appréhendait déjà le départ aux aurores de Landvetter, mais elle n'avait pas le choix si elle voulait avoir le temps de bien faire les choses à Londres. Le vol suivant n'atterrissait pas avant treize heures trente. Avec le décalage horaire d'une heure entre l'Angleterre et la Suède, elle aurait l'impression que presque toute la journée était écoulée, qu'il ne restait plus que des miettes.

Louise Määrdh appela dans l'après-midi pour la remercier.

– J'ignore comment vous avez réussi à convaincre ce foutu journaliste d'écrire cet article. Mais il était important que ce soit lui-même qui revienne sur ses propos. Quand il décrit comment Urban Berg a réussi à vous manipuler, vous et lui, ah, ça fait du bien de lire ça noir sur blanc ! Justice m'est rendue, même si les lettres et les coups de fil anonymes ne s'arrêteront pas du jour au lendemain. Si Bengt n'obtient pas le poste de doyen, Urban Berg ne l'aura pas non plus. C'est la seule chose qui compte !

Difficile de ne pas entendre son ton triomphant. La gratitude débordante de Louise laissa un goût amer à Irene après qu'elle eut raccroché.

Cette enquête lui faisait découvrir des aspects insoupçonnés de la vie paroissiale. Avant cette investigation, elle avait cru que les pasteurs se sentaient une vocation pour s'occuper de la vie spirituelle de leurs concitoyens, mais cette image d'Épinal était bien écornée, à présent. Elle se rendait compte que ces prêtres, comme tout un chacun, avaient leurs défauts et leurs faiblesses. Une seule différence, ils pouvaient les dissimuler plus aisément sous leurs habits de pasteur et la déférence traditionnelle envers l'Église. Il suffisait de gratter un peu la surface pieuse pour trouver toute la gamme des sentiments allant de la compassion à l'envie. C'était bien d'avoir affaire au pasteur Kjell Sjönell, car il paraissait prendre réellement part à ce qui arrivait aux autres et les assistait dans leur détresse. Mais il y avait un prix à payer. Irene se souvint de la profonde lassitude qu'elle avait perçue au téléphone dans la voix de cet homme.

Au moment où Irene s'apprêtait à sortir pour passer prendre Krister, Andersson entra dans son bureau. Il avait le visage cireux, comme s'il était fait d'une pâte informe. Bien que sur le départ, Irene se rassit quand son chef s'affala sur la chaise des visiteurs. Andersson souleva ses lunettes pour lire et se pinça entre les deux yeux, à la racine du nez.

– On est vraiment bloqués. L'affaire Speedy avance à grands pas, et on a pu mettre la main sur les deux braqueurs de la poste à Lerum. Avec les preuves qu'on a, ils vont avoir du mal à jouer les innocents. Mais nous, dans notre enquête sur les meurtres des Schyttelius, on piétine lamentablement. On en sait à peine plus qu'au début. On n'a rien de tangible.

– Ce n'est pas la première fois que ça nous arrive. C'est inévitable à un moment donné. Mais l'expérience a montré que quelque chose finit toujours par surgir pour relancer l'enquête, le rassura Irene avec un sourire que le commissaire ne vit pas.

– Et puis la femme de Jonny vient d'appeler, poursuivit-il. Il est à l'hôpital, pour un problème à l'estomac, mais elle ne sait pas ce que c'est.

Il se tut et regarda Irene d'un air fautif.

– Ce qui signifie qu'il va falloir se répartir son service du week-end. Je travaille déjà vendredi et samedi, je prendrai donc le dimanche aussi. Tommy est déjà parti à la montagne… Tu penses que tu pourrais assurer la permanence du lundi de Pâques ?

Et voilà son long week-end qui partait en fumée ! Tout ça à cause de ce Jonny ! Il y avait toujours des problèmes avec lui !

– Bon, vous n'avez qu'à me mettre dimanche et lundi, répondit-elle d'un ton un peu raide. Un peu de repos ne vous fera pas de mal. Jonny, lui, va pouvoir récupérer dans son lit d'hôpital. Son pauvre foie en a bien besoin. L'estomac ! Ah, il a bon dos, son estomac ! railla Irene.

– Le foie ? Ah, tu penses que…

Andersson évita de croiser le regard d'Irene. Il voulait jouer celui qui ignorait le problème d'alcool de Jonny, mais tout le service était au courant. Le commissaire n'hésitait pas à passer un savon à son équipe quand il estimait le travail était bâclé, mais il était gêné dès qu'il s'agissait de problèmes personnels. « Ah ! la la ! », bougonna-t-il avant de changer de sujet.

Il se leva maladroitement de sa chaise et alla vers la porte. Avant de l'atteindre, il se retourna et dit :

– C'est gentil de ta part de sacrifier ton dimanche et ton lundi de Pâques. Cette enquête me touche plus profondément que je n'aurais cru. Il faut dire que j'avais rencontré Sten et Elsa il y a de nombreuses années…

Sa silhouette voûtée s'éloigna dans le couloir. Il ressemblait à un vieux sac de pommes de terre qui traînerait dans la maison. Vieux. Oui, Andersson se faisait vieux. À l'évidence, il ne pourrait pas diriger cette brigade encore longtemps.

Cette pensée alarma Irene. Qui prendrait sa place ?

– Si je résume, tu es donc libre le vendredi saint et la veille de Pâques, tandis que je travaille ce soir-là et toute la journée du lendemain. Le lundi de Pâques, j'ai congé, mais toi tu travailles. Il ne nous reste plus que le vendredi, conclut Krister.

Coincés dans un embouteillage, sur la route allant vers le sud en direction de Mölndal, Krister et Irene s'étaient rendu compte trop tard qu'ils auraient dû prendre un autre chemin, puisque la Korsvägen n'était qu'un chaos de travaux et de voies fermées. Ils avaient pensé faire des courses au Frölunda Torg pour tout le week-end, mais au fond Irene aurait préféré éviter de se retrouver avec des milliers de gens pressés et stressés, tous occupés à faire la même chose qu'elle, et rentrer directement à la maison. Mais, aux dires de Krister, le garde-manger et le réfrigérateur étaient quasiment vides, alors ils n'avaient pas trop le choix.

Krister conduisait. Irene s'abandonna, la tête posée contre l'appui-tête, les yeux clos. Dans son cerveau fatigué, les pensées tourbillonnaient.

Cela faisait cinq ans que Krister travaillait désormais à plein temps et elle souffrait de ce rythme infernal. Autrefois, quand les jumelles étaient encore petites, il travaillait seulement trente heures par semaine et se chargeait de l'intendance à la maison. Il n'existait, malheureusement, pas de travail à mi-temps pour les inspecteurs de police, et Irene n'avait pas voulu changer de poste pour un emploi administratif. L'argument décisif avait été qu'à l'époque elle gagnait mieux sa vie comme policière que lui comme cuisinier. Quand on avait proposé à son mari de prendre la direction de la cuisine du Glady's Corner, elle l'avait fortement soutenu. À son tour de faire passer sa carrière avant la famille. Depuis, elle avait eu maintes fois l'occasion de le regretter, mais pas question de le lui avouer. Il adorait son travail, même s'il rentrait souvent au bord de l'épuisement. Qui ne l'était pas ? se disait Irene. Le pire, c'est qu'ils avaient de moins en moins de temps pour eux. Maintenant que les jumelles avaient leur vie, Irene rentrait souvent dans une maison vide. Encore heureux que Sammy fût là.

Arrivés dans le centre commercial, ils se séparèrent comme ils le faisaient toujours, selon une stratégie bien étudiée. Irene recevait en main une liste de courses à faire chez le caviste. Quant à Krister, il se chargeait des fruits et légumes, faisait un tour chez le poissonnier et finissait par le rayon traiteur. Il disait qu'il fallait toujours goûter les fromages avant de les acheter. Il pouvait rester un quart d'heure à en goûter plusieurs avant de se décider. Mais quand Irene le retrouvait à la sortie, il arrivait parfois avec un simple fromage Herrgårdsost emballé sous cellophane ou encore une pâte à tartiner parfumée aux crevettes.

Il était presque sept heures quand ils franchirent enfin le seuil de leur maison, chargés comme des baudets. Sammy leur fit fête, tout excité par le contenu des sacs plastiques. Le chien fourra son nez dans l'un d'eux et renifla. Saucisses ? Pâté de foie ? Poulet grillé ? Oui, du poulet grillé !

Irene faillit lui marcher dessus, tant l'animal était dans ses jambes. D'une voix douce, elle l'éloigna des sacs de nourriture et alla dans la cuisine.

Elle para à toute famine éventuelle en remplissant les placards. Krister avait acheté des baguettes encore tièdes, un morceau de cheddar au whisky et du brie coulant à souhait. Ce serait délicieux avec une bonne salade. Comme Jenny ne mangeait ni viande ni poisson – en fait, rien qui fût d'origine animale –, chaque membre de la famille se préparait sa propre salade. Un grand bol avec tomates, oignons, grains de maïs, concombre, olives noires, salade verte et basilic frais était placé au centre de la table et, tout autour, des récipients plus petits avec de la feta, des morceaux de poulet et une sauce Rhode Island, préparée à partir de crème fraîche. Comme Jenny ne voulait pas en prendre, elle se préparait sa propre vinaigrette.

Les deux filles étaient à la maison et aidèrent leur père à couper les ingrédients pour la salade. Évidemment, Jenny refusait de toucher le cadavre de poulet, ce dont Krister se chargea. Il s'interrompit alors qu'il découpait la chair du poulet pour annoncer :

– Les filles ! Votre mère et moi allons travailler comme d'habitude à tour de rôle, ce week-end…

– Mais, maman, tu devais avoir tout le week-end ! s'exclama Katarina en lui coupant la parole.

Elle jeta un regard accusateur à sa mère qui culpabilisa une fois de plus. Elle savait bien qu'elle travaillait trop, mais cela faisait partie du métier. Quand il y avait beaucoup à faire, cela impliquait obligatoirement des heures supplémentaires.

– Pourquoi ? Tu avais l'intention d'être à la maison ? hasarda Irene.

Katarina se contenta de hausser les épaules. Elle venait d'avoir dix-huit ans, ce qui lui donnait le droit de voter, de se marier sans autorisation parentale et de conduire. Mais, parfois, elle avait encore des réactions enfantines. *Au moins elle n'a pas encore l'âge requis pour acheter de l'alcool au Bolaget*, se dit Irene.

– Elle avait pensé s'entraîner à la conduite. Et moi aussi, dit Jenny.

– On peut arranger ça. Quand a lieu l'examen ? demanda Irene.

– Dans trois mois. Il y a la queue, constata Katarina, la mine boudeuse.

Depuis plus d'un an, les jumelles faisaient de la conduite accompagnée avec leurs parents et elles s'en sortaient très bien. L'examen ne serait qu'une formalité. Mais c'était une grosse dépense, comme les deux filles passaient le permis en même temps.

Krister s'éclaircit la voix de manière ostentatoire.

– Pour en revenir à ce que je disais tout à l'heure, nous ferons le repas de Pâques le vendredi saint, puisque c'est le seul jour où votre mère et moi sommes libres tous les deux. Je reprendrai mon travail à cinq heures, le dimanche de Pâques. Cela ne nous empêchera pas de déjeuner ensemble avant que je parte.

Jenny arrêta de couper les oignons pour demander :

– Est-ce que je peux inviter Martin ?

– Bien sûr, chérie, lui répondit son père avec un large sourire.

Irene fut surprise et heureuse. Katarina avait ramené au fil des ans divers garçons à la maison, mais Jenny ne leur avait jamais présenté personne. Certes, elle avait eu des flirts, mais rien de sérieux. Toutes ses histoires d'amour s'étaient interrompues avant même d'avoir commencé et ne semblaient pas lui avoir laissé de grands souvenirs. Ce Martin devait être quelqu'un de spécial.

– Ça fait longtemps que vous êtes ensemble ? s'aventura-t-elle à demander, piquée par la curiosité.

– Quelques mois, finit par dire Jenny après un moment de silence.

Quelques mois ! Irene n'avait jamais entendu prononcer son nom avant la semaine précédente.

– Mamie vient, n'est-ce pas ? demanda Katarina.

– Heureusement que tu me le rappelles ! Il faut la prévenir qu'on change de jour. Sinon, elle viendra dimanche ! s'exclama Irene qui se précipita dans le couloir pour téléphoner.

Le vendredi saint pointa avec le soleil et un ciel tout bleu, même si les températures risquaient de rester fraîches selon les prévisions météo. Irene et Krister passèrent la matinée à jardiner, ce qui ne leur était pas arrivé depuis longtemps comme en témoignait l'état d'abandon de leur jardin. Mais quelle importance si les feuilles d'automne n'étaient ramassées qu'au début du mois d'avril ? Irene avait fini par se convaincre que cette couverture de feuilles mortes offrait une protection bénéfique à la pelouse, en cas d'hiver rude. Et au moins celle-ci recevait des éléments nutritifs provenant de la décomposition des feuilles, puisque Irene n'y mettait aucun engrais chimique. Au fond, leur petit jardin était géré de manière très écologique.

Krister se mit aux fourneaux pour le buffet de Pâques aux alentours de midi. Il avait déjà préparé le hareng en début de semaine. Il avait aussi terminé la préparation du saumon mariné avec de la coriandre et la terrine de coquillages. Il fit revenir les escalopes de poulet qu'il allait découper et servir froides avec diverses sauces. Irene tournait autour de lui comme un barracuda affamé : elle avait remarqué un délicieux chutney aux mangues et une sauce à la crème fraîche avec du basilic frais et de l'ail.

Le fumet de la « Tentation de Jansson », le gratin d'anchois épicés, s'échappait du four. C'était le plat préféré d'Irene pour les grandes occasions comme Noël et Pâques. Sur le feu, un sauté de légumes était en train de mijoter. Jenny avait dit que Martin était un lacto-végétarien. Il n'était donc pas un orthodoxe, à ses yeux, mais apparemment elle s'en accommodait. Elle avait d'ailleurs promis de faire une grande salade de tomates et d'oignons ainsi que sa spécialité : des poivrons rouges remplis de riz et de pois chiches. Le reste de la famille appréciait également ce plat, aussi était-il au menu de Pâques au même titre que les œufs durs qui, en train de refroidir dans de l'eau, seraient écaillés et coupés en deux, avant d'être décorés avec de la mayonnaise, des œufs de poisson et des crevettes.

Le dessert, le parfait au punch de Krister, était lui aussi prêt depuis quelques jours et attendait sagement au congélateur. Il serait servi avec une sauce au chocolat, réalisée selon une recette secrète du chef. Irene avait décelé qu'elle contenait du café et savait qu'il prenait toujours du chocolat noir à forte teneur en cacao. C'était le dessert phare du Glady's Corner, celui qui restait toujours au menu. Sinon, les clients protestaient.

La mère d'Irene, Gerd, et son concubin un peu spécial, Sture, arrivèrent à cinq heures. Il faisait assez doux pour boire un verre de vin pétillant dans le jardin. Certes, il fallait porter un pull ou une veste, mais l'air était agréable et printanier. Ils restèrent dehors à discuter sur la terrasse, quand Jenny et son Martin apparurent dans l'embrasure de la porte.

Irene se cramponna à son verre de vin pour ne pas le renverser, ce qui aurait été du plus mauvais effet. Elle comprenait mieux pourquoi Jenny avait eu l'air d'hésiter quand, la veille, elle avait parlé de Martin. Toutes les conversations s'arrêtèrent et tous fixèrent la silhouette sur le pas de la porte.

Âgé d'une vingtaine d'années, les cheveux noirs mi-longs, le jeune homme portait un T-shirt noir avec sur la poitrine une impression rose vif : *Fuck me, I'm famous !* Son jean noir était déchiré, laissant apparaître des genoux pâles et cagneux. Il avait un piercing à la lèvre inférieure et un autre au sourcil. Ses yeux étaient soulignés de khôl noir, et autour du cou, il arborait un grand tatouage dans des tons bleu et rouge. Comme il avait enlevé ses chaussures, il restait indécis sur le seuil, dans ses chaussettes noires trouées aux orteils…

La première personne à se remettre de sa surprise fut la mère d'Irene. Avec un grand sourire, elle se dirigea vers le jeune homme :

– Eh bien, bonjour ! Je suis Gerd, la grand-mère de Jenny.

– Martin, dit-il simplement en lui serrant la main.

Irene se ressaisit et alla elle aussi à sa rencontre. Elle présenta toute la famille. Katarina n'était pas venue avec son dernier petit copain en date, un certain Johan. D'après ce qu'Irene avait compris, celui-ci faisait du ski en Norvège avec des amis. Malgré cela, Katarina avait l'air radieuse. Elle lança un « bonjour » enjoué à Martin, qui eut l'air troublé.

– Tu ne m'as pas dit que vous étiez jumelles ? demanda-t-il à Jenny.

– Si, mais elle a été adoptée, répliqua Jenny sur-le-champ.

Les jumelles avaient l'habitude de ce genre de réaction. Elles se sourirent d'un air complice.

– On doit partir au plus tard à sept heures, annonça Jenny à Irene.

– Pourquoi ça ? voulut savoir Krister avant qu'Irene ait eu le temps de répondre.

En tant que professionnel de la cuisine, il aimait avoir le temps de savourer la nourriture et détestait avoir à se presser et expédier un repas.

– Le groupe de Martin joue ce soir.

Gerd écarquilla les yeux.

– Les écoles de danse sont ouvertes le vendredi saint, maintenant ?

Martin ne put s'empêcher de sourire, et Irene comprit ce qui, chez ce rocker, avait fait craquer sa fille. Ses yeux bleus avaient un éclat espiègle et enjoué.

– Nous avons joué dans des écoles de danse, mais c'était il y a longtemps. Ce soir, c'est plutôt un genre de concert.

– De concert ? Tu joues de la musique classique ? s'étonna Sture.

– Non, on joue du rock, on balance du lourd et ça plaît, répondit Martin sur le même ton amusé.

239

– Hé ! Ne me dites pas que vous ne connaissez pas Mackie in Black Thunder ! s'exclama Katarina à l'attention des autres, en levant les yeux au ciel.

Un rapide regard sur l'assemblée lui révéla que c'était malheureusement le cas.

– C'est un groupe super connu ! Vous avez fait combien de disques ? Quatre ? demanda-t-elle à Martin, alias Mackie.

– Cinq, répondit-il d'un air presque gêné.

– Et ça marche très fort en Allemagne. Ils ont même un tube, là-bas, *The Eagle Said*, qui est en tête des charts, précisa Katarina.

– On peut être une rockstar et avoir quand même un peu de bulles avant le dîner ? demanda Krister en remplissant un verre de champagne sur un plateau. Il n'en proposa pas à Jenny, car il savait qu'elle ne touchait pas à une goutte d'alcool, pas même de la bière light.

– Non, merci. Je ne bois pas d'alcool, dit Martin en déclinant l'offre.

Au moins quelque chose qu'ils ont en commun, en dehors de la musique, songea Irene.

– Bon, mais ton estomac a besoin de nourriture. Surtout si tu dois jouer ce soir. Alors je propose que nous passions à table, fit Krister en invitant d'un geste tout le monde à rentrer.

Au cours du repas, Irene remarqua que Katarina touchait à peine aux plats. Elle avait le visage tout amaigri, et l'échancrure de son haut en coton noir découvrait ses clavicules décharnées. Irene ne l'avait jamais vue ainsi. Continuait-elle à perdre du poids, alors qu'elle avait un nouveau petit ami et s'était retirée du concours de beauté ? Il faudrait qu'elle parle sérieusement à Katarina. Qu'est-ce qui n'allait pas ?

Ce fut un week-end de Pâques fort occupé. Il y eut des explosions de violence entre deux bandes rivales qui se disputaient le marché de la drogue et du sexe. Le dimanche de Pâques, on tira sur le chef d'une des bandes et sur sa petite amie, au sortir d'une boîte de nuit, vers quatre heures du matin. Le gang avait un peu trop fait la fête, et tous, dans leur état d'ébriété, avaient relâché leur vigilance. Cela avait suffi pour qu'une voiture passe et que quelqu'un à son bord vide sur eux le chargeur de son arme automatique. Le chauffeur avait réussi à prendre la fuite avant que les gardes du corps, encore ivres, aient le temps de sortir leurs armes. Vu la gravité des blessures, le pronostic de vie était engagé pour le chef et sa petite amie.

Deux heures plus tard, on appela la brigade pour la prévenir qu'une voiture était en train de brûler dans une zone boisée près de Gunnared. Il se révéla que le véhicule avait été volé, et la police eut la conviction qu'il s'agissait de la voiture utilisée par le tireur et ses complices. Entre-temps, ils s'étaient volatilisés, sans doute avec une autre voiture qui les attendait.

À onze heures, le dimanche soir, un gros camion vint défoncer les hautes barrières de bois autour du quartier général de la bande adverse, à l'extérieur d'Alingsås. La bâche à l'arrière se souleva, et un pistolet lance-grenades déchargea son contenu mortel par la fenêtre. L'homme qui tenait l'arme savait viser. Les grenades firent exploser l'ancienne ferme. Ce fut l'affaire de quelques minutes. Le lourd véhicule fit marche arrière dans le trou creusé dans la palissade et disparut sans avoir essuyé le moindre coup de feu.

Dans les ruines de la maison, on retrouva un mort et trois hommes grièvement blessés.

Irene avait eu un dimanche de Pâques mouvementé à cause de ces règlements de comptes entre bandes rivales. L'enquête fut chaotique, puisque différents services de police étaient impliqués. Irene était chargée de l'investigation des meurtres commandités. Le chef de la bande rivale avait succombé à ses blessures à minuit, après l'attaque à la grenade.

Le lundi matin, Fredrik Stridh prenait son service. Irene et lui devaient se rendre sur le lieu des représailles avec l'attaque à la grenade, à l'extérieur d'Alingsås. Irene voulait le mettre au courant avant d'aller sur place.

Elle trouva Fredrik dans son bureau, assis sur la chaise des visiteurs, sa tête appuyée contre le mur. Il avait l'air de dormir. Irene dut lui donner un petit coup dans le bras pour le réveiller. Avec un grognement, il se redressa sur la chaise. Aussitôt, il se prit la tête entre les mains et la laissa retomber contre le mur. Il referma les yeux et, à la surprise d'Irene, un fin sourire flotta sur ses lèvres. Avait-il vraiment autant la gueule de bois qu'il le prétendait ?

– Ohé ! Il faut y aller ! On est vraiment dans le pétrin. La guerre des gangs est déclarée ! cria Irene pour le faire réagir.

– O.K., O.K., marmonna-t-il en hochant la tête.

De nouveau, ce même sourire sur les lèvres, tandis qu'il relevait légèrement les paupières. Irene, qui commençait à se douter de la comédie, se pencha au-dessus de lui et renifla. Aucune odeur d'alcool. Il était parfaitement sobre. Elle détecta une lueur de contentement au fond des yeux de son collègue. Elle mit les mains sur les hanches et fit semblant de le rudoyer.

– Alors, jeune homme ! On pourrait savoir ce que tu as fait pour te mettre dans un état pareil ?

– Ce que j'ai fait ? répéta-t-il en la regardant d'un air malicieux.

– Tu as un petit air satisfait…

Fredrik étouffa un rire avant de répondre :

– Tu connais les hommes. On n'est pas des anges. J'ai fêté en retard un Ostara. Eux, ne fêtent pas Pâques.

– Un Ostara ? C'est quoi, ça ?

– L'équinoxe de printemps, dit-il en refermant les yeux.

Fêter l'équinoxe de printemps ? Qui fait ça au lieu de fêter Pâques ? Soudain, Irene eut une intuition.

– Ne me dis pas que tu es allé chez Eva Möller et que vous avez fêté le sabbat des sorcières !

Pour toute réponse, un sourire béat illumina le visage de Fredrik.

– C'est irréel. On se croirait en Bosnie ou en Tchétchénie, tout sauf en Suède, dit Fredrik.

Irene et lui furent assez secoués en se promenant parmi les vestiges de la ferme qui avait été le quartier général d'une des bandes. Les techniciens avaient travaillé toute la nuit et ils étaient loin d'avoir terminé.

– Comment ont-ils pu se procurer un pistolet mitrailleur Carl Gustaf ? résonna la voix d'Andersson dans leur dos.

Il arrivait en slalomant entre les débris calcinés, les pans de son manteau flottant au vent. Il n'arrivait pas à décrocher du travail quand il se passait des choses de cette importance.

– Oh, il y a juste à passer commande. Ces types ont de l'argent, et tout s'achète, les armes militaires aussi, il suffit d'y mettre le prix, lui répondit Irene.

— Toi qui as déjà rencontré les Hell's Angels, tu reconnais quelqu'un parmi cette bande qui frayait dans les milieux de la moto ? On n'a pas encore pu les identifier, ni le mort ni les blessés, poursuivit Andersson, essoufflé.

En effet, Irene avait déjà rencontré des membres des Hell's Angels, mais c'était le genre de confrontation qu'on préfère oublier.

Irene rentra seulement au petit matin. Krister, de retour avant elle, dormait en ronflant dans sa moitié du lit. À peine fermait-elle les yeux que les images de la ferme incendiée flottaient devant elle. Impossible de dormir. En soupirant, elle sortit du lit, enfila sa robe de chambre et descendit à la cuisine. Sammy fut ravi de récupérer la place encore chaude, et Irene n'eut pas le courage de l'en dissuader, préférant faire celle qui n'avait rien remarqué.

Elle alluma la bougie sur la table, se versa un verre de lait et se prépara une tartine avec du brie. Il n'était pas si désagréable de savourer une bonne tranche de pain à la lueur d'une chandelle. Encore que c'était presque l'heure du petit déjeuner. Elle se sentit enfin gagnée par une sorte d'apaisement, et soudain, quelque chose qu'elle avait refoulé tout au fond d'elle-même, en raison des événements dramatiques de ces derniers jours, lui revint en mémoire. C'était quelque chose que Glen Thomsen avait dit, lors de leur dernière conversation, et qui pouvait se révéler de la toute première importance.

Elle alla se recoucher, sans même se brosser les dents. S'étant remémoré ce qui avait fait tilt, elle put enfin trouver le sommeil.

Chapitre 16

– Nous sommes en pleine guerre des gangs, Jonny est à l'hôpital, Tommy en train de faire du ski, et Irene part à Londres ! Il faut absolument reporter ce voyage ! Il faut bien que quelqu'un travaille, ici !

Le commissaire Andersson était au bord de la crise d'apoplexie. Il faisait les cent pas dans la pièce, l'index levé pour souligner le sérieux de ses paroles.

– D'autres services ont déjà pris le relais, rappela Hannu.

Le commissaire s'interrompit quelques secondes et lança un regard de ses yeux injectés de sang à cet inspecteur finlandais, qui le soutint calmement. Hannu avait une fois de plus raison. Les événements de ce week-end dépassaient largement leur service, même si toute l'équipe avait été au complet. Mais Andersson se sentait frustré. D'abord un triple homicide, et maintenant cette guerre des gangs, tout ça en quelques semaines.

– Il est important qu'Irene réussisse à revoir Rebecka Schyttelius, sinon l'enquête n'avancera pas d'un pouce, poursuivit Hannu, très placide.

– Ah, tu crois ça, toi ? rétorqua Andersson d'un ton moqueur.

– Absolument.

Le sarcasme n'avait aucune prise sur Hannu. Le commissaire eut l'air contrarié, mais pensif. Son regard alla d'Irene à Hannu. Il finit par hausser les épaules et marmonna un vague « On se demande bien qui est le chef, ici », mais ce fut à peine audible.

Irene poussa un soupir de soulagement et bénit Hannu en son for intérieur. Elle était persuadée de l'importance d'une nouvelle entrevue avec Rebecka, et si son hypothèse se révélait juste, l'enquête allait prendre un tour dramatique. La version de Rebecka sur ce qui s'était passé serait alors plus décisive que jamais.

Quelqu'un frappa à la porte, et la silhouette longiligne de Svante Malm apparut dans l'embrasure.

— Salut, tout le monde. Je passais par là et je pensais vous donner quelques infos sur le feu…, commença-t-il avant qu'Andersson lui coupe la parole.

— Vous avez déjà terminé ?

— Euh oui, répondit le technicien, en se passant la main dans ses cheveux en bataille — le geste qu'il faisait toujours quand il était troublé ou mal à l'aise.

— Åhlén m'a dit que ça prendrait plusieurs jours ! Ces cinglés ont fait sauter toute la baraque. D'ailleurs, certains d'entre eux se sont fait piéger eux-mêmes.

Cette dernière phrase fut dite avec une note de satisfaction dans la voix.

À la surprise générale, Svante se mit à rire :

— Je ne parle pas des attaques à la grenade, je parle du feu de camp de Norrsjön, rectifia-t-il.

— Ah ? fit le commissaire qui n'eut pas l'air spécialement intéressé.

Mais Svante, sans se démonter, sortit une pochette en plastique de la poche de sa blouse blanche.

— Nous avons d'abord cru que ces bouts noirs étaient des restes de DVD calcinés, mais une analyse plus poussée a révélé que ce sont six boutons en plastique. Nous avons aussi retrouvé des restes de plastique.

Pour ses collègues, le contenu de ce sachet en plastique ressemblait à celui des autres sachets de cendres qu'il leur avait déjà montrés. Le technicien jeta un regard triomphal autour de lui comme s'il voyait des diamants parmi les cendres. Puisque personne ne semblait sauter au plafond, il se vit contraint d'expliquer l'importance de sa découverte.

— Nous en avons déduit que le meurtrier a aussi brûlé un imperméable en Nylon.

Il leur fallut quelques secondes pour réaliser la portée de ce que venait de dire Svante. Hannu fut le premier à réagir.

– Il a dû le porter au moment des meurtres. Pour se protéger du sang et des résidus de poudre. Puis il s'en est débarrassé en le jetant au feu.

– Il faut admirer sa prévoyance, s'exclama Irene. Il emporte avec lui un imperméable en Nylon qui, replié, ne prend pas de place. Il n'a qu'à l'enfiler par-dessus ses propres vêtements et le brûler après. Sans parler du charbon de bois et de l'allume-barbecue. Dire qu'il a pensé à ces détails…

– Effectivement, intervint Malm, j'allais oublier le charbon de bois. Il provenait de la maison de campagne des Schyttelius. Nous avons trouvé un barbecue et un demi-sac de charbon de bois sous la véranda en verre. Il y avait aussi une bouteille de butane presque vide. Pas la moindre empreinte dessus. Elle avait été soigneusement essuyée.

Ces dernières paroles furent accueillies par un silence. Le message était clair. Fredrik conclut logiquement :

– Il a replacé la bouteille, mais a emporté le charbon de bois dans un sac qu'il pouvait brûler ensuite. Un malin qui avait bien préparé son coup !

– Oui, on peut le dire, mais comme tous les criminels il a malgré tout laissé des traces.

Le ton de Svante était plus optimiste que celui des policiers.

Après cette réunion, Irene alla trouver Hannu. Il allait sortir, mais il ôta son manteau et écouta ce qu'elle avait à lui dire.

– Merci d'avoir défendu mon projet de voyage à Londres. Comme toi, j'en attends beaucoup. Surtout après ce qui m'est venu à l'esprit hier. Ou plus exactement, ce matin.

Elle ne quitta pas Hannu des yeux tandis qu'elle lui annonçait lentement, en insistant bien sur chaque mot :

– On peut aller à Londres et en revenir dans la journée. L'avion part à sept heures du matin de l'aéroport de Landvetter et décolle à sept heures et demie du soir d'Heathrow. Mais on peut aussi faire l'aller-retour dans l'autre sens – de Londres à Göteborg – dans la nuit.

Hannu haussa légèrement les sourcils et se contenta d'acquiescer. Irene s'empressa d'expliquer :

– Il suffit de prendre à Londres l'avion du soir et de revenir le matin avec le vol de six heures et demie. Il y a des trains express et des bus entre Londres et Heathrow. En un quart d'heure, on est au cœur de la ville. Le vol lui-même prend moins de deux heures.

– Et le trajet entre Landvetter et Norrsjön prend un quart d'heure, tout au plus, déclara Hannu tout haut.

– Exactement.

– Quelqu'un aurait donc parfaitement pu prendre l'avion de Londres un soir, tuer les Schyttelius et retourner le matin à Londres comme si de rien n'était.

– Exactement.

Hannu devint pensif et regarda Irene.

– Est-ce que tu soupçonnes Rebecka ?

– Non, pas vraiment, dit Irene que cette pensée continuait à troubler. Elle était malade avant les meurtres. Mais à ce stade, nous ne devons exclure personne.

– Le Français ?

– Lefèvre n'est pas non plus un bon candidat, puisqu'il n'avait pas de relations personnelles avec la famille de Rebecka. J'ai encore du mal à savoir pourquoi je sens qu'il faut chercher dans cette direction, c'est plus une impression… C'est mon instinct de flic qui parle.

Hannu ne sourit pas à ces dernières paroles, car il avait compris ce que cela sous-entendait.

– Si j'ai bien compris, tu veux que je vérifie la liste des passagers, conclut-il.

– Oui, s'il te plaît. Et aussi les locations de voiture à l'aéroport de Landvetter. Nous savons que le meurtrier a dû utiliser une voiture, probablement celle garée dans la forêt le soir des meurtres. Dommage que l'homme au chien ne se soit pas approché encore plus.

– Ça peut prendre un peu de temps. Je vais faire tout mon possible pour avoir les infos avant que tu ne partes, dit Hannu.

Irene se sentit soulagée. S'il y avait quelque chose de louche dans les listes, Hannu le verrait tout de suite. Sinon, elle devrait abandonner cette piste et chercher autre chose.

Ce ne fut pas de gaieté de cœur qu'Irene prit part aux interrogatoires concernant les meurtres commis par les gangs de motards rivaux. Les cicatrices laissées par sa confrontation avec les Hell's Angels, quelques années auparavant, et à laquelle le commissaire avait fait référence, étaient beaucoup moins d'ordre physique que psychique. Il lui arrivait encore de se réveiller en pleine nuit, le corps trempé de sueur.

Les policiers procédaient d'habitude seuls à des interrogatoires au commissariat, mais les prévenus n'étaient pas des plaisantins. Il fallait donc des renforts et deux policiers par équipe.

Irene et Fredrik formèrent une équipe avec trois membres du gang d'Alingsås à interroger. Leur gang, les Hell Rockets, faisait partie des Hell's Angels depuis quatre ans. L'un étant mort et trois autres à l'hôpital, il n'en restait plus que six, lesquels n'étaient pas encore tout à fait dégrisés et allaient avoir une terrible gueule de bois. Aucun d'eux n'était allé au quartier général au moment de l'attaque, ils étaient trop occupés à assister à un strip-tease dans une boîte de nuit de Göteborg. Un policier en civil avait reconnu certains membres du gang dans la pénombre de la boîte, vers les deux heures du matin, et avait aussitôt prévenu le commissariat qui n'avait plus eu qu'à les cueillir. Enfin, façon de parler, car cela ne s'était pas fait sans mal. Les motards ivres pensaient qu'on les importunait pour avoir « tiré des coups de feu sur l'Enculé ».

L'Enculé, c'était le nom donné par les Hell Rockets au chef des Devils, une bande affiliée aux Bandidos, soit Ronny Johnsson de son vrai nom.

La salle d'interrogatoire de la prison étant occupée, ils décidèrent de les interroger au commissariat, après avoir pris soin de les menotter durant le transport. Un garde serait également présent dans la salle durant l'interrogatoire.

Le premier à passer fut Roger « Killer Man » Karlsson. Irene trembla malgré elle quand il apparut sur le seuil de la porte, encadré par Fredrik et un surveillant de prison. Il était de taille moyenne mais de corpulence impressionnante. Ses bras puissants aux biceps saillants s'écartaient un peu de son torse, et même avec la meilleure volonté du monde il n'aurait pas pu les coller au corps. Il était bras nus, bien qu'il ne fît pas chaud dehors. Il portait un blouson en mouton retourné, avec en dessous un simple T-shirt noir portant l'inscription « Hell Rockets » – ils était bras nus : pour mieux mettre en valeur ses muscles et surtout ses tatouages : certains étaient de véritables œuvres d'art, d'autres de simples graffitis. Cela s'expliquait par seize années passées derrière les barreaux dans différentes maisons d'arrêt.

Il avait les cheveux fins et gras, attachés en une petite queue-de-cheval dans la nuque, le visage bouffi et une barbe rousse de plusieurs jours. Les yeux injectés de sang, il fusilla du regard le policier et le surveillant. Irene devina sans peine la gueule de bois qui devait marteler la tête de l'homme.

– J'dirai pas un mot, vous entendez ! J'veux mon avocat, ici, tout de suite ! Vous avez pas le droit de nous arrêter, espèce d'enfoirés ! cria-t-il.

Son haleine empestait le vieux fromage danois, avec des relents d'ail et d'alcool. Dès qu'il ouvrait la bouche, ça sentait dans toute la pièce. La fourrure de mouton retourné était sale et puait la sueur rance.

– Veuillez vous asseoir, je vous prie, dit Irene très calme.

Elle se força à esquisser un sourire et l'invita d'un geste à prendre place sur la chaise de l'autre côté de la table. Il s'assit, moins par obéissance que pour soulager ses jambes qui ne le portaient plus.

– Aucun d'entre vous ne fait pour l'instant l'objet d'une arrestation. C'est plus pour des raisons pratiques que nous vous avons fait venir ce matin, afin que vous puissiez récupérer un peu en cellule de dégrisement avant que nous vous interrogions sur les événements de ces derniers jours.

Pour toute réponse, Killer Man souleva une de ses fesses et lâcha un pet tonitruant. Visiblement, il trouva ça hilarant et éclata d'un gros rire. Peut-être pensait-il qu'une femme policier allait laisser tomber avant même de commencer. Mais il en fallait plus à une personne d'expérience comme Irene pour se laisser démonter, même si l'air devenait de plus en plus irrespirable.

S'adressant au dictaphone qui enregistrait l'interrogatoire, elle dit d'un ton sec : « Début de l'interrogatoire. Les personnes retenues vont exposer leur défense. »

– Il faut considérer que nous vous protégeons. Un de vos amis est mort et trois ont été gravement blessés. Une menace plane sur vous autres, poursuivit-elle d'un ton amical un peu forcé.

Killer Man se contenta de hocher sa lourde tête. Assis à l'autre bout de la table, Fredrik posa une question qu'Irene et lui avaient soulevée en apprenant l'arrestation du gang.

— Comment se fait-il que six d'entre vous soient allés à un club de strip-tease alors que vous saviez que Ronny Johnsson avait été descendu ? Vous ne vous êtes pas dit qu'ils allaient chercher à se venger ?

Pour la première fois, une vague lueur d'intérêt s'alluma dans les yeux de Killer Man. Il ricana et dit :

— L'Enculé n'a eu que ce qu'il méritait, mais c'est pas nous, putain, qu'avons…

Il s'interrompit et pinça les lèvres.

— Continue. « C'est pas nous qu'avons… »

Fredrik essaya de le faire parler, mais Killer Man ne voulut plus dire un mot. Irene décida d'aller droit au but.

— T'étais où le lundi de Pâques aux alentours de quatre heures du matin ?

Le voyou ne put s'empêcher de provoquer un officier de police femme qui s'imaginait peut-être qu'on avait peur d'elle :

— Oh, on a fait une teuf d'enfer dans la cour. Au QG, on a ce qui faut dans ces cas-là pour se défoncer. Et puis, j'ai même baisé une nana de quatorze ans, au petit matin.

Le contentement visible sur son visage laissa penser à Irene qu'il disait la vérité.

— Les relations sexuelles avec des mineurs sont passibles de poursuites, répliqua Irene sur un ton cinglant.

— *Suck me baby !* répondit-il en la narguant.

Irene commençait à se lasser de son petit jeu. Autant laisser Fredrik mener l'interrogatoire. Elle lui adressa un bref regard et il comprit.

— Vous prétendez donc avoir été dans la cour de votre QG au moment où Ronny Johnsson a été abattu ? Tous les membres du gang étaient présents ?

Jamais il ne répondra à pareille question, pensa d'abord Irene.

Mais à sa grande surprise, il dit :

— Oui.

— Personne ne manquait ?

— Non.

– Alors, pourquoi six d'entre vous sont-ils allés dans un night-club, la nuit d'après, pendant que les quatre autres restaient dans ce que vous appelez votre QG ?

– Ça leur disait trop rien de sortir, et ils sont restés pour surveiller la maison. Faut dire qu'ils s'étaient pas mal bourré la gueule à Pâques !

– Vous ne vous êtes pas sentis menacés ? Vous saviez pourtant que Ronny Johnsson avait été abattu, poursuivit Fredrik.

Une expression de trouble passa sur le visage flasque du motard.

– On savait pas qu'ils avaient buté l'Enculé. La teuf s'est terminée à pas d'heure, et après on a tous été pioncer. On est juste ressortis dans la soirée, des potes et moi. Les autres, ils avaient la gueule de bois, ça les branchait pas d'aller au Sexy Cabaret. C'est qu'une fois là-bas qu'on a appris que l'Enculé s'était fait buter.

– Et ça ne vous a pas inquiétés plus que ça ? La vengeance, les représailles, tout ça, ça ne vous a pas traversé l'esprit ?

– Ben non, raison de plus pour faire la fête !

Killer Man eut un rictus de triomphe. Irene se demanda s'il était vraiment aussi bête qu'il le prétendait. Ou essayait-il seulement de gagner du temps ? Peut-être pour soutirer des informations à la police. Cela devait bien être la seule raison pour laquelle il acceptait de leur parler. Est-ce que les Hell Rockets étaient innocents de l'agression contre Ronny Johnsson ? Dans ce cas, ils devraient expliquer pourquoi ils n'avaient pas réagi en apprenant que le chef du gang adverse et sa petite amie s'étaient fait descendre. Irene décida de tenter un coup de bluff. D'une voix glaciale, elle déclara :

– C'est qui les autres qui ont tiré Ronny Johnsson, comme tu le prétends ?

Killer Man tressaillit. Il ne s'était pas attendu à cette question et n'avait pas envie de s'engager sur ce terrain.

– J'ai rien prétendu du tout, moi ! s'exclama-t-il.

Il avait beau tout faire pour le cacher, sa voix trahissait une inquiétude certaine.

– Mais si. Tu nous as dit que ce n'était pas vous. On imagine mal The Devils faire eux-mêmes le coup. C'en est donc d'autres. Un autre gang. Lequel ?

Son regard se mit à papillonner dans la pièce, même s'il tentait de garder son arrogance.

– Tu veux jouer au plus fin avec moi, hein ? fit-il.

– Dans ce cas, cela veut dire que notre témoin a vu juste.

Irene ne regarda pas Fredrik, mais elle espéra qu'il n'allait pas tout faire échouer en manifestant sa surprise. En fait, aucun danger, car le regard injecté de sang de Killer Man n'arrivait pas à se détacher d'Irene. Lentement, en articulant chaque syllabe, elle dit :

– Il y a un témoin de la fusillade devant la boîte de nuit où Ronny a été abattu. L'auteur des coups de feu était à bord d'une Mustang rouge. Vous connaissez quelqu'un qui possède ce genre de voiture ?

À bout de nerfs, Killer Man se leva tout à coup de son siège et hurla :

– Mais c'est quoi, ce bordel ! C'est qui l'enfoiré qui veut me faire coffrer ? Ma voiture était restée au QG ! Aucun de nous…

Il s'interrompit à nouveau et plissa les yeux :

– Attends un peu. T'essaie de m'avoir, hein, espèce de pouffiasse !

Sur le premier point, il n'avait pas tout à fait tort. La voiture qui avait disparu du lieu de l'agression avait été décrite par l'unique témoin de la scène comme étant une Saab 9000 rouge, et c'était aussi une voiture de ce type qui avait brûlé près de Gunnared. Mais dans le feu de l'action, tout le monde peut se tromper, surtout quand il fait sombre. Et Irene pouvait toujours se rétracter, dire qu'elle avait confondu le nom du véhicule donné par le témoin. Elle avait menti sciemment parce qu'elle avait vu une Mustang rouge rutilante garée dans la grange, restée par miracle intacte après l'incendie. L'identité de son propriétaire ne faisait aucun doute : « Killer Man » était écrit à la peinture argentée sur une des portes avant, et sur l'autre « Hell Rockets ».

Elle secoua la tête pour nier la manipulation. Fredrik en profita pour enchaîner :

– Voilà pourquoi vous êtes en garde à vue. On ignore qui conduisait, qui tenait le fusil. On ne sait même pas si les tirs sont partis de ta caisse. Les techniciens vont devoir faire des relevés dans la voiture. En ce qui concerne le procureur, vous êtes tous suspectés du meurtre. L'enquête va durer un peu, et vous, pendant ce temps-là, vous allez gentiment rester en prison.

L'assurance de Killer Man commençait à donner des signes de faiblesse. C'était un dur qui savait la boucler, comme on dit, mais la situation se corsait. Il ne savait pas réellement ce qui s'était passé, et sa gueule de bois n'arrangeait rien. Il avait l'habitude de faire des séjours en prison, mais la perspective de passer un temps indéterminé derrière les barreaux, alors que les coupables restaient en liberté et pouvaient en profiter pour prendre le contrôle des territoires des Devils et des Hell Rockets, lui fit revoir sa position. Irene n'en crut pas ses oreilles, quand il balança :

– C'est un autre gang… les Outsiders. Ils sont en contact avec les Brotherhood.

Ni Irene ni Fredrik n'avaient entendu parler des Outsiders, mais ils n'en montrèrent rien. Ils eurent beau tenter d'en savoir plus, Killer Man trouvait qu'il en avait déjà trop dit et décida de la boucler.

Les deux autres membres des Hell Rockets ne leur apprirent rien de plus, ils ne savaient rien ou ne voulaient rien dire. L'un d'eux passa son temps à somnoler et à cuver son vin, et l'autre semblait à la limite de la déficience mentale. C'était le plus jeune de la bande – à peine vingt ans – et le jeune frère d'un de ceux qui, grièvement blessés après l'attaque à la grenade, étaient hospitalisés. Irene et Fredrik comprirent que son entrée comme aspirant dans le gang des Hell Rockets, un an auparavant, était la plus belle chose qui lui soit arrivée dans la vie. Le seul commentaire qu'il répéta comme un mantra fut :

– On n'est pas des balances.

Plus tard dans l'après-midi, Irene téléphona à Leif Hansen, le chef du service de renseignements au sein de la police de cette région. Ce dernier ne put s'empêcher de rire au récit de l'interrogatoire des membres des Hell Rockets.

– Oh, je les connais bien, ces types-là.

– Killer Man a mentionné un autre gang qui serait à l'origine de cette vague de violences, déclara Irene.

– Ah ? Et ce serait qui ?

– Les Outsiders. Tu les connais ?

Il y eut un bref silence au bout du fil, et quand Hansen répondit, il n'y avait plus trace d'amusement dans sa voix.

– Les Outsiders. Il a vraiment donné ce nom-là ?

– Oui.

– Alors, ça veut dire que ce n'est que le commencement. On va avoir des problèmes, de gros problèmes. On se doutait que ça allait arriver, mais pas si vite… Les Outsiders sont un gang de prison formé sur le modèle américain, comme les Hell's Angels et les Brotherhood. Le gang accepte des membres de différentes nationalités. Leur seul point commun, c'est d'être tous des criminels violents. Ça fait presque dix ans qu'on suit les Outsiders. Cette dernière année, leur mouvement a pris une ampleur inquiétante. Ce que tu me dis ne fait que confirmer des rumeurs qui circulent depuis plusieurs mois. Cela expliquerait les événements de ces derniers jours.

Irene avait hâte d'en apprendre davantage et ressentit un soulagement physique quand il poursuivit :

– Selon la rumeur, un ou deux Serbes de Bosnie ont rejoint les Outsiders, et autant te dire que ce ne sont pas des enfants de chœur. Ils ont été entraînés comme membres des Forces spéciales. Tuer des gens, c'est leur image de marque, ils savent faire. Le reste ne les intéresse pas. Les Forces spéciales forment des soldats d'élite pour accomplir des missions de meurtre, de sabotage, d'infiltration chez l'ennemi et autres opérations du même genre. Après cette formation, ils sont experts dans l'art de la guerre sur terre comme en mer. Seuls les soldats les plus intelligents, les plus costauds et ayant le plus de sang-froid sont sélectionnés pour cet entraînement.

– Pourquoi ont-ils voulu rejoindre les Outsiders ?

– Certains Serbes ne sont plus vraiment les bienvenus en Bosnie ; il y en a même qui sont carrément chassés du pays. Mais il y a des brebis galeuses partout, même au sein d'une organisation telle que les Forces spéciales, et avec ce qu'ils ont appris à l'armée, ils peuvent se faire beaucoup d'argent. Leurs compétences d'experts sont inestimables pour des gangs comme les Outsiders. Si ces types ont pris le contrôle de cette bande, les événements de ces derniers jours sont dans la logique des choses.

– Qu'est-ce que tu veux dire par là ? demanda Irene, même si elle commençait à mieux cerner les enjeux.

– Les coups de feu tirés devant la boîte de nuit sont le fait d'un expert. La voiture des agresseurs était un véhicule volé qu'ils ont brûlé peu après. Le chauffeur et le tireur ont ensuite disparu à bord d'une autre voiture sans laisser la moindre trace. Le QG des Hell Rockets a volé en éclats après un tir de grenades lancées depuis l'arrière d'un camion. En une minute, l'affaire a été réglée. Ils ont disparu, et le camion n'a toujours pas été retrouvé. Comment cache-t-on un camion ? Nous allons probablement le retrouver dans un entrepôt ou une grange. Dans tous les cas, si on analyse les deux agressions, il en ressort une seule chose…

Il s'arrêta pour ménager un peu de suspense, ce qui agaça légèrement Irene.

– Cela porte la marque d'une précision militaire.

Il avait raison. Tout laissait à penser que ces opérations avaient été minutieusement préparées et exécutées par des hommes entraînés à la guerre.

– Mais pourquoi les Outsiders font-ils ça ? s'étonna Irene.

– Sans doute pour prendre le contrôle de certaines activités criminelles : prostitution, drogue, racket… bref, tout ce qui rapporte gros. Ils ont choisi d'éliminer les bandes rivales une à une plutôt que de les affronter à la régulière. On tire sur le chef d'un gang et on décime l'autre avec une attaque à la grenade, c'est pas mal trouvé, non ?

Irene réfléchit à ce qu'elle venait d'apprendre :

– Je pense que tu as raison, mais peux-tu confirmer que ces Serbes de Bosnie existent bel et bien ?

– Il ne s'agissait jusqu'ici que d'une rumeur. Mais je crois que les choses se sont précipitées, et il va falloir agir vite si on ne veut pas que cette guerre des gangs entre les Hell's Angels et les Bandidos se propage dans toute la Suède, et pourquoi pas, dans toute la Scandinavie. On peut toujours exhumer de vieux motifs de ressentiment pour justifier un raid. Si on peut prouver que les Outsiders sont à l'origine de ces incidents, on a encore une chance de contrôler la situation avant que tout s'embrase.

– Tu peux rester en contact avec nous ? Je pars jeudi et vendredi, mais je vais faire circuler l'information parmi mes collègues, de sorte que tu puisses les tenir au courant. Le mieux, c'est que tu t'adresses d'abord à Sven Andersson ou à Fredrik Stridh. Ils ont participé à l'enquête depuis le début.

— Je vous appellerai dès que j'aurai du nouveau, soit pour confirmer, soit pour infirmer mes dires.

Ils se souhaitèrent mutuellement bonne chance dans la poursuite de l'enquête et raccrochèrent.

Lors de la réunion du lendemain, Irene fit part de sa conversation avec Leif Hansen et se sentit mieux à l'idée qu'elle n'était plus seule à détenir ces informations. Même si elle dut passer le reste de la journée en compagnie de ces râleurs de Hell Rockets, elle sentait qu'elle en avait terminé avec cette enquête. Mentalement, elle était déjà à Londres.

Chapitre 17

Le temps, à Heathrow, était aussi couvert qu'à Landvetter quand l'avion avait décollé le matin. Seule différence, il faisait nettement plus chaud à Londres.

Glen Thomsen attendait Irene au même endroit que la fois précédente. Une bruine tiède commença à tomber quand les deux inspecteurs se dirigèrent vers la voiture noire.

Comme d'habitude, Glen donna pêle-mêle à Irene les dernières nouvelles. Le Boucher était toujours hospitalisé, et selon les médecins son cerveau garderait des séquelles à vie. En d'autres termes, il était devenu ce qu'on appelle « un légume ». Quant au Fossoyeur, il avait repris connaissance, mais son état restait critique. Glen s'éclaircit la voix avant de demander :

— Mais vous, vous n'avez pas été blessée pendant l'accident de voiture ?

— Non, je m'en suis sortie avec des contusions et des bosses, répondit Irene, quelque peu étonnée.

— Tant mieux. Parce qu'il s'est révélé être séropositif, avec un sida assez avancé. J'avais pensé vous prévenir quand on a découvert ça, mais comme il faut attendre au moins huit semaines avant de passer le test...

Il n'était pas spécialement agréable de penser que l'homme qu'elle avait frappé était contaminé par le virus du sida, mais Irene ne se souvenait pas qu'il ou elle ait saigné après le crash de la voiture. En tout cas, elle n'avait pas eu sur elle une seule goutte de son sang à lui, et c'était là l'essentiel.

Le chauffeur de taxi, qui avait lui aussi été attaqué par les deux truands, avait enfin pu quitter l'hôpital.

– Physiquement, il a récupéré, mais psychologiquement, il reste très choqué par ce qui lui est arrivé et ne veut plus faire le taxi. Il faut dire qu'on a dû lui transfuser presque trois litres de sang ! Il devrait y avoir des poursuites judiciaires, mais vu l'état des agresseurs les choses vont sans doute traîner en longueur. Selon mon chef, vous n'aurez pas besoin de revenir en personne à titre de témoin. Votre témoignage écrit suffit. Je l'ai retranscrit au propre, vous n'avez plus qu'à le relire et y apposer votre signature.

– Pourrai-je l'emporter chez moi pour le lire à tête reposée ? demanda Irene qui préférait avoir un dictionnaire anglais-suédois sous la main, au cas où.

– Bien sûr.

Glen lui dit aussi qu'Estell avait obtenu de nouvelles réservations grâce à un nouveau partenariat avec une grande agence de voyages, intéressée, pour ses touristes scandinaves, par un hébergement agréable mais pas trop luxueux, près du centre de Londres, et à un tarif compétitif. Le petit hôtel familial de Bayswater était donc en plein essor.

Glen et sa femme, Kate, envisageaient de prendre le ferry et de sillonner la Suède en voiture, probablement pendant les deux dernières semaines de juillet et la première d'août. Les garçons étaient tout excités à l'idée de dormir sous la tente, mais Kate, qui ne voulait pas courir le risque de se réveiller dans un sac de couchage trempé, avait dit qu'elle préférerait dormir dans un *bed & breakfast*.

– Vous avez des *bed & breakfast* en Suède ? s'enquit Glen.

– Oui, mais pas autant que chez vous. En revanche, nous avons des gîtes d'un bon standing à des prix assez bas. Mais à Göteborg, vous serez nos invités, dit fermement Irene.

Glen fit un large sourire.

– Si nous venons, c'est avec les jumeaux ! la prévint-il.

– Mais ils sont les bienvenus ! Ni Jenny ni Katarina ne seront à la maison pendant ces trois semaines. Katarina va faire du bateau en Grèce, et Jenny restera avec son groupe pour préparer de nouvelles chansons et enregistrer une démo.

– Vous et votre mari n'allez pas du tout partir en vacances ?

– Si. Nous avons prévu d'aller en Crète, mais pas avant la mi-août.

– Bonne idée. Mais nous avons envie de voir le soleil de minuit. C'est vrai qu'il fait jour vingt-quatre heures sur vingt-quatre dans le nord de la Suède ?

– Oui. Le soleil ne descend jamais sous l'horizon. Mais n'oubliez pas qu'à partir de novembre jusqu'à la mi-février, ceux qui vivent là-haut ne voient plus du tout le soleil. Il fait nuit en permanence.

– Ça nous paraît tellement exotique ! s'écria Glen.

Ils retrouvèrent la voiture et prirent la direction de Londres. Les paysages annonçaient déjà l'été, et à travers la vitre de la voiture Irene aperçut des jardins débordant de fleurs. Elle comprenait mieux pourquoi les Anglais étaient fous de leur jardin. Leurs efforts étaient largement récompensés quand il commençait à fleurir si tôt dans l'année. En Suède, les nuits de gel vers la fin du mois de mai mettaient en péril les nouvelles plantations et retardaient la floraison. Irene ne comptait plus les plants de tomates et d'œillets qu'elle avait dû jeter après une nuit de gel ayant eu raison de leur vitalité.

Glen changea de sujet de conversation.

– J'ai vérifié l'alibi de Christian Lefèvre pour la nuit du meurtre. Le propriétaire du pub m'a confirmé que Christian était là le lundi soir. Ils sont un groupe de cinq hommes à se retrouver chaque lundi pour organiser des paris groupés pour la semaine. Malgré la foule qu'il y avait ce soir-là, le propriétaire du pub m'a dit qu'il aurait remarqué si l'un d'eux avait été absent, ce qui arrive rarement. Il se souvient même avoir échangé quelques mots avec Christian avant l'arrivée des autres. Visiblement, il était le premier, ce jour-là.

– Ce qui laisse Rebecka seule à la maison avec un mal de tête. Un alibi plutôt léger, décréta Irene.

– Effectivement.

– Avez-vous eu le temps de faire des recherches sur Lefèvre ou le Dr Fischer ?

– Bien sûr. Par qui voulez-vous que je commence ?

– Lefèvre.

– Bon. Il a presque trente ans, il est né à Londres d'une mère anglaise et d'un père français. Ses parents ont divorcé quand il avait cinq ans, et il est parti à Édimbourg avec sa mère. Ou plus exactement chez la sœur de sa mère, qui habitait non loin d'Édimbourg. Cette dernière était mariée à un riche Écossais, un grand propriétaire terrien qui possédait aussi plusieurs sociétés. La mère de Christian a obtenu un poste de responsable financier dans l'une des entreprises de son beau-frère. Elle avait apparemment un diplôme dans la finance. La sœur avait un fils du même âge que Christian, et les deux garçons ont grandi ensemble presque comme des frères, puisque le cousin n'avait qu'une demi-sœur beaucoup plus âgée. Son père, George St Clair, s'était marié jeune mais était alors veuf.

– St Clair ! Son entreprise s'appelle Lefèvre et St Clair. C'est donc le cousin de Christian, le fameux « associé » qui s'est installé en Écosse.

– Exactement. Avec l'informatique, on n'est pas limité géographiquement. Il est facile de vivre en Écosse et de travailler *via* Internet sur les mêmes dossiers que son associé resté à Londres. Ils ont travaillé ainsi ensemble pendant plus de deux ans. Andrew St Clair a repris le poste de son père, quand sa mère est morte. Son père, lui, était décédé quelques années plus tôt. Cela explique qu'Andrew St Clair soit aujourd'hui un des hommes les plus riches et les plus influents d'Écosse.

– Sans compter les revenus de cette boîte informatique. Elle a l'air de très bien marcher.

– Oui. Mais quand Andrew est reparti en Écosse, son intérêt pour cette entreprise informatique a diminué. Il continue à posséder sa part dans l'affaire, mais ses autres investissements lui prennent presque tout son temps. C'est sans doute pourquoi Lefèvre a commencé à chercher un nouvel associé. Quelqu'un de capable. Et il a trouvé Rebecka.

Il y eut un moment de silence, le temps pour Irene de bien intégrer ces informations.

– Pourquoi Christian est-il retourné à Londres ? Et pourquoi Andrew l'a-t-il suivi ? demanda-t-elle.

– C'est là que se trouvent les gros clients, là qu'il y a de l'argent à gagner. Et le « London branché » a toujours attiré les jeunes gens. Les deux cousins étaient très doués en informatique et pouvaient déjà mettre à profit leurs connaissances dans ce domaine. Ils sont partis pour Londres et dès qu'il ont monté leur affaire, il y a presque neuf ans, ça a marché très fort. Ils interviennent quand surgissent des problèmes informatiques nécessitant des spécialistes. Ils sont tout simplement parmi les meilleurs dans cette branche.

– Ce qui veut dire que Rebecka appartient à cette élite, fit remarquer Irene.

– Absolument. C'est peut-être pour ça que Lefèvre prend autant soin d'elle. Il sait qu'elle est unique. Il veut qu'elle aille mieux pour qu'elle puisse se remettre au travail le plus vite possible.

– Et il pense qu'elle ira mieux si on la tient à distance de gens comme vous et moi. En quoi il se trompe. Elle n'ira jamais mieux si elle ne raconte pas ce qu'elle sait. Avez-vous pu lui parler ?

– J'ai parlé à la fois à Rebecka et au Dr Fischer. Rebecka est loin d'être rétablie, et Fischer est inquiet pour elle. Il a augmenté ses doses de médicaments, mais il aimerait qu'elle retourne à la clinique. J'ai l'impression qu'il en veut à Lefèvre. Apparemment, il trouve que le Français se mêle trop de ce qui ne le regarde pas.

– Je le rejoins sur ce point. Quand Rebecka peut-elle nous rencontrer ?

– À onze heures. Au même endroit que la dernière fois. Mais j'ai vraiment dû insister. Ni Fischer ni Rebecka n'y tenaient particulièrement.

– Pourquoi cette opposition ? s'écria Irene.

– Rebecka est sans doute plus malade que nous le croyons. Son médecin ne veut pas nous dire précisément ce qu'elle a, compte tenu du secret médical, etc.

Glen ne finit pas sa phrase, car il se frayait un chemin dans un rond-point assez embouteillé. Irene n'avait pas remarqué qu'ils avaient pris un autre itinéraire que la fois précédente. À présent, ils arrivaient à Bayswater par le nord.

– Voici Paddington Station. Le train pour Heathrow part de là. Il y a un train tous les quarts d'heure dans chaque direction et, en un quart d'heure, on est à l'aéroport.

Irene vit une foule de gens se presser pour entrer ou sortir d'un grand bâtiment de pierre. Il aurait été difficile de se rappeler qui était passé là et à quel moment. En regardant la carte touristique, elle vit que la gare n'était pas loin de Notting Hill.

– Croyez-vous que Rebecka ait pu se rendre à Göteborg et exécuter les meurtres ? demanda Irene à brûle-pourpoint.

Glen réfléchit à cette possibilité, mais il secoua la tête.

– Non. Elle est malade depuis un bon moment. Son corps n'a plus aucune… force. Est-ce qu'elle sait seulement tirer ?

– Pas que je sache. Son père et son frère, eux, étaient de bons chasseurs. Mais on peut toujours le lui demander.

– Personne d'autre qui aurait eu un motif ?

– Pour l'instant, aucun suspect. Nous avons seulement cette théorie sur le travail qu'elle a fait sur Internet pour Save the Children. C'est surtout là-dessus que j'aimerais l'interroger.

Glen lui jeta un regard de côté.

– Vous croyez que cela pourrait expliquer les meurtres ? demanda-t-il.

– Oui. Parce que c'est la seule raison que nous ayons. L'autre possibilité est que nous ayons affaire à un tueur fou qui s'en serait pris à eux par hasard. Mais ça ne tient pas la route, parce que les meurtres n'ont pas eu lieu au même endroit. Et puis il y a ces pentagrammes laissés sur les lieux des deux crimes. Il faudrait imaginer un tueur fou et sataniste ! Ça fait beaucoup…

– J'ai cru comprendre que le meurtrier connaissait très bien le coin et aussi la famille.

– Oui. Et cet argument infirme l'hypothèse d'un détraqué. Les meurtres ont été soigneusement planifiés. Rien n'a été laissé au hasard.

Ils étaient arrivés devant le petit hôtel, et Glen se rangea le long du trottoir. Irene prit son sac de voyage bleu foncé et monta les marches du perron. À la réception, Estell, une paire de lunettes sans monture au bout du nez, entrait des données dans l'ordinateur. Elle leva les yeux de l'écran et sourit à la vue d'Irene :

– Ça fait plaisir de vous revoir ! Je vous ai donné la chambre à côté de celle que vous aviez la dernière fois. J'espère que cela vous conviendra. Les deux chambres sont identiques.

Elle tendit à Irene une clé et retourna à ses chiffres sur l'écran.

La chambre à côté de celle qu'elle avait occupée la dernière fois, cela voulait dire qu'elle avait de nouveau à grimper tous les étages. Irene essaya de faire contre mauvaise fortune bon cœur en se rappelant que ce genre d'exercice était bon pour la circulation sanguine, surtout après un vol en avion, bref que c'était l'idéal pour rester en forme.

La chambre était la copie conforme de l'autre, mais en miroir. Irene accrocha les quelques vêtements qu'elle avait emportés – les mêmes que la première fois – et alla à la salle de bains. Au moment de descendre pour rejoindre Glen, elle se rendit compte qu'elle avait oublié de rallumer son téléphone mobile à la sortie de l'avion.

Sur le répondeur, elle entendit la voix de Hannu lui dire qu'il la rappellerait ultérieurement, à moins qu'elle puisse le joindre dès qu'elle aurait connaissance de ce message. Elle rappela, mais il ne répondit pas. Il devait être en train d'interroger d'autres membres du gang des motards. Irene n'était pas mécontente de ne plus s'occuper d'eux pour l'instant.

Elle descendit donc les marches d'un pas alerte. Assis dans le hall pour l'attendre, Glen fumait une cigarette qu'il éteignit dès qu'il l'aperçut.

– Estell nous invite à prendre un café ou un thé dans la salle du petit déjeuner. Nous pourrons aussi avaler quelque chose avant d'aller au cabinet du Dr Fischer, dit-il.

– Cela me paraît une bonne idée.

Irene avait faim, car le petit déjeuner servi dans l'avion n'en avait que le nom, seul le café avait été correct, et on vous en resservait à volonté.

Pendant le trajet en direction d'Oxford Street, Glen mit Irene au courant des informations qu'il avait obtenues sur le Dr Fischer.

– John Desmond Fischer, cinquante-sept ans. Ses parents sont venus de New York pour s'installer ici quand il avait quatre ans. Ils étaient très aisés. Cela fait maintenant presque trente ans qu'il est psychiatre, et il possède un cabinet privé depuis vingt-cinq ans. Il jouit d'une excellente réputation, c'est le médecin le plus en vogue pour les personnes souffrant de troubles mentaux. Inutile de vous dire que ses honoraires sont très élevés et qu'il ne soigne pas n'importe qui, précisa Glen.

Elle comprenait que Rebecka n'aille pas consulter le premier psychiatre venu. Christian Lefèvre avait dû intercéder auprès du Dr Fischer pour que celui-ci accepte de la prendre en charge.

Glen poursuivit son exposé :

– Il en est à son quatrième mariage et vient d'avoir une petite fille. En comptant ses unions précédentes, ça lui fait sept enfants en tout. La plus âgée a trente-deux ans, et elle a mis six enfants au monde. À chaque fois, Fischer a épousé une femme plus jeune que la précédente. Sa dernière en date n'a que vingt-quatre ans. Mais il y a onze ans, il a eu des ennuis. L'une de ses patientes, une jeune fille de dix-huit ans, l'a accusé d'avoir outrepassé son rôle de médecin et d'avoir eu des relations sexuelles avec elle. Fischer s'en est sorti grâce à des témoignages de collègues selon lesquels la jeune fille avait des hallucinations, entre autres, d'agressions sexuelles imaginaires. Les poursuites contre Fischer ont été abandonnées. Peu après, la fille s'est pendue.

– Comment avez-vous obtenu ces informations ? s'étonna Irene.

– Dans des archives de presse. Des articles de journaux à sensation. Je n'ai rien trouvé d'autre, mais cela vaut peut-être la peine de s'y arrêter.

– Tout à fait, renchérit Irene. Il est clair que c'est un séducteur qui a un faible pour les très jeunes femmes.

Glen acquiesça.

– Je me demande bien ce qu'elles lui trouvent, à ce type rondouillard. Mais vous qui êtes une femme, vous pouvez peut-être me le dire ?

Irene haussa les épaules puis se rappela la silhouette massive de Fischer. Ses cheveux épais, son regard pénétrant et son sourire… Il irradiait une virilité et une force toute en retenue.

– Sa puissance. Il dégage une puissance. Une…

Elle chercha le mot en anglais pour dire « rayonnement », mais comme elle ne trouvait pas, elle dit :

– Une aura.

– Je comprends. Une aura que les femmes sentent. Peut-être les hommes aussi. Mais ses épouses sont jeunes. Pourquoi sont-elles attirées par lui ? Il n'est pas spécialement bel homme.

– Non, mais comme je l'ai dit, il dégage une forme de puissance… et… une aura. Peut-être que sa profession met les jeunes femmes en confiance. Il les comprend. Il sait les écouter et leur parler. Mais il a aussi un statut social. Et les finances qui vont avec. Vous m'avez vous-même dit qu'il est fortuné.

– C'est vrai. Je vois bien que je me suis trompé de métier, dit Glen avec un sourire.

Irene remarqua son beau profil et son adorable fossette quand il souriait. Lui n'avait nul besoin d'être riche ou d'avoir une position enviée dans la société pour être un tombeur.

Ils eurent plus de difficulté, cette fois, à trouver une place de parking à proximité de Grosvenor Square. L'avantage, c'était d'avoir à marcher jusqu'au cabinet médical du Dr Fischer.

La pluie avait cessé de tomber, et la fine couche de nuages laissait entrevoir un peu de ciel bleu. L'air était chaud et humide, même si le thermomètre affichait seulement vingt degrés, ce qui était déjà une température agréable. Les gaz d'échappement flottaient dans l'air comme une brume huileuse entre les maisons. Irene ôta sa veste et marcha bras nus, dans son chemisier à manches courtes. Malgré cela, elle se sentit le dos en sueur, le temps d'arriver au cabinet médical.

Ce fut un plaisir de pénétrer dans la fraîcheur du vestibule. Comme la dernière fois, John Fischer se tenait sur le seuil de la porte pour les accueillir.

– Bonjour. Je vous préviens tout de suite, vous ne pourrez pas lui parler longtemps. Elle n'est pas bien du tout, annonça-t-il aussitôt sans autre préambule.

Ils traversèrent donc rapidement la salle d'attente et furent introduits dans la même pièce que la fois précédente.

Toujours vêtue de son tailleur noir, Rebecka était aujourd'hui encore prostrée dans le même fauteuil près de la fenêtre. Elle avait seulement échangé son polo blanc contre un top en soie blanche.

Irene eut un choc en s'approchant. En quinze jours, Rebecka avait vieilli de dix ans. Ses cheveux étaient sales et ternes, sa peau grisâtre. Ses yeux paraissaient exorbités dans le visage qui avait comme fondu. Mais le pire, c'était son regard. L'autre fois, Irene avait vu une angoisse sourde danser au fond de ses yeux. Rebecka avait manifesté des émotions, alors que maintenant son regard était vide, comme mort. On aurait dit qu'un épais voile gris s'était abattu sur la jeune femme dans le fauteuil. Cette impression ne fit que se renforcer quand ils essayèrent de lui parler. Aucun mot ne parut traverser le cocon dans lequel elle se trouvait, mais voulait-elle seulement en sortir ? Rebecka ressemblait à une poupée sans vie.

– Rebecka va très mal. Autant dire que je n'apprécie guère votre visite, déclara le docteur sur un ton glacial.

Il caressa sa courte barbiche en pointe. Irene et Glen se regardèrent, dubitatifs quant à la démarche à suivre en de telles circonstances. Rebecka n'avait eu aucune réaction quand ils l'avaient saluée. Irene lui prit la main dans l'espoir d'attirer son attention, mais celle-ci était molle et froide. Alors, au lieu de la relâcher, elle commença à la masser doucement. Puis, d'un ton hésitant, elle lui parla en suédois.

– Je sais que vous avez dans la tête des images horribles. J'ai parlé avec Lisa Sandberg de Save the Children. Elle m'a expliqué le travail formidable que Christian et vous avez effectué pour mettre au jour un réseau pédophile. Elle dit que la plupart des personnes qui se sont occupées de cette affaire ont été très angoissées par la suite. Les images étaient, semble-t-il, les pires qu'elles aient jamais vues.

Irene sentit la main de Rebecka trembler, mais le mouvement était si imperceptible qu'il pouvait être un effet de son imagination. Encouragée, elle poursuivit :

– Vous n'êtes donc pas toute seule à avoir vu ces photos et ces films terribles. Ce n'est pas étonnant si…

Irene s'interrompit quand Rebecka retira sa main et la pressa contre sa poitrine avec l'autre main. Son regard restait fixé sur le sol, quelque part à côté des élégantes chaussures du Dr Fischer. Comme atteinte de catalepsie, elle garda cette position, sans même cligner des yeux. Le silence retomba dans la pièce. Irene sentit monter une vague de désespoir, tant Rebecka paraissait hors d'atteinte. Aurait-elle fait ce voyage à Londres pour rien ? À défaut d'avoir une meilleure idée, elle décida de continuer à parler à Rebecka en suédois.

– Vous avez raconté, je pense, à vos parents, ce que Christian et vous avez découvert sur Internet. Vous en avez aussi parlé à Jacob ?

Irene marqua une pause pour permettre à Rebecka de réagir.

Au début, Rebecka ne donna pas l'impression d'avoir entendu, car elle resta parfaitement immobile. Irene regarda Glen en haussant les épaules, dans un geste d'impuissance. Soudain, Rebecka poussa un faible gémissement. Irene se pencha vers elle et essaya de croiser son regard, mais c'était impossible. Rebecka gardait obstinément les yeux rivés au sol, essayant de former un son avec les lèvres. Et elle parvint à dire, de façon à peine audible :

– Non.

Ses lèvres étaient toutes sèches et gercées. Aux commissures, elle bavait d'une salive jaunâtre. Sa langue pâteuse peinait à bouger dans cette bouche desséchée. Irene se concentra de son mieux pour ne rien dire qui pût effrayer Rebecka et la faire retomber dans son silence et sa léthargie. Doucement, elle demanda :

– Quand vous dites non, Rebecka, vous voulez dire que vous ne l'avez raconté ni à vos parents ni à Jacob ?

– Non, répondit-elle à tout bas.

Par précaution, Irene précisa :

– Vous n'avez donc pas parlé du réseau de pédophiles à votre famille ?

– Non, répéta-t-elle dans un murmure.

Rebecka n'avait pas bougé pendant ce bref échange, mais elle tourna alors la tête vers Irene. Leurs regards se rencontrèrent, et Irene sentit son cœur battre très fort. Le regard de Rebecka recouvrait un abîme sans fond.

– Non, répéta Rebecka.

En vain, elle essayait d'avaler une salive absente.

– Elle était… malade. Il fallait que je… la protège, parvint-elle difficilement à dire.

Un tremblement parcourut tout son corps et elle enfouit son visage dans ses mains.

Très lentement, elle commença à se balancer d'avant en arrière en murmurant :

– C'est ma faute. Tout est… ma faute.

Irene se sentit désarçonnée.

– Maintenant, ça suffit. Vous voyez bien que vous n'arrivez à rien et que vous la faites souffrir inutilement, intervint le Dr Fischer.

269

Irene lança un regard à Glen qui secoua la tête, aussi désemparé qu'elle. Rebecka continuait à se balancer doucement, le visage dans ses mains, mais elle avait cessé de trembler. *Ce n'est peut-être pas une bonne idée de pousser plus loin l'entretien aujourd'hui*, se dit Irene.

Soudain, une femme forte aux cheveux gris apparut sur le seuil. Irene ne l'avait pas entendue venir malgré son poids imposant. Elle portait une veste d'été beige, comme si elle venait de l'extérieur. Elle avait donc les clés du cabinet médical.

– C'est bien, Marion. Nous allons conduire Rebecka directement à la clinique, dit Fischer.

Sans saluer les policiers ni même leur accorder un regard, Marion s'avança vers Rebecka. Elle portait des chaussures de jogging, ce qui expliquait qu'Irene ne l'ait pas entendue s'approcher. La femme passa délicatement le bras de Rebecka autour de sa nuque et aida la jeune femme à se mettre debout. Rebecka était si grande que la femme lui arrivait à peine aux épaules. Mais en glissant l'autre bras autour de sa taille, cette dernière réussit à traîner le corps sans résistance de Rebecka jusqu'à la porte. Sans tourner la tête, elle lança au médecin :

– La voiture est devant la porte.

– J'arrive tout de suite, dit-il.

Il rassembla ostensiblement quelques documents épars sur son bureau et les fourra dans un élégant porte-documents de couleur fauve en cuir souple. Puis il adressa un regard aux policiers en leur indiquant de sortir.

– S'il vous plaît…

Quelle relation cet homme avait-il réellement avec Rebecka ? Connaissant son goût pour les jeunes femmes, on ne pouvait s'empêcher de le soupçonner d'avoir eu des rapports sexuels avec elle. Mais cela ne paraissait guère compatible avec l'état général de Rebecka. Une pensée vint frapper Irene : et si Rebecka était seulement droguée ? Le docteur pouvait parfaitement, sous couvert de soins, la forcer à prendre des psychotropes à haute dose…

Les pensées se bousculaient dans sa tête tandis qu'elle redescendait les quelques marches dans le vestibule frais, et elle les examina une par une dans l'espoir d'y voir plus clair. Une voiture noire démarra au moment où Glen et elle sortaient. Irene eut le temps d'apercevoir le pâle visage de Rebecka à l'arrière. À ses côtés était assis le Dr Fischer.

Irene fit part de ses doutes à Glen, parvenu lui aussi à cette conclusion : Rebecka était vraiment malade, mais le comportement de son médecin était de nature à éveiller des soupçons.

Il était l'heure de déjeuner et de parler de tout cela calmement, pensa Irene, lorsque la Marseillaise se mit à retentir dans la poche de sa veste. Elle se dépêcha de sortir son téléphone mobile.

– Allô ?

– C'est Hannu. J'ai essayé de te joindre plus tôt ce matin, mais tu devais être dans l'avion.

Irene marmonna quelque chose pour éviter d'avouer qu'elle avait oublié de rallumer son téléphone.

– J'ai trouvé quelque chose, dit Hannu.

Irene retint son souffle.

– Il n'y a aucun Christian Lefèvre ni aucune Rebecka Schyttelius sur la liste des passagers, j'ai vérifié tous les départs à partir de tous les aéroports, ces fameux lundi et mardi. Mais une personne a passé la nuit à Göteborg et a fait exactement le trajet auquel tu penses. Quelqu'un qui a décollé de Heathrow à dix-neuf heures vingt, lundi soir, et qui est revenu mardi matin à sept heures dix. De plus, cette personne a réservé une voiture de location chez Avis, une Volkswagen Polo, couleur bleu nuit.

Irene se sentit la bouche sèche. La décalcomanie aperçue par le propriétaire du chien sur la vitre arrière de la voiture pouvait parfaitement correspondre à une publicité pour Avis.

– Son nom ? parvint-elle à demander d'une voix blanche.

– Andrew St Clair.

Hannu lui donna l'information qu'il avait reçue de la compagnie d'aviation. Irene sortit son calepin et le nota.

Glen lui jeta un regard interrogatif quand elle raccrocha.

– Bonnes ou mauvaises nouvelles ?

Elle le regarda et répondit :

– Je ne sais pas. Ou peut-être…

Elle se ressaisit et lui fit part de ce que Hannu venait de lui apprendre. Glen resta silencieux. Enfin, juste une minute.

– Andrew St Clair ! L'un des hommes les plus riches d'Écosse…
Pourquoi prendrait-il l'avion pour Göteborg dans le seul but
d'assassiner la famille de Rebecka ?

Glen et Irene choisirent un petit restaurant indien non loin de
Whiteley's. Irene avait autre chose en tête, à présent, que faire
du shopping dans ce centre commercial. C'est tout juste si elle
apprécia la bonne odeur et la saveur du poulet tandoori qu'on
leur servit.

– Le numéro de la pièce d'identité sur la liste de la compagnie
d'aviation correspond à celui d'Andrew St Clair. Il a presque un
an de plus que Christian, précisa Glen.

Il regarda attentivement le papier où Irene avait noté le nom et
son visage s'éclaira :

– Ça me revient, maintenant ! J'ai vu son nom quand j'ai fait
mes recherches dans les colonnes people des journaux. Il va bientôt se marier. Il y avait un grand article sur son prochain mariage,
qualifié de « mariage de l'année » dans la haute société.

– Cela n'explique rien. Pourquoi un riche Écossais irait-il à
Göteborg pour tirer sur trois parfaits étrangers ? s'interrogea Irene.

Glen la regarda un moment.

– Qui nous dit que ce sont de parfaits étrangers pour lui ?

– Effectivement, on n'en sait rien, admit Irene après avoir
réfléchi.

– Il n'y a qu'une chose à faire, dit Glen avec fermeté.

– Quoi donc ?

– Le lui demander.

Cet après-midi-là, Irene vaquerait de son côté tandis que Glen
verrait avec son patron les modalités pour poursuivre une enquête
qui se compliquait sérieusement. Avant de se séparer, Glen et
Irene convinrent de se retrouver au Vitória à dix-huit heures.

Lors de sa première visite, Irene avait déclaré à Glen ne pas
s'intéresser aux vieilles pierres, un bâtiment avait néanmoins retenu
son attention dans la brochure touristique qu'elle avait feuilletée à
l'hôtel. L'idée était de se promener en silence à l'intérieur d'un vaste
monument pour prendre le temps de rassembler ses esprits, tout en
se familiarisant avec le patrimoine architectural de l'Angleterre.

Elle se trouva courageuse de prendre l'Underground, autrement dit le métro londonien. Jusqu'ici, elle ne connaissait que le métro de Stockholm. Avec tous les panneaux lumineux, cela se révéla beaucoup plus facile qu'elle ne le pensait. Elle sortit sans aucun problème à la station St Paul's et se retrouva à la lumière du jour tout près de la célèbre cathédrale.

La brochure de l'hôtel qualifiait la cathédrale St Paul d'« impressionnante ». C'était le moins qu'on puisse dire. Pour le reste, ce n'était pas le lieu idéal pour se livrer à une contemplation solitaire, car il y avait foule. Les splendides coupoles d'une hauteur inouïe firent qu'Irene se sentit minuscule et insignifiante.

Elle osa se mêler à un groupe de touristes avec un guide parlant anglais. Il évoqua l'histoire de la cathédrale. Les premières pierres avaient été posées en 604 après Jésus-Christ sur l'ordre du roi Ethelbert, le premier roi anglais à se faire baptiser. On y adjoignit une cathédrale, que les Vikings brûlèrent en 961. Irene se sentit presque coupable de la conduite barbare de ses ancêtres. D'autres catastrophes affectèrent le monument au fil des siècles, surtout le grand incendie de 1666 qui détruisit la cathédrale. Mais il permit à Christopher Wren de construire le chef-d'œuvre de sa vie, la nouvelle cathédrale St Paul.

Irene se promena pendant plusieurs heures, admirant les peintures murales et, au plafond, les statues et les bas-reliefs. Elle dut reconnaître qu'elle se sentait non seulement écrasée devant tant de grandeur et de beauté, mais aussi fascinée. Elle acheta un paquet de cartes à la boutique de souvenirs qui stipulait que les recettes allaient à la conservation de l'église.

Il était temps de retourner à l'hôtel. Elle voulait se rafraîchir avant de rencontrer Glen et Donna. Cette fois, pas question de s'endormir dans la baignoire.

Donna lui souhaita la bienvenue avec autant de chaleur que la fois précédente. Elle était magnifique dans une tunique turquoise décolletée portée sur une jupe noire qui lui arrivait aux chevilles. Un beau collier en argent avec des turquoises soulignait sa peau mate. Ses cheveux gris étaient relevés négligemment en un chignon aéré, et elle avait choisi des boucles d'oreilles assorties au collier. Donna était une femme d'une extrême féminité.

– Alors, que devient mon beau et grand policier ? demanda-t-elle d'un ton provocant en adressant un clin d'œil à Irene.

– Le seul à prendre bientôt sa retraite, c'est mon chef. Mais il n'est ni grand ni beau, répondit Irene sur un ton d'excuse.

– Mais est-ce qu'il est en bonne santé ? voulut savoir Donna qui n'abandonnait pas la partie si facilement.

– Pas vraiment…

– Peu importe, faites-le donc venir ici ! À mon âge, on n'est pas si regardant, répliqua Donna en riant.

Au bar, un homme distingué se retourna et regarda Donna. Ce regard – d'après ce qu'Irene pouvait en juger – indiquait que Donna avait encore le droit de se montrer sélective…

Glen arriva peu après. Avant d'engager sérieusement la conversation, ils commandèrent des vodkas-Martini en apéritif, puis tous deux optèrent pour une soupe d'écrevisses suivie de kebabs d'agneau, servis avec une sauce pimentée et des quartiers de pommes de terre. Quand les verres de Martini furent sur la table, ils purent enfin parler.

– Mon chef est devenu fou quand je lui ai dit qu'Andrew St Clair apparaissait dans notre enquête. Les patrons détestent qu'il y ait des personnalités mêlées à ce genre d'affaires. Mais il a compris qu'il n'avait pas le choix. Alors il a appelé St Clair. Ou plus exactement sa secrétaire. St Clair a demain des réunions d'affaires toute la matinée, mais il pourra nous rencontrer après le déjeuner. Mon chef a communiqué à sa secrétaire mon numéro de mobile, mais ni elle ni St Clair n'ont encore cherché à me joindre. Je nous ai réservé un vol du matin pour Édimbourg. Nous reprendrons l'avion à cinq heures pour Heathrow. Comme ça, vous aurez largement votre avion, le soir, pour Göteborg.

Quelque chose dans ce planning fit penser Irene à un détail.

– Avez-vous vérifié si St Clair a pris l'avion d'Édimbourg à Londres ?

– Oui. Je n'ai retrouvé son nom sur aucun vol. Il est peut-être venu en voiture.

Chapitre 18

Ils atterrirent à l'aéroport international d'Édimbourg, situé à l'ouest de la ville. Comme il leur restait quelques heures avant de rencontrer Andrew St Clair, ils décidèrent de s'attarder un peu et de manger un morceau sur place. Des croissants chauds et du café, voilà qui fut délicieux après le petit déjeuner spartiate servi dans l'avion.

À peine s'étaient-ils assis que le téléphone mobile de Glen sonna. La conversation fut brève, mais très courtoise. Quand il eut raccroché, il déclara :

– C'était la secrétaire de St Clair. Nous sommes invités à venir déjeuner chez lui à une heure.

– Pardon ?

– Chez lui, à Rosslyn Castle.

– Il habite dans un château ?

– Bien sûr.

Glen fit un large sourire. D'un air faussement solennel, il sortit un morceau de papier de la poche de son veston et s'éclaircit la voix, comme tout conférencier qui se respecte.

– Kate m'a aidé à rassembler d'autres informations. Nous avons plusieurs livres à la maison sur l'histoire de l'Écosse et, entre autres, sur les différents clans écossais. Elle a pris des notes sur ce papier, mais j'ai à peine eu le temps d'y jeter un coup d'œil. Je n'ai pas voulu le lire dans l'avion, au cas où quelqu'un aurait pu voir de qui il s'agissait. Discrétion absolue, comme me l'a répété mon patron hier.

Il prit une grosse bouchée de son croissant qu'il avala avec une gorgée de café tout en parcourant son bout de papier du coin de l'œil. Après un moment, il reprit :

– La famille St Clair remonte au xve siècle. Elle descend du puissant comte d'Orkney et de sir William St Clair. Le comte avait fait construire le château, et sir William une célèbre église. La famille possède encore de grands terrains autour de Pentland Hills. George, le père d'Andrew, avait le sens des affaires et a investi dès le départ dans l'industrie pétrolière. Avant cela, ils avaient fait fortune dans les fabriques de laine et de tweed.

– Dans ce cas, ils ont peut-être tissé eux-mêmes le motif de tartan pour leur clan depuis le xve siècle ? ironisa Irene.

Cela fit rire Glen qui avala son café de travers. Irene lui donna une tape dans le dos, qui le soulagea.

– Il faut dire que nous autres, Écossais, avons au moins réussi à être connus pour cela ! dit-il.

Irene ne voyait pas ce qu'il y avait de drôle. Si ce n'est qu'un homme à la peau mate, et semblait un cacatoès perdu au milieu de moineaux dans ce café, était assis en face d'elle et avait dit « nous autres, Écossais ».

– Cette tradition de tartans pour les différents clans passe pour être authentique chez les Écossais. En réalité, c'est un tisserand originaire de Lancashire qui a lancé l'idée au xixe siècle. Dans les beaux salons, les femmes distinguées choisissaient un motif auquel elles donnaient le nom de leur famille. Elles devaient sans doute passer une commande très importante pour obtenir l'exclusivité du motif. C'était une idée extraordinaire, et du coup tout le monde a voulu faire pareil !

Irene sourit, mais elle était déçue. Comme la plupart, elle avait cru que les Écossais avaient lutté pour leur liberté en portant les tartans de leurs clans comme dans le film *Braveheart*. Mais l'un des soldats du film avait des Nike aux pieds lors de sa participation à l'une des nombreuses scènes de bataille sanglantes. Elle avait même cru apercevoir un caleçon blanc de la marque Jockey sous un des kilts. Le moins qu'on puisse dire, c'est que les films de Hollywood n'étaient pas des modèles de rigueur historique.

– Votre père était d'Édimbourg ? demanda Irene par pure curiosité.

— Non, d'Ayr, sur la côte ouest. Mais on lui rendait rarement visite. Sa famille n'avait pas apprécié qu'il ait épousé une femme de couleur. Et encore moins qu'ils aient des enfants.

Irene comprit que le sujet était sensible et ne posa pas d'autres questions.

— Mary, la demi-sœur d'Andrew St Clair, est mariée à un noble espagnol extrêmement riche. Et elle aussi a hérité d'une certaine somme à la mort de son père. Andrew est le seul héritier mâle et il gère un empire. C'est sans doute pour assurer sa descendance qu'il se marie cet été.

— Je vois.

Ils se levèrent de table et allèrent au comptoir Avis. Glen avait réservé une Rover. On leur en donna une rouge, le changeait de la sienne qui était noire.

— Ça vous dirait de découvrir un peu Édimbourg ? fit-il.

— Bien volontiers.

Édimbourg se révéla une ville magnifique. Des bâtiments bien entretenus, de jolies rues, des places accrochées au flanc de hautes collines. Il y avait de larges avenues et, en des lieux inattendus, des escaliers. Ils grimpèrent jusqu'au château d'Édimbourg, trônant au sommet d'une haute falaise, et garèrent la voiture devant.

Glen eut un geste large de la main.

— Voici l'Esplanade. C'est ici qu'avaient lieu autrefois les exécutions, de nos jours c'est le lieu du populaire Military Tattoo. Chaque année, en août, se tient ici un festival avec une parade où des joueurs de cornemuse défilent tous en kilts. Les touristes adorent ça.

Ils se promenèrent, profitant de la vue magnifique sur la ville. Ils avaient de la chance, le temps était clair et ensoleillé. Mais le vent qui sifflait à leurs oreilles était glacial. Si Irene avait eu trop chaud à Londres avec sa veste fourrée, celle-ci n'était pas de trop ici. Un pull chaud aurait même été le bienvenu. Après cette balade dans le vent mordant, elle fut heureuse de retrouver l'abri de la voiture.

— Quelle est la distance d'ici à Rosslyn Castle ? se renseigna-t-elle.

Glen déplia la carte qu'Avis leur avait donnée.

— Je dirais vingt à trente kilomètres, répondit-il en posant un doigt sur un point au sud-ouest d'Édimbourg. Il faut prendre la

277

direction de Penicuik. Je suggère qu'on se mette en route et qu'on admire les environs du château.

– Alors allons-y.

Irene n'avait aucune idée de ce qu'était Penicuik, elle n'arrivait d'ailleurs même pas à prononcer ce nom. Mais l'essentiel était de ne pas rester dehors, exposée au vent.

Rosslyn Castle était lui aussi juché sur une colline – mais moins élevée que celle du château d'Édimbourg –, au milieu de vastes champs et de prairies. Des touches de vert pointaient çà et là, et des moutons broutaient dans les prés. Derrière le château s'élevaient des hauteurs qui, selon la carte dépliée sur les genoux d'Irene, se nommaient Pentland Hills.

Avant de s'engager dans l'allée du château, ils passèrent devant une ravissante église ancienne, indiquée par un panneau comme étant Rosslyn Chapel.

Glen désigna les épais murs de pierre de la chapelle ainsi que la façade richement décorée.

– Voici l'église construite par sir William. Dix barons St Clair sont enterrés ici dans leurs armures.

Le jour où il en aura assez de travailler pour la police, Glen fera un bon guide, pensa Irene. Quelle chance de tomber sur un collègue désireux de lui faire mieux connaître son pays ! Sans la présence de Glen, jamais elle n'aurait appris autant de choses sur Londres et Édimbourg en si peu de temps.

Une haute haie de conifères marquait le début de l'allée, et derrière une grille en fer forgé se dressait une vaste demeure en pierre. Glen freina et gara la voiture.

– Venez, dit-il en sortant.

Intriguée, Irene lui obéit.

Debout devant la grille, il lui montra du doigt une boîte à lettres en laiton où l'on pouvait lire « Lefèvre », en lettres ouvragées.

– Ce doit être la maison d'enfance de Christian, supposa Glen.

Il appuya sur la poignée dorée, et la grille tourna en grinçant sur ses gonds.

– Eh bien, notre arrivée sera tout sauf discrète, fit-il remarquer.

Le jardin de l'autre côté de la haie était étonnamment grand. Irene le trouva très beau en l'état, avec son petit air d'abandon.

Un râteau avait été oublié contre le tronc d'un arbre fruitier, un grand panier en osier traînait un peu plus loin dans l'herbe haute. Un simple sentier en gravillons qui crissaient sous leurs semelles menait à la porte d'entrée.

Les murs extérieurs en pierre grise et le toit en ardoise conféraient à la demeure un aspect sinistre. Les fenêtres étroites renforçaient cette impression. Seul un splendide lierre grimpant venait en égayer la façade.

Quand ils furent presque arrivés à la porte, celle-ci s'ouvrit lentement, et une silhouette apparut dans l'embrasure.

– Qui êtes-vous ? interrogea une voix de femme.

– Inspecteurs de police Huss et Thomsen, répondit Glen.

Il afficha son sourire le plus engageant et montra sa carte de police.

– Nous avons rendez-vous avec Andrew St Clair tout à l'heure, mais comme nous sommes un peu en avance, nous pensions voir un peu les environs. Vous êtes madame Lefèvre ?

La porte s'ouvrit davantage, et la femme sortit sur le perron. Irene fut surprise de voir une personne d'allure si juvénile. Elle devait pourtant avoir la cinquantaine, mais elle était de petite taille – arrivant à peine à la hauteur des épaules d'Irene – avec un corps svelte. Son attitude guindée – elle avait le dos raide comme si elle avait avalé un parapluie – montrait qu'elle se tenait sur ses gardes. Ses cheveux courts teints en châtain auburn soulignaient ses yeux en amande marron foncé. Cette coloration et sa robe, visiblement de chez un grand couturier, ne correspondaient guère à l'idée que se faisait Irene d'une Écossaise. On aurait plutôt dit une Française, mais Irene se souvint que son ex-mari était français, et elle anglaise. Sa présence sur le perron de cette sombre demeure, dans le vent glacial de l'Écosse, avait quelque chose de déplacé, d'irréel.

La femme croisa les bras sur sa poitrine, comme pour se protéger du froid – ou des deux visiteurs.

– Oui, je suis Mary Lefèvre. Qu'est-ce que vous me voulez ?

– Rien de particulier, répondit Glen en souriant. Je vous présente ma collègue Irene Huss, qui vient de Suède. Elle enquête sur le meurtre des parents et du frère de Rebecka.

Un éclair brilla dans les pupilles sombres de la femme. Glen dut aussi le remarquer, car il enchaîna :

– Pouvons-nous entrer pour vous poser quelques questions ?

– J'ai un avion à prendre… j'étais seulement passée prendre mon sac, déclara Mary Lefèvre.

Elle ne fit pas le moindre effort pour cacher sa mauvaise volonté.

– Nous devons être chez votre neveu à une heure, alors ce sera assez bref, dit Glen toujours en souriant, mais d'un ton n'admettant pas de réplique.

D'un geste résigné, elle leur fit signe d'entrer.

Ils se retrouvèrent dans un grand hall aux boiseries sombres. Un étage plus haut, le plafond blanc était traversé par des poutres de la même couleur que les boiseries. À côté de la porte, un large escalier de pierre menait à l'étage supérieur. La rampe se poursuivait en une balustrade qui faisait le tour du hall d'entrée. De la galerie, on pouvait facilement surveiller qui entrait ou sortait. Irene essaya de mieux voir le premier étage. Mais derrière la balustrade, elle n'aperçut que des portes fermées.

Au bout du hall, trônait une grande cheminée en granit. Elle était si grande qu'une personne comme Mary Lefèvre aurait pu s'y tenir debout. Soit Irene et Glen n'avaient pu s'empêcher de manifester leur surprise à la vue d'une cheminée si impressionnante, soit Mary Lefèvre avait anticipé leur réaction, toujours est-il qu'elle leur dit :

– Oui, elle est vraiment splendide, mais je ne m'en sers jamais. Elle consomme énormément de bois et ne chauffe guère. Les cheminées plus petites sont beaucoup plus efficaces, il y en a dans chaque pièce. J'ai aussi fait installer le chauffage central, sinon je mourrais de froid en hiver.

Irene imaginait parfaitement la température qu'il devait faire ici en hiver, surtout par mauvais temps. Cela expliquait la taille réduite des fenêtres.

Mary les introduisit dans une salle de séjour étonnamment lumineuse et agréable. La lumière entrait par de larges baies et des portes-fenêtres qui paraissaient assez récentes. Le mobilier, moderne, était dans des tons clairs.

– Asseyez-vous, je vous en prie, dit Mary qui préféra rester debout, le dos tourné à la baie vitrée, les bras toujours croisés sur la poitrine, tandis que les policiers devaient s'asseoir sur le canapé blanc de forme rectiligne, placé face à la baie.

Glen engloba d'un geste vague de la main tout ce qui l'entourait.

– C'est vraiment une vieille demeure de toute beauté.

– Oui. Elle remonte au XVIIIe siècle, répondit Mary.

– C'est un cadre exceptionnel pour élever des enfants. Christian vient souvent vous rendre visite ? poursuivit Glen sur un ton anodin.

– Cela lui arrive.

– Quand est-il venu vous voir pour la dernière fois ?

Mary réfléchit un instant avant de répondre :

– En mars.

– Avez-vous eu l'occasion de rencontrer Rebecka Schyttelius ?

Ils distinguaient mal l'expression de son visage à contrejour, mais Irene vit la fine silhouette se raidir avant que Mary ne réponde :

– Une fois. À Noël. Elle est venue avec lui.

– Christian et elle forment donc un couple ?

– Non !

La réponse cingla comme un violent démenti.

Glen ne dit rien mais leva les sourcils, ce qui produisit l'effet escompté. Mary Lefèvre comprit qu'elle leur devait une explication.

– Elle a été malade à l'automne et n'avait pas la force de rentrer en Suède pour Noël. Et comme Christian ne voulait pas la laisser seule à Londres, il l'a amenée ici.

– Je comprends. Quelle impression vous a-t-elle fait ?

Cette fois, le silence de Mary dura plus longtemps.

– Elle était très peu… bavarde. Il était difficile d'entrer en contact avec elle.

– C'est exactement l'impression que nous avons eue nous aussi. Elle est vraiment très malade. Le meurtre de sa famille a bien sûr aggravé son état, dit Glen.

Soudain, il se fendit de son plus charmant sourire. *Toujours la même stratégie*, pensa Irene.

– D'ailleurs, comment s'appelle la petite amie de Christian ?

La silhouette tressaillit, et Mary répondit d'une voix rauque et tendue :

– Je ne sais pas. Vous n'avez qu'à le lui demander.

– C'est ce que nous allons faire.

Glen, sans se départir de son sourire, avait durci le ton.

– Bon, je crois qu'il est temps de nous mettre en route si nous ne voulons pas arriver en retard au château. Merci d'avoir accepté de nous recevoir. Voici ma carte, si jamais vous avez des questions ou si quelque chose vous revient.

Toujours avec le même sourire amical, Glen se leva du canapé, et Irene fit de même. Telle une somnambule, Mary Lefèvre s'avança vers la porte, sans un seul regard pour Glen ou Irene, et l'ouvrit d'un geste mécanique.

Elle paraissait effrayée, voire bouleversée. Pourquoi ? Il était évident que Glen s'était aventuré sur un terrain miné, mais la réaction de Mary Lefèvre n'en paraissait pas moins excessive.

Au moment de prendre congé, Glen tendit une main que Mary fit mine de ne pas voir. À moins que ce ne fût réellement le cas. Difficile à dire.

– Pourquoi avez-vous tenu à parler avec la mère de Christian ? questionna Irene.

Ils remontaient en voiture l'allée conduisant à la colline surmontée du château majestueux.

– Justement parce qu'elle est la mère de Christian, répondit Glen, laconique.

Il y avait là une certaine logique, reconnut Irene. Cela avait été un interrogatoire bref, mais riche en enseignements. Ils auraient le temps de l'analyser plus précisément sur le chemin du retour.

Après avoir franchi la grille ouverte dans le mur d'enceinte, ils se trouvèrent dans la cour du château et garèrent leur voiture rouge de location à côté d'une Porsche noire flambant neuve. Les graviers de la cour, polis par des siècles de pas, étaient glissants. Flanqué de deux ailes, le château aux murs de pierre grise et au toit d'ardoise occupait trois côtés de la cour. Des tours s'élevaient aux coins extérieurs, avec des tourelles qui évoquaient un peu le château de la Belle au bois dormant – une impression d'ailleurs renforcée par le lierre grimpant. Quelques arbres splendides et de grands massifs de roses apportaient une touche de verdure à ce cadre où dominait la pierre nue.

Face à eux, le corps principal du château débordait légèrement sur les ailes. La porte en bois massif ne leur parut guère accueillante.

– Ici, il faut un heurtoir pour frapper à la porte, fit observer Glen.

Ils s'approchaient de cette porte d'entrée quand quelqu'un leur cria :

– Hé, c'est par ici !

Tous deux s'arrêtèrent pour tenter de localiser la voix. Irene aperçut un homme sur le seuil de la porte de l'aile ouest qui leur faisait signe de la main. Ils n'avaient fait que quelques pas quand Irene s'arrêta net : Christian Lefèvre se tenait sur le pas de la porte. Mais en s'approchant, elle vit qu'elle s'était trompée. Ce n'était pas Christian, mais son cousin. La ressemblance était frappante.

Andrew St Clair était un peu plus grand et plus fort que Christian, mais il avait les mêmes cheveux bruns attachés en queue-de-cheval. Il observa ses visiteurs de ses yeux marron derrière des verres ronds de myope. On aurait pu prendre les cousins pour des frères. Les deux sœurs avaient dû beaucoup se ressembler pour que leurs enfants soient à ce point semblables. Toutes deux brunes aux yeux marron, bien qu'elles fussent anglaises. Irene s'était attendue à ce qu'un noble écossais soit roux, avec des taches de rousseur et des oreilles décollées, le stéréotype de l'Écossais vu par un Suédois. Ce n'était pas la première fois au cours de cette enquête qu'elle voyait ces clichés sur l'apparence des Anglais – ou des Écossais – battus en brèche.

St Clair portait un pull tricoté en laine rouge vif avec un petit logo sur la poitrine qu'Irene reconnut sans pouvoir dire où elle l'avait déjà vu. Un col blanc ressortait de l'encolure en V ainsi qu'une cravate à rayures bleues et rouges. Son pantalon à carreaux en fine laine était visiblement de très grande qualité, tout comme ses chaussures élégantes.

– Tout le monde se trompe de porte, la première fois. Bienvenue à Rosslyn Castle, dit Andrew St Clair.

Il semblait vraiment penser ce qu'il disait et leur serra chaleureusement la main avant de les introduire dans la maison.

Il faisait agréablement chaud dans le hall d'entrée, très semblable à celui de la maison de Lefèvre, sauf qu'il était beaucoup plus vaste. St Clair les débarrassa de leurs vestes qu'il accrocha dans une grande armoire aux portes sculptées. Les motifs représentaient des scènes de chasse avec des chiens et des cerfs bondissants.

– Seule cette partie du château est habitée. J'ai ici tout le confort moderne. J'ai gardé les cheminées et les poêles en faïence, mais au rez-de-chaussée j'ai fait retirer les vieilles dalles de pierre et installer le chauffage au sol. Puis j'ai fait remettre les dalles à leur place.

Sa voix trahissait la fierté qu'il éprouvait de cette prouesse, et ce à juste titre. Cela avait dû prendre un temps considérable, et Andrew St Clair n'avait sûrement pas mis beaucoup la main à la pâte, même s'il le laissait sous-entendre. Tout en les précédant, il raconta à Glen et à Irene des anecdotes sur le château pour les mettre à l'aise. Il avait la parole facile et se montrait charmant. Là était la principale différence entre lui et son cousin – sans parler de sa tante.

– L'aile en face est la plus ancienne partie du château. Elle a été construite à la fin du xve siècle, et reconstruite après un incendie, deux cents plus tard, soit à la fin du xviie siècle. C'est à cette époque qu'on a construit le bâtiment principal, de même que la maison du gardien à l'entrée de l'avenue. Mon grand-père a commencé la rénovation que mon père a achevée. Mais nous avons toujours veillé à respecter le style du château.

Il les conduisit à travers de vastes pièces avec des tentures en soie à rayures rouge et or, ornées de tapisseries monumentales. Pénétrant par de hautes fenêtres, la lumière était filtrée par de magnifiques vitraux qui illustraient l'histoire de la famille et ses différents blasons. Au fur à mesure qu'ils avançaient dans la pièce, Andrew St Clair leur commenta chaque vitrail. Des portraits sombres dans des cadres dorés les regardaient fixement, au milieu de boucliers et d'épées anciens. Parmi le mobilier apparaissait le long des murs, ici et là, une armure, telle un fantôme. De lourds cabinets en bois sombre ouvragé portaient parfois des incrustations en or. Tous ces meubles paraissaient si anciens qu'Irene se crut dans un musée où leurs pas résonnaient sur les dalles de pierre. Comme s'il devinait ses pensées, leur hôte poursuivit :

– J'ai fait placer les meubles les plus beaux et les plus anciens dans ces pièces-ci. Cela les abîme de rester dans des lieux froids et humides, et il se trouve que je ne chauffe pas les parties inoccupées du château. Mais nous voici arrivés à la salle de séjour.

Il ouvrit un battant d'une grande double porte et les pria d'entrer.

C'était une pièce immense, et Andrew St Clair avait fait remplacer presque tout le mur du fond par une extension close de baies vitrées.

– Venez admirer la vue que l'on a d'ici, leur dit-il.

Ils traversèrent la pièce au sol recouvert de tapis persans et s'approchèrent de l'immense baie qui arrivait jusqu'au bord de la falaise. La perspective sur les prairies et les champs alentour, avec les Pentland Hills en arrière-plan, était splendide.

– C'est vraiment magnifique, reconnut Irene en toute sincérité.

L'air heureux, il les pria de prendre place dans un des canapés en cuir souple qui faisaient face à cette vue. Tous les fauteuils et les canapés étaient placés de manière que chacun puisse profiter du panorama.

– Le déjeuner sera servi d'un moment à l'autre dans la salle de chasse. J'aime bien manger là. La salle à manger est trop grande pour trois personnes.

Irene n'avait aucun mal à imaginer à quoi devait ressembler cette pièce : une grande salle sombre avec des armures le long des murs et d'autres ancêtres qui les dévisageraient du fond de leurs cadres dorés. Et, bien sûr, une table très longue, avec cinquante chaises autour. Là où Andrew et sa future femme prendraient bientôt place et se parleraient en hurlant chacun à un bout de la table…

Irene s'aperçut soudain que les deux hommes la regardaient. L'un d'eux avait dû lui poser une question. Elle esquissa un sourire maladroit.

– Excusez-moi, je n'ai pas bien compris…, dit-elle.

– Je vous ai demandé si vous étiez déjà venue en Écosse, répéta Andrew étonné.

– Non, c'est la première fois.

Irene fut sauvée de cette situation embarrassante, car à cet instant une porte s'ouvrit à l'autre extrémité de la pièce. Andrew se leva et annonça :

– Le déjeuner est servi. Si vous voulez bien me suivre…

Ils sortirent de cette pièce pour aller dans ce qu'il appelait la salle de chasse.

285

Sur le seuil, Irene s'arrêta net. Glen, qui ne s'y attendait pas du tout, la bouscula malgré lui.

– Eh bien ? fit-il en lui donnant une petite tape dans le dos pour la faire avancer.

Elle se ressaisit et pénétra dans la pièce.

Ici aussi, le mur du fond avait été remplacé par un grand bow-window où étaient disposés une table et huit chaises. La table était dressée pour trois personnes. Irene vit aussitôt qu'il s'agissait d'un mobilier de grande valeur. Les pieds magnifiquement ouvragés et les dossiers des chaises en disaient assez long sur leur caractère exceptionnel. Mais c'était autre chose qui l'avait pétrifiée sur le seuil de la porte.

Cette pièce avait beau se nommer salle de chasse, Irene ne s'était pas attendue à trouver autant d'armes ! Bien sûr, les murs présentaient des têtes d'animaux et des oiseaux empaillés qui vous fixaient de leurs yeux de verre. Mais surtout, il y avait des armes partout. Le long des murs s'alignaient épées, poignards, pistolets et fusils aux crosses rehaussées de marqueterie. Et l'on pouvait apercevoir encore d'autres armes à travers les vitrines de hauts cabinets. Trois armoires avaient des portes en métal avec de solides serrures.

– J'ai pensé que cela intéresserait des policiers de voir ma collection d'armes, dit Andrew en souriant.

Il commença à faire le tour en indiquant les pièces rares, mais il fut interrompu par le service du déjeuner. On avait ouvert la porte et apporté un chariot avec les plats. Une femme d'un certain âge, vêtue de noir, attendit près du chariot que les invités soient assis. Puis elle leur servit du saumon froid poché avec une sauce aux câpres et des légumes vapeur, le tout accompagné de bière blonde ou brune selon leurs préférences. Irene choisit une bière blonde anglaise, tandis que Glen et Andrew optaient pour une bière ambrée écossaise.

– J'ai pensé que vous pouviez tout aussi bien déjeuner avec moi, puisque vous vouliez me parler. J'ai des clients importants en ce moment, mais je les ai envoyés visiter une exploitation pétrolière. Ils prendront un hélicoptère pour rejoindre la plate-forme elle-même. Mon homme de confiance s'occupe d'eux, et ils ne seront pas de retour de sitôt. Mais à trois heures, je dois être à Édimbourg. Pourrions-nous en avoir terminé au plus tard à deux heures et demie ?

La question était polie, mais purement formelle. Ici, pas de négociation possible.

Heureusement, Glen n'avait pas perdu son éloquence et il sut manœuvrer le cours de la conversation pour éviter d'abord les questions désagréables et pourtant inévitables. Les deux hommes trouvèrent vite un terrain d'entente. Tous deux aimaient parler et s'intéressaient à l'histoire en général, et aux Écossais en particulier. Andrew haussa seulement un sourcil quand Glen lui dit qu'il était seulement à moitié écossais. Entre deux bouchées, lui et Andrew évoquèrent l'histoire sanglante de l'Écosse, déplorant d'un commun accord la capitulation de leurs ancêtres en 1717. L'union avec l'Angleterre et le pays de Galles n'avait jamais été une bonne chose pour l'Écosse.

Glen et St Clair durent ravaler leur élan patriotique à grand renfort de bière ambrée. Irene n'en revenait pas de voir ces deux hommes aussi touchés et engagés dans l'histoire de l'Écosse. Elle se rendit compte que les sentiments nationaux, loin de s'être éteints, continuaient à être très fort, et le ressentiment pour des torts causés en 1295 était ici toujours aussi vif.

Ils eurent droit à un gâteau au chocolat servi avec de la crème Chantilly, suivi d'un café. Puis ils retournèrent dans le salon. Leur hôte se dirigea vers un splendide meuble vitré et en sortit une bouteille.

– Le whisky de la famille, en provenance de notre propre distillerie. Un des meilleurs qui soit. Tout à fait exceptionnel. Difficile à trouver ailleurs que dans certains magasins sélectionnés. Vingt ans d'âge dont trois dans des tonneaux en cerisier, déclara-t-il avec fierté.

Sur la bouteille tout en rondeur, une étiquette noire indiquait « St Clair » en lettres gothiques argentées.

– Non merci, je conduis, dit Glen.

– Juste pour goûter, trancha Andrew.

Il sortit trois petits verres de dégustation en cristal taillé et y versa un peu du liquide doré. Très fier, il tendit un verre à Irene, un autre à Glen et, avec sensualité, huma le parfum de son verre. Les deux inspecteurs de police l'imitèrent. Puis il leva son verre :

– *Slainte* !

– *Slainte* ! répondit Glen en levant lui aussi son verre.

– *Skål* ! dit Irene en suédois.

Face à ces deux hommes, il convenait d'affirmer son identité ethnique et de leur rappeler ce que sa présence avait d'exotique. Même si aucun des deux n'avait l'air d'un Écossais pur jus, ils l'étaient dans l'âme et le cœur.

Le scotch était de grande classe, sans la moindre âpreté. Il glissait sur la langue, était long en bouche avec un arrière-goût sucré venant du bois de cerisier. C'était vraiment un whisky rare. Irene comprit qu'il était inutile de demander si elle pouvait en acheter une bouteille pour la rapporter à son mari. Ce genre de whisky n'était pas à la portée de toutes les bourses.

Ils se rassirent, et Andrew s'enfonça dans le fauteuil en cuir.

– Mais vous n'êtes pas venus de Londres juste pour me faire la conversation. J'ai cru comprendre que vous vouliez me parler de mon cousin et de cette horrible histoire de meurtre en Suède. La pauvre Rebecka est touchée au premier chef, mais lui aussi, puisqu'ils travaillent en si étroite collaboration.

Glen profita de cette occasion pour rebondir sur ce que venait de dire Andrew.

– Des éléments nouveaux sont apparus au cours de l'enquête. Puis-je me permettre de vous demander si vous connaissez bien Rebecka ?

– Nous nous sommes rencontrés plusieurs fois à Londres, et elle est venue ici à Noël pour deux… non, trois jours.

– Elle n'est venue ici qu'une fois ?

– Oui. Juste ce Noël.

– Et Christian, vient-il souvent ici ?

– Tous les deux mois, je dirais. Plus souvent durant la saison de la chasse.

– Il aime chasser ?

– Dans la famille St Clair, on naît les armes à la main. Christian et moi avons grandi ensemble, et il a appris à tirer en même temps que moi. C'est un passionné de chasse. Quelqu'un qui sait tirer et pour qui les armes n'ont pas de secret.

– Vous n'avez donc rencontré Rebecka qu'en de rares occasions, si j'ai bien compris.

– Exactement.

– Avez-vous été proches ?

Andrew haussa les sourcils tant la question le surprit.

– Proches ? Absolument pas. Nous avons pas mal travaillé ensemble sur des projets informatiques, même si, en ce moment, ce sont surtout Christian et Rebecka qui s'occupent de tout ça. Mais elle est incroyablement douée. Enfin, quand elle est en bonne santé…

– Avez-vous une idée de la raison de sa maladie ?

– Pas la moindre. Christian prétend que sa dépression est héréditaire. Sa mère en souffre… en souffrait aussi, paraît-il.

– Avez-vous rencontré sa famille ?

– Son père et sa mère ? Et son frère ? Ceux qui ont été abattus ?… Non. Jamais. D'ailleurs, je crois qu'ils ne sont jamais venus lui rendre visite en Angleterre. Ce qui, à mon avis, est quand même un peu bizarre.

– Et vous, êtes-vous déjà allé à Göteborg ?

– Non, seulement à Stockholm. Plusieurs fois, même. C'est une ville très agréable où on sait faire la fête. Avec beaucoup de gens compétents en informatique. C'est d'ailleurs une des raisons pour lesquelles je me rends là-bas.

Irene vit que Glen réfléchissait intensément avant de poser la question suivante. Pour gagner du temps, il porta son verre de whisky à son nez, fit tourner un peu le liquide dans le verre et montra ostensiblement qu'il savourait l'arôme qui s'en dégageait. Il en but une gorgée.

– Nous avons essayé de poser la question à Rebecka et à Christian, mais aucun des deux n'a pu nous donner une réponse claire. C'est pourquoi je vous demande si vous croyez – ou savez – qu'ils ont une liaison.

Voilà qui était amené avec délicatesse ! Irene comprenait mieux pourquoi elle avait apprécié Glen dès le départ et se sentait sur la même longueur d'ondes que lui.

Andrew parut hésitant et réfléchit un moment avant de répondre :

– Non, je ne crois pas qu'ils aient une liaison. De nature sexuelle, j'entends. Mais ils sont très proches. Christian s'inquiète beaucoup de la voir si malade.

Glen fit signe qu'il comprenait.

– Savez-vous si Christian a une petite amie en ce moment ? demanda-t-il.

– Christian a toujours eu beaucoup de petites amies. Mais je ne sais pas ce qu'il en est actuellement. Il ne m'a pas parlé de quelqu'un en particulier.

– Quand a-t-il parlé d'une petite amie pour la dernière fois ?

– Oh, ça doit bien faire un an, je crois.

Glen reposa doucement le verre sur la table et tenta de croiser le regard de l'homme assis dans le fauteuil en cuir avant de poser la question qui, à elle seule, justifiait leur venue :

– Vous me confirmez donc n'avoir jamais mis les pieds à Göteborg ?

Andrew jeta soudain un regard grave à Glen. Irene vit que son cerveau fonctionnait à plein régime.

– Ah, c'est donc là que vous vouliez en venir ? En fait, c'est moi qui suis sur la sellette ?

Avant que Glen pût répondre, Andrew ajouta d'une voix ferme :

– Non. Je ne suis jamais allé à Göteborg.

– Votre nom est pourtant inscrit sur la liste des passagers d'un vol pour Göteborg au départ de Heathrow, le soir même où la famille de Rebecka a été assassinée. Il se trouve aussi sur la liste des passagers du premier vol entre Göteborg et Heathrow, le lendemain.

Toute jovialité disparut des yeux d'Andrew. Il fixa Glen, mais son regard était sombre et insondable.

– Heathrow… Mais pourquoi serais-je allé à Göteborg ?

– C'est précisément la question qu'on se pose, dit Glen.

Il y eut un long silence. Andrew se leva de son fauteuil et s'avança vers la baie vitrée où il resta à regarder le paysage.

Le dos tourné aux policiers, il se mit enfin à parler :

– J'ai un bon alibi pour ces journées de la fin du mois de mars, quand la famille de Rebecka a été assassinée. Je me souviens quand Christian m'a appelé pour me raconter ce qui s'était passé. C'était un mercredi. Je venais de ramener mes futurs beaux-parents à l'aéroport. Ils étaient ici, avec ma fiancée, tout le week-end et une partie du mercredi. J'avais pris des jours de congé et je leur ai fait visiter les environs, et bien sûr Édimbourg. Ma belle-famille est originaire de Leeds, ils n'étaient encore jamais

290

venus ici. Nous ne nous sommes quasiment pas quittés d'une semelle pendant ces cinq jours. Et la nuit du lundi au mardi, où je suis censé être allé à Göteborg, je l'ai passée ici, avec ma fiancée, dans ma chambre à coucher. Et, pour ne rien vous cacher, nous avions mieux à faire cette nuit-là que de dormir.

Lentement, Andrew se retourna et regarda les policiers.

– Je vois une seule explication à tout cela. Mon passeport m'a été volé lors d'un cambriolage, au mois de mars. Je ne me souviens pas exactement de la date, parce que je ne me suis pas rendu compte tout de suite qu'on s'était introduit dans la maison. J'ai fait une déposition à la police.

– Quand avez-vous découvert le vol ?

– Le 1ᵉʳ avril. Et la police a d'abord cru que c'était une plaisanterie.

– Le voleur a-t-il laissé des traces ?

– Non, rien. La police ne comprend pas comment le ou les cambrioleurs sont entrés et sortis.

– Y a-t-il eu autre chose de volé ?

– Oui. Un Beretta 92S avec des cartouches et un poignard ancien de grande valeur. Je venais de l'acheter, et c'était vraiment un bijou.

– Je pense que le personnel a été interrogé dans le cadre de l'enquête ?

– Cela va de soi. Six personnes travaillent au château en permanence pour s'occuper de moi et de la maison.

Il était clair que six personnes, c'était vraiment le minimum pour s'occuper d'une demeure aussi grande. Le temps de terminer la dernière pièce, il fallait déjà recommencer à l'autre bout. Irene reconnut l'avantage qu'il y avait à vieillir dans une maison à chambre unique avec la télévision câblée pour seul luxe.

– Comment la police explique-t-elle qu'ils aient réussi à entrer ?

– La police ne comprend pas. Quand je ne suis pas là, je ferme toujours la grille sous la voûte. Vous n'avez pas dû la remarquer en arrivant. Elle est télécommandée et se ferme d'ici, de l'intérieur de la maison. La nuit, tout est électrifié, les fils barbelés aussi au sommet du mur d'enceinte. Toutes les fenêtres et les portes sont équipées d'alarmes pour dissuader les cambrioleurs. Malgré ce système de sécurité, quelqu'un est entré.

– Vous ne soupçonnez personne ?

– Non.

Il avait répondu en détournant les yeux, ce qui n'avait pas échappé à Glen et Irene. Celle-ci résolut de continuer l'interrogatoire.

– Quand Christian est-il venu ici pour la dernière fois ? demanda-t-elle.

Andrew tressaillit. Peut-être ne s'attendait-il pas à ce qu'elle prenne la parole. Il fit un effort pour se souvenir et déclara :

– Il était ici en mars.

– Quand, en mars ? poursuivit Irene, intraitable.

Son regard vacilla.

– Au début ou au milieu… je ne me souviens plus.

– Pourriez-vous retrouver la date exacte ?

Andrew les regardait à présent avec une crainte non dissimulée.

– Vous… vous ne pensez quand même pas sérieusement que Christian…

Un nouveau regard sur les policiers lui fit comprendre qu'ils n'étaient pas d'humeur à plaisanter. Il se tassa et dit d'une voix à peine audible :

– Au milieu du mois de mars. Tante Mary a son anniversaire le 18, et il est venu le 16 au soir. C'était un vendredi.

– Il a habité chez sa mère, je pense ?

– Oui.

– Est-il venu au château ?

Andrew fit signe que oui.

– Nous avons dîné ici samedi soir, Christian, tante Mary, ma fiancée et moi-même. John n'a pas pu venir. C'est le petit ami de ma tante.

Il sourit en disant cette dernière phrase, car John avait visiblement passé l'âge d'être seulement un petit ami.

– Christian sait-il où vous rangez votre passeport ?

– Oui. Il connaît la maison aussi bien que moi. N'oubliez pas que nous avons grandi ici tous les deux.

Comme effondré, Andrew se laissa retomber dans son fauteuil.

– Savait-il où vous gardiez le pistolet et le poignard ?

– Naturellement ! C'est même moi qui lui ai montré…

Il s'interrompit et fixa Irene d'un air désemparé.

– Vous veniez de lui montrer votre nouveau poignard, n'est-ce pas ? intervint Glen.

Andrew se contenta d'acquiescer. Soudain il bondit de son fauteuil et se mit à gesticuler.

– Mais c'est incroyable ! Vous arrivez à me faire dire que Christian m'a volé mon passeport, mon pistolet et mon poignard. Après il aurait pris l'avion, sous mon nom, pour Göteborg, et aurait abattu les parents et le frère de Rebecka. Alors qu'il ne les a jamais vus de sa vie ! C'est insensé ! D'abord, comment aurait-il pu passer le pistolet avec la douane ?

– Les victimes ont été abattues par un fusil qui appartenait au frère. On a retrouvé cette arme ainsi que les cartouches sur les lieux du crime. Rien de plus facile à utiliser quand on connaît les armes, précisa Glen sèchement.

L'expression sauvage des yeux d'Andrew disparut. Il se pencha en avant et enleva ses lunettes, prenant appui sur ses coudes posés sur les genoux et se cacha le visage entre les mains.

– C'est pas vrai, c'est pas possible…, murmura-t-il.

D'un geste hésitant, il remit ses lunettes et regarda l'heure.

– Pardonnez-moi, mais je dois retourner à Édimbourg, dit-il en se redressant.

Tous les trois se relevèrent en même temps. Glen et Irene le remercièrent pour le délicieux déjeuner et le whisky. Ensemble, ils retraversèrent en silence les salles aux allures de musée et le vaste hall d'entrée. Andrew ouvrit la porte et leur rendit leurs vestes. Puis il prit une écharpe avec le même motif à carreaux que son pantalon et l'enroula autour de son cou. Irene ne put s'empêcher de pousser une exclamation. Andrew s'arrêta, et les deux hommes la regardèrent, étonnés.

– Excusez-moi. C'est l'écharpe. Elle est à vous ? demanda Irene.

– Oui, bien sûr. C'est le tartan des St Clair.

Comme fascinée, Irene ne pouvait détacher ses yeux de l'écharpe aux couleurs rouge vif, bleu et vert, et terminée par des franges. Les deux fils de laine qu'Irene avait retrouvés dans les buissons près de la maison de campagne correspondaient parfaitement aux fils de cette écharpe. Et dans la haie de conifères près du presbytère, Fredrik avait trouvé un bout de laine qui pouvait provenir de la même écharpe.

– Pourquoi ? Elle a quelque chose de spécial ? fit Andrew, agacé.

– Oui.

Irene lui raconta les bouts de laine retrouvés sur les lieux des deux crimes. D'un geste las, Andrew retira l'écharpe en disant :

– Écoutez, prenez-la et faites-la analyser, faites-en ce que vous voudrez. Mais je vous promets que cette écharpe n'est jamais allée à Göteborg.

Il tendit l'écharpe à Irene, qui la prit.

– D'autres écharpes de ce genre ont pu faire le voyage à Göteborg. J'en ai en effet donné à tous mes clients, employés, amis et à toute ma famille, comme cadeau de Noël, l'année dernière. Rebecka aussi en a une, puisqu'elle était ici à Noël. Et Christian, Mary… bref, de nombreuses personnes ont la même, ajouta Andrew.

Glen hocha la tête et dit :

– Peut-être, mais une seule est allée à Göteborg.

– En tout cas, ce n'est pas la mienne, fut la dernière réplique d'Andrew.

Ils sortirent dans la cour du château et regagnèrent leurs voitures respectives. Leur petite Rover rouge paraissait bien modeste à côté de la Porsche noire d'Andrew. Pressé, il s'engouffra dans sa voiture de sport en lançant un rapide « au revoir » et disparut en un clin d'œil.

– Je comprends que ça le mette dans tous ses états, dit Irene.

– Moi aussi. C'est un garçon bien. Mais nous devons suivre…

Il fut interrompu par la sonnerie de son mobile dans sa poche intérieure. Il le sortit et répondit. Après quelques brefs « oui » et « je comprends », il termina la conversation et regarda fixement Irene avant d'annoncer :

– Les choses se précipitent. C'était mon chef. Christian Lefèvre a kidnappé Rebecka à la clinique. Personne ne sait où ils sont.

Chapitre 19

Irene appela le commissaire Andersson. Elle eut la chance de tomber directement sur lui. Il lui fallut un peu de temps pour le mettre au courant des derniers événements, mais il finit par comprendre et donner, à contrecœur, son accord pour qu'Irene reste à Londres afin de suivre le déroulement de l'enquête.

– Il suffit que tu partes à l'étranger pour que les ennuis commencent, grommela-t-il.

Irene se fâcha et dit d'un ton sec :

– Je ne suis allée à l'étranger pour le travail qu'une fois auparavant !

– C'est vrai. Ne me dis pas que tu as oublié tout le bazar qu'il y a eu l'autre fois ! s'exclama Andersson.

Elle n'avait rien à répondre à cela. Mais les critiques d'Andersson étaient injustifiées. Elle n'était pas responsable de ce qui arrivait. Mais qui sait si, avec leurs questions, Glen et elle n'avaient pas provoqué un certain vent de panique chez les personnes impliquées ?

La conversation terminée, elle se tourna vers Glen.

– Que s'est-il passé à l'hôpital ?

– D'après le chef, Christian est venu à la clinique à l'heure habituelle des visites, c'est-à-dire entre treize et quatorze heures. Il y a alors beaucoup de monde, et il a fallu une demi-heure avant que le personnel ne se rende compte de l'absence de Rebecka. Ils l'ont d'abord cherchée dans le service, puis dans toute la clinique, mais elle est restée introuvable. Alors, ils ont prévenu la police.

– L'a-t-il emmenée de force ?

– Personne ne le sait puisqu'on ne l'a pas vue quitter la clinique, mais rien ne semble l'indiquer.

– Ils ont fouillé leurs deux appartements ? Et le bureau ?

– Bien sûr. C'est le premier endroit où ils sont allés. Et il n'y avait personne.

– Où peuvent-ils être ?

– Aucune idée.

Ils approchaient de l'aéroport, et la circulation s'intensifiait. Irene se concentra. Qui pouvait savoir où Rebecka et Christian se cachaient ? Prise d'une impulsion, elle sortit son portefeuille et, à force de chercher, trouva enfin le petit bout de papier sur lequel elle voulait metttre la main. Cela valait le coup d'essayer, se dit-elle, en composant le numéro. Kjell Sjönell répondit aussitôt.

Irene exposa rapidement la situation au prêtre et lui demanda :

– Où peuvent-ils être ?

Il prit le temps de réfléchir.

– Aucune idée. Cela dépend de l'objectif de Christian. Mais pourquoi a-t-il kidnappé Rebecka ? Il ne peut pas demander de rançon ! Quel est donc son motif ?

– Nous l'ignorons. Mais plusieurs indices nous font penser que c'est peut-être Christian qui a assassiné la famille de Rebecka. Et à présent, elle est à sa merci.

– Mon Dieu ! Mais il est fou ! s'écria Kjell Sjönell.

– Ce n'est pas impossible. Pourtant, il m'a donné l'impression d'avoir toute sa tête. Quelle a été la vôtre quand vous l'avez rencontré ?

– La même que la vôtre. Il est clair qu'il était inquiet au sujet de Rebecka, mais quoi de plus naturel ?

– Avez-vous un conseil ou une suggestion ?

Glen avait garé la Rover en face de l'agence Avis et était sorti de la voiture, mais Irene resta à l'intérieur pour finir la conversation.

– Appelez tous leurs amis et tous les membres de la famille qui vous viennent à l'esprit. Eux peuvent avoir une idée de là où Christian et Rebecka peuvent se trouver. Sinon, il faut espérer qu'ils donnent de leurs nouvelles d'une façon ou d'une autre.

Irene dut admettre qu'il avait raison. C'était frustrant d'avoir à l'accepter, mais elle remercia le pasteur et raccrocha.

De son côté, Glen avait déjà appelé Estell pour réserver une nouvelle chambre à Irene ; celle-ci voulut prévenir chez elle, mais personne ne répondit. Elle réussit à joindre Krister au restaurant, et il accepta sans rechigner que sa femme prolonge son séjour en Angleterre.

– Fais attention à toi, dit-il.

Après avoir roulé pare-choc contre pare-choc en pleine heure de pointe, ils parvinrent enfin au Thomsen Hotel. C'était presque, pour Irene, comme revenir à la maison, quand elle aperçut la façade blanche. Une jeune fille aux cheveux courts teints en rouge se tenait à la réception et lui souhaita la bienvenue. Irene déclina son identité et on lui donna une clé. À sa grande joie, la chambre se trouvait au second étage, cette fois. Deux étages de moins à monter ! Elle y posa rapidement son sac et se rendit aux toilettes avant de redescendre dans le hall d'entrée.

Glen l'attendait installé sur un canapé, une cigarette dans une main et le téléphone dans l'autre. Il leva les yeux et sourit à Irene quand elle le rejoignit.

– J'ai cherché en vain à joindre Andrew St Clair. Sa secrétaire m'a promis qu'il me rappellerait dès qu'il aurait un moment. En revanche, j'ai pu parler avec le Dr Fischer. Il était fou furieux ! J'espère que nous mettrons la main sur Christian avant lui.

– Avait-il une idée de l'endroit où ils pourraient se trouver ?

– Non, pas la moindre.

Irene prit place à côté de Glen. Ensemble, ils tentèrent de déterminer qui pourrait savoir où Rebecka et Christian se cachaient. Glen avait demandé à la secrétaire d'Andrew si elle connaissait le nom de la compagnie où travaillait Mary Lefèvre en tant que responsable financier. Elle le leur donna, mais quand ils eurent la Edinburgh Tweed Company au bout du fil, ce fut pour apprendre de la bouche d'un assistant que Mary Lefèvre venait de prendre l'avion pour un voyage d'affaires en Allemagne. Il ne connaissait malheureusement pas le nom de son aéroport d'arrivée. D'après lui, elle passerait le week-end avec des amis allemands dont il ignorait le nom et l'adresse. Il promit néanmoins de laisser un message dans les entreprises que Mme Lefèvre allait visiter pour la prier de rappeler Glen Thomsen de toute urgence.

— Il faut absolument joindre Andrew ! Lui, doit savoir où sa tante va habiter en Allemagne, s'écria Irene.

— Probablement. Mais on ne peut pas faire grand-chose pour l'instant. Alors, allons manger au Vitória. Kate et les garçons nous rejoindront là-bas, dit Glen.

Comme à son habitude, Donna fut absolument ravie de les revoir. Elle serra Glen et Irene dans ses bras dodus en déclarant qu'elle était soulagée qu'il ne leur soit rien arrivé… à croire qu'ils étaient partis dans la lande écossaise pendant des semaines, alors qu'ils avaient fait l'aller-retour dans la journée.

Sur ce, Kate et les jumeaux arrivèrent, et ce fut un vrai repas de famille. Pour ne courir aucun risque, Glen et Irene ne burent pas de vin, mais seulement de la bière. Quand le café et la glace furent servis, Irene se sentit submergée par une vague de fatigue. La journée avait été assez éprouvante. Cela faisait aussi deux matins de suite qu'elle se levait aux aurores et elle commençait à en sentir les effets. Après la quatrième tasse de café, elle commença à revivre. Il était plus de neuf heures du soir, et les jumeaux étaient fatigués. Kate rassembla sa petite troupe, embrassa son mari et sa belle-mère avant de prendre Irene dans ses bras.

— Si on ne se revoit pas avant votre départ, on reste en contact pour cette histoire de grandes vacances. Je me fais une telle joie à l'idée de voir le soleil de minuit !

En son for intérieur, Irene se dit que Kate et Glen ne devaient pas bien se rendre compte à quel point la Suède était étendue du nord au sud, sans parler du nombre de moustiques qu'il y avait dans le Norrland. Certes, c'était une région magnifique, et le soleil de minuit fascinant, mais le plus étonnant était de n'avoir jamais sommeil, là-haut, en été. Qui peut dormir quand le soleil brille en pleine nuit ? Aussi ses vacances en famille dans une caravane louée restaient-elles un de ses meilleurs souvenirs. Le voyage avait duré trois semaines, et ils avaient vu une bonne partie du pays. Dire que cela remontait déjà à une dizaine d'années !

Irene racontait à Glen son propre voyage dans le Norrland quand son mobile sonna.

— Allô ?

– C'est Christian Lefèvre. Vous êtes où ?

– Dans un restaurant. Je viens de dîner.

Elle fit des gestes à Glen en montrant son mobile et en formant le mot « Christian » avec les lèvres.

– Vous êtes seule ?

Elle hésita une seconde à mentir, mais résolut de dire la vérité.

– Non, je suis avec l'inspecteur Thomsen. Nous avons mangé ensemble.

– Parfait. Combien de temps vous faut-il pour venir à Ossington Street ?

– Euh… peut-être un quart d'heure. Vous êtes là-bas ?

Glen se pencha pour essayer d'entendre quelque chose, et Irene éloigna un peu le téléphone de son oreille pour qu'il puisse saisir des bribes de conversation. Dans le même temps, il sortit son propre mobile et chercha un numéro dans son répertoire.

– Laissez tomber. Vous ne nous retrouverez pas. Soyez au bureau d'Ossington Street dans un quart d'heure chrono à compter de maintenant. La clé de la porte rouge est cachée sous un bloc de béton, sous les marches du perron. Vous n'avez qu'à le soulever et vous la verrez.

– Comment va Rebecka ? demanda Irene pour essayer de prolonger la conversation.

– Elle va bien. Bon, dans un quart d'heure chrono.

Il raccrocha.

– Nous devons être à Ossington Street dans quinze minutes, dit-elle à Glen.

Ils sortirent précipitamment tandis que Glen était en pleine conversation téléphonique, et il raccrocha juste avant de démarrer la voiture pour foncer vers le bureau de Christian Lefèvre.

– C'est bon, ils vont pouvoir localiser l'appel. Cela va prendre un peu de temps, mais nous saurons au moins de quel quartier il provient, dit-il

La circulation était relativement fluide, et ils furent sur place sept minutes plus tard. Irene avait gardé l'œil rivé sur l'horloge de bord. En tournant au coin d'Ossington Street, elle aperçut l'enseigne du vieux pub au coin de la rue.

– Glen ! Les allumettes venaient du Shakespeare ! s'exclama-t-elle.

– Impossible ! Il est mort au XVIIe siècle, objecta Glen avec un sourire.

– Je ne parle pas de lui, mais du pub ! lui dit-elle en montrant l'enseigne noire avec les lettres dorées écrites en style gothique.

– Mais pourquoi y avait-il marqué « Mosc » sous « Pu » ? demanda-t-elle, troublée.

– Parce que le pub se trouve à l'intersection de Ossington Street et Moscow Road.

Les pneus crissèrent quand Glen gara la Rover le long du trottoir. Irene n'attendit pas l'arrêt complet de la voiture pour sortir et se précipiter vers le fameux bloc de béton – sans doute laissé là après la rénovation du bâtiment –, sous les marches. Et comme Christian l'avait dit, la clé de la porte d'entrée s'y trouvait bel et bien. Ils grimpèrent les marches du perron et ouvrirent la porte rouge.

Cela sentait le renfermé à l'intérieur, comme si personne n'était venu depuis plusieurs jours. La porte du bureau tout blanc était entrebâillée, et ils y entrèrent. Les plantes vertes piquaient du nez dans leurs pots design. Tout était calme et silencieux. Irene et Glen se séparèrent pour inspecter rapidement les autres pièces du bureau. De retour dans la pièce centrale, ils secouèrent la tête. Irene allait proposer de monter à l'appartement, quand l'un des ordinateurs s'alluma de lui-même.

Après quelques instants, le visage de Christian Lefèvre apparut sur l'écran. Bien que l'image soit assez réduite, on le reconnaissait parfaitement.

– Une webcam, glissa Glen à Irene.

En arrière-plan, ils aperçurent une étagère avec de belles reliures de livres, sinon rien d'autre. Lefèvre regardait droit dans la caméra. Il composa un numéro sur son mobile, et une seconde plus tard celui d'Irene sonna. Elle se hâta de le sortir de la poche de sa veste.

– Allô ?

– Vous êtes sur place ?

– Oui.

– Est-ce que vous voyez l'image sur l'écran ?

– Oui.

– Bien.

Un clic lui fit comprendre qu'il avait raccroché. Glen fouilla la poche de sa veste et en sortit un minuscule dictaphone. Il appuya sur la touche d'enregistrement et le plaça en face du haut-parleur de l'ordinateur.

Christian Lefèvre se tenait bien droit sur sa chaise et regardait droit vers la caméra. Il commença par s'éclaircir la gorge, comme s'il allait tenir un discours.

– Je vais maintenant vous exposer ce qui s'est réellement passé. Il est important de bien terminer ce qu'on a commencé. Et il importe que vous sachiez pourquoi Sten et Elsa Schyttelius devaient mourir. Et Jacob aussi.

En prononçant le nom de Jacob, ses traits se figèrent, et Irene crut lire de la haine dans ses yeux. Puis cette lueur disparut, et il poursuivit :

– Je sais que vous avez demandé à maman si Rebecka et moi étions un couple. Elle l'a démenti parce que je lui ai demandé de le faire. Mais elle est la seule à connaître la vérité. Quand elle m'a appelé, elle m'a dit que vous alliez voir Andy. J'ai compris que vous commenciez à vous rapprocher... et j'ai décidé que le moment était venu de mettre un point final à tout ça. Il n'y a pas d'heureux dénouement à notre histoire. Mais d'abord, il faut que les choses soient bien claires.

Christian se racla la gorge et but une gorgée d'un verre qu'il reposa rapidement sur la table avec un bruit sec. Irene le vit esquisser une grimace, ce qui laissait penser que la boisson était forte.

– Rebecka et moi, nous nous aimons. Il arrive qu'une fois dans sa vie on rencontre quelqu'un qui vous aille droit au cœur, et on sait que c'est pour toujours. Rebecka est pour moi cette personne-là. Cela fait exactement un an que nous nous sommes rendu compte que nous étions amoureux l'un de l'autre. L'été qui a suivi fut le plus merveilleux de ma vie. Nous sommes allés en Suède. Rebecka voulait me montrer le pays d'où elle venait. Mais elle ne voulait pas que je rencontre ses parents. C'est pourquoi nous avons choisi les dates où elle savait qu'ils ne seraient pas chez eux. Je n'ai pas compris sur le coup pourquoi elle ne voulait pas que je les voie, mais j'ai accepté son explication lorsqu'elle m'a dit qu'ils étaient un peu en froid.

Il se tut et regarda sur le côté. Irene et Glen entendirent un vague murmure.

– Rebecka, chuchota Glen à l'oreille d'Irene.

Soudain le visage pâle de Rebecka apparut à côté de celui de Christian. Il se poussa pour lui faire de la place et sortit du cadre. Les cheveux de la jeune femme, sales, emmêlés, encadraient un visage éteint. Son regard était vide, dépourvu d'expression. En vain, elle essaya à plusieurs reprises de former des mots avec ses lèvres sèches. Elle parvint à bégayer, d'une voix tremblante, en suédois :

– Je n'aurais pas dû… en parler… Tout est… ma faute… Ma faute… je n'ai jamais pu en parler… à quelqu'un.

Elle resta à fixer la caméra d'un regard absent. Ils crurent entendre Christian lui dire tout bas de se rasseoir un instant dans le fauteuil. Rebecka tourna la tête et se leva. Il y eut un léger bruit de vêtements froissés quand elle disparut de l'image. Ils l'entendirent tomber dans un fauteuil proche de la caméra et du micro.

Le visage de Christian réapparut à l'écran.

– Quand nous sommes allés à Göteborg en juillet, Rebecka m'a montré la maison où vivaient ses parents. Nous n'avons eu aucune difficulté pour y entrer, car ils laissent toujours un double des clés sous un pot, près des marches. Elle m'a montré l'armoire forte et tous les fusils, elle savait que j'aimais la chasse. J'ai pu voir où son père cachait la clé de l'armoire quand elle l'a prise. Puis nous sommes allés à la maison de campagne. Il faisait chaud ce jour-là, et nous nous sommes baignés dans le lac. Elle m'a dit qu'en passant par la forêt les deux maisons n'étaient en fait pas si éloignées. Elle avait souvent pris ce raccourci. Plus tard, elle m'a montré une carte plus précise qu'elle avait dans son appartement à Londres, justement sur tout ce coin-là. Je l'ai évidemment emportée avec moi quand j'ai… Mais je vais d'abord vous parler de notre visite à la maison de campagne. Là aussi, nous avons trouvé la clé sous un pot de fleurs près des marches du perron. Nous n'avions plus qu'à entrer et, une fois à l'intérieur, elle m'a montré la cachette secrète derrière la latte de bois. Il y avait là un fusil et des cartouches. Rebecka m'a expliqué que son frère était en train d'emménager dans cette maison et que le fusil devait être à lui. Quelques jours plus tôt, il venait de ramener plusieurs affaires de son ancienne maison, dont probablement cette arme. Il devait revenir le lendemain, mais nous serions déjà partis. L'après-midi, nous avons continué notre route vers Stockholm et nous avons fait un beau voyage à travers la Suède. Les journées passées à Stockholm ont été tout à fait extraordinaires. Aucun de nous ne savait que c'était le début de la fin.

Christian marqua une pause et avala sa salive. Quand il reprit la parole, sa voix était blanche, comme détimbrée.

– Nous avons rencontré les représentants de l'organisation caritative Save the Children. Ils nous ont exposé le problème de l'émergence du plus vaste réseau pédophile jamais vu en Scandinavie. Notre mission consistait à réunir des informations et à démasquer l'identité des membres de ce réseau. Nous les avons tous démasqués, et communiqué leur identité à Save the Children – sauf trois. Mais nous leur avons dit qu'il y en avait cinq que nous n'étions pas parvenus à identifier.

Rebecka émit quelques sons gutturaux, et Christian tourna la tête dans sa direction. Irene et Glen l'entendirent lui parler d'une voix douce et apaisante, comme on parle à un enfant :

– Oui, mon amour. C'est nécessaire. Il faut qu'ils sachent tout. Je te promets qu'il n'y aura qu'eux deux. Personne d'autre.

Cela leur parut étrange, mais déjà il se retournait et s'adressait de nouveau à la caméra.

– Nous avons réussi à infiltrer le réseau pédophile sans éveiller de soupçons. Au début, je n'ai rien remarqué, mais petit à petit Rebecka a commencé à changer. Elle… est tombée malade. J'ai pris contact avec le Dr Fischer. Il a dit qu'elle faisait une dépression et que c'était héréditaire dans la famille. Je n'avais jusque-là jamais entendu dire que sa mère souffrait de dépression. Naturellement, je me suis demandé pourquoi elle était tombée malade précisément à ce moment-là, et j'ai pensé que notre mission auprès de Save the Children n'y était pas étrangère. Un soir, on a abordé le sujet, et soudain Rebecka m'a tout raconté.

Rebecka poussa une vague exclamation, mais Christian lui dit :
– Il le faut, mon amour.

Puis il tourna de nouveau la tête vers la caméra et poursuivit son récit.

– Pour être admis dans ce réseau, chaque participant devait livrer quelque chose de son propre matériel. Des films ou des images. Un des participants – un de ceux que nous avions prétendu ne pas avoir réussi à identifier – s'appelait Peter, et voici le film qu'il a mis en circulation.

Christian appuya sur le clavier, et l'écran se brouilla avant qu'apparaissent les premières images.

Irene crut défaillir. On voyait un homme adulte sodomiser une petite fille à quatre pattes. Bien sûr, on ne voyait pas le visage de l'homme, qui avec son bassin lui donnait des coups de boutoir. Elle devait avoir dans les sept ou huit ans. La petite fille dont le corps tremblait semblait une bête à l'abattoir. Lentement, elle tourna la tête et regarda droit vers la caméra.

C'était comme si Irene avait reçu un coup de massue sur la tête. Elle eut du mal à respirer. Avant même qu'elle ait pu se ressaisir pour parler, Christian arrêta le film et confirma son pressentiment.

– Oui, la petite fille dans le film, c'est Rebecka. Et l'homme qui la viole, c'est son père. Quant au type qui tient la caméra, c'est son frère, Jacob.

Le visage de Christian, comme taillé dans la pierre, apparut de nouveau sur l'écran. Il poursuivit d'une voix monocorde :

– Rebecka avait huit ans quand le film a été tourné, et Jacob quatorze ans. Ça faisait trois ans que lui et son père avaient fait d'elle leur jouet sexuel, c'est-à-dire depuis ses cinq ans. Son père s'est désintéressée d'elle quand elle a eu onze ans, car elle est devenue tôt pubère. En revanche, Jacob a continué à la violer, et même plus souvent qu'avant, jusqu'à ce qu'il parte pour l'armée dans le nord de la Suède. Rebecka a avorté à l'âge de treize ans. Son père, ce bon pasteur, a réussi à lui faire croire que si elle en parlait à quiconque les foudres de Dieu s'abattraient sur elle, car elle devait obéissance et amour à son père et à sa mère. Et ce commandement incluait aussi son frère, bien sûr.

La voix de Christian se brisa soudain, de colère ou de chagrin, mais il parvint à poursuivre son récit.

– La mère de Rebecka était parfaitement au courant, mais elle n'a rien fait pour l'aider. Elle s'est réfugiée dans ses dépressions pour ne pas avoir à affronter la vérité. Et son cher pasteur de père a sans cesse répété à Rebecka que si elle n'y mettait pas du sien, ce serait à sa pauvre petite maman de passer à la casserole... Et fragile comme elle était, ce n'était pas possible, n'est-ce pas ? Non, si elle voulait épargner sa maman, la petite Rebecka devait se taire et satisfaire les besoins des hommes de la famille.

Sans changer d'expression, Christian but une gorgée. D'une voix atone, il continua :

– Maintenant, voyons la contribution de « Pan ». C'est son pseudo sur Internet. C'est le deuxième membre du réseau que nous avons identifié mais dont nous avons choisi de taire l'identité.

De nouveau, l'écran se brouilla avant que n'apparaisse enfin l'image d'un homme blanc ayant des relations sexuelles avec une petite fille africaine. Les yeux de l'enfant étaient aussi écarquillés et terrorisés que ceux de Rebecka sur l'autre film. Ils étaient remplis de larmes, mais l'enfant ne pleurait pas. C'était affreux de lire dans ce regard autant d'effroi et de souffrance. Elle était très maigre et paraissait avoir à peine sept ans. L'homme et la petite fille étaient allongés sur un lit étroit avec seulement un oreiller et un drap. Au-dessus de la tête du lit, la moustiquaire avait été écartée pour permettre de filmer la scène de tout près.

Le film fut interrompu, et le visage de Christian réapparut à l'écran.

– Nous avons identifié « Pan » comme étant Jacob Schyttelius. Rebecka a très vite compris que son père et Jacob avaient profité de leur visite dans divers villages d'enfants en Afrique, au mois de septembre, pour abuser sexuellement de ceux qu'ils étaient censés aider. Le film est apparu sur le site pédophile quelques jours seulement après leur retour d'Afrique. « Pan » a donc été accepté dans le réseau.

Christian fit une grimace ironique qui laissa place à une expression triste et résignée.

– Pour Rebecka, ç'a été le coup de grâce. Elle est tombée gravement malade et a dû être hospitalisée pour la première fois. Après cela... plus rien n'a été comme avant. Elle ne pouvait plus faire l'amour, elle ne pouvait plus me toucher... elle me fuyait. Quand elle avait un moment de répit, elle allait mieux et pouvait reprendre le travail... mais entre nous deux, il n'y a plus eu de contact physique possible. Elle m'aimait toujours... mais je ne pouvais plus l'atteindre. Elle avait assez à faire avec ses démons intérieurs qui avaient ressurgi à la vue des films. D'après ce qu'elle m'a confié, elle avait réussi à refouler ce qui s'était passé. Elle ne voulait pas s'en souvenir et avait presque réussi à l'oublier. Mais voilà que tout lui est revenu en pleine figure, comme un couvercle qu'on enlève d'un seul coup et qui laisse apparaître un trou noir béant. Elle n'a jamais voulu raconter au Dr Fischer ce que recouvrait sa maladie. Lui me disait de me montrer patient, mais les mois passaient, et il n'y avait aucune amélioration. À Noël, elle n'a évidemment pas voulu aller en Suède et elle a prétexté une grippe. Nous sommes donc partis à Édimbourg, et cela s'est assez bien passé. Mais au bout de trois jours, elle a préféré rentrer à Londres. Elle n'arrivait plus à faire semblant. En janvier et février, son état s'est aggravé, et j'ai compris qu'elle ne guérirait jamais. C'est à ce moment-là que j'ai pris la décision de tuer ces salauds. C'est tout ce qu'ils méritaient. Je leur ai ôté la vie, mais eux avaient déjà pris celle de Rebecka quand elle était toute petite. Ceux qui étaient ses plus proches et qui auraient dû la protéger du mal ont été précisément ceux qui ont tout fait pour la détruire.

Rebecka poussa un gémissement, mais Christian ne parut pas l'entendre. Il continua à fixer la caméra sans cligner des yeux.

– J'ai donc décidé de les tuer. J'ai cru qu'elle guérirait peut-être s'ils disparaissaient. Qu'elle serait en quelque sorte… vengée. Mais je ne voulais pas voyager sous mon propre nom, au cas où un policier un peu fouineur, dans votre genre, aurait l'idée de vérifier la liste des passagers pour les jours en question. Alors, j'ai volé le passeport de mon cousin quand j'étais à Rosslyn Castle, en mars. Nous nous ressemblons assez pour que je puisse passer la frontière sans problème, surtout si j'attache mes cheveux en queue-de-cheval comme lui, plutôt que de les laisser libres à la John Lennon. J'ai aussi emporté un poignard et un Beretta pour faire croire à un cambriolage. Vous les retrouverez dans la cave de ma mère, derrière le chauffe-eau. J'ai choisi un lundi, car ce jour-là je pouvais me fabriquer un alibi avec ma bande de copains parieurs. Ce lundi-là, Rebecka s'était sentie un peu mieux et elle avait retravaillé un peu. Mais elle était déjà partie se coucher, vers quatre heures environ. Alors j'ai pris des bottes légères, une paire de gants en cuir, une petite lampe de poche, une boussole, la carte de la forêt que j'allais traverser, une petite trousse de toilette, un gros pull, un imperméable ultraléger et des protège-chaussures contre la pluie, et j'ai fourré tout ça dans un petit sac de voyage à porter en bandoulière. Sans oublier le plus important : des CD pour effacer les disques durs. La veille, j'ai réservé par Internet une voiture chez Avis, à l'aéroport de Landvetter. J'avais déjà réservé mon billet sur le vol du soir.

Il but une grande rasade. La boisson était couleur ambrée. Du whisky ? Peut-être un St Clair ?

– Je suis allé tôt au pub, avant dix-sept heures trente, et j'ai longuement parlé avec Steven, le propriétaire du Shakespeare, pour qu'il se souvienne de ma présence ce soir-là. Les autres garçons sont arrivés autour de dix-huit heures, nous avons bu de la bière et mis sur pied notre stratégie des paris pour la semaine. J'ai offert une tournée de whisky. Vers dix-huit heures trente, j'ai bredouillé à Vincent que j'attendais un coup de fil important et que je devais rentrer à la maison. C'était bruyant, il y avait beaucoup de monde autour du bar, de sorte que personne n'a remarqué que j'étais parti plus tôt que d'habitude. J'ai foncé à la maison pour prendre mon sac. Cela m'a pris seulement une minute. Puis j'ai couru à Bayswater Road et j'ai hélé un taxi. Je me suis fait déposer à Paddington, et de là j'ai pris le train pour Heathrow. À dix-neuf heures cinq, j'étais à l'aéroport, le temps de récupérer mon billet, et j'ai été le dernier passager à embarquer. Mon sac sur l'épaule est passé comme bagage à main. J'ai veillé après à être parmi les premiers à descendre de l'avion pour ne pas perdre de temps. La voiture m'attendait comme prévu chez Avis, je m'étais déjà occupé de tous les papiers par Internet. Il faut à peine un quart d'heure pour aller de l'aéroport à la maison de campagne.

Il but une nouvelle gorgée de son verre et reprit :

– J'avais déjà décidé sur la carte de l'endroit où j'allais laisser la voiture. En vérité, trouver le sentier fut moins facile que je ne l'avais pensé, mais j'ai fini par le trouver. J'ai enlevé mon manteau et enfilé le pull, les bottes et l'imperméable. La capuche me rendait plus difficile à identifier et diminuait le risque que je laisse traîner des cheveux sur les lieux. J'ai fourré les gants et les CD dans mes poches, ainsi que la lampe, la boussole et la carte. J'ai l'habitude de marcher en forêt, mais ce ne fut pas tâche aisée que de me frayer un chemin jusqu'à la maison de campagne. J'ai eu de la chance, car Jacob n'était pas encore rentré. S'il avait été chez lui, j'avais prévu de le tuer avec une hache de la remise à outils. Il y en avait une sur le billot, quand nous étions passés en juillet. J'ai enfilé les gants et suis entré avec la hache, mais je n'ai pas eu à m'en servir. Je l'ai donc reposée à sa place après. Comme il n'était pas à la maison, je n'ai eu qu'à ouvrir la porte avec la clé sous le pot de fleurs, mettre mes protège-chaussures, chercher le fusil dans sa cachette et le charger. Puis j'ai glissé dans l'ordinateur le CD pour effacer le disque dur et j'ai lancé le reformatage. Pendant ce temps, Jacob est rentré. Il a ouvert, il a passé la porte. Et je l'ai abattu.

Rebecka gémit à nouveau, mais Christian parut ne pas y prêter attention. C'était terrible de voir ce visage figé et d'entendre la voix monocorde relater son crime en détail. Ni Irene ni Glen n'avaient bougé depuis que l'ordinateur s'était allumé. Tous deux étaient restés debout, le corps légèrement penché en avant, mais Irene éprouva le besoin de s'asseoir. Elle attira vers elle un siège de bureau sur roulettes et s'y affala.

Christian s'était remotivé en prenant une grande gorgée avant de poursuivre son récit.

– J'ai eu le temps d'effacer le disque dur de Jacob. J'ai également trouvé plusieurs CD et DVD dans la planque derrière le lambris. Je les ai mis dans un sac plastique et j'ai trouvé du charbon de bois et un allume-barbecue sous la terrasse. J'ai compris que je trouverais aussi des films et des CD chez le père, le pasteur. Il fallait tout brûler, puisqu'il devait y avoir plusieurs films avec Rebecka. Dans la cachette, j'avais aussi trouvé un livre sur le satanisme. Alors, une idée m'est venue. Rebecka m'avait raconté que son père et son frère avaient fait des recherches sur Internet pour retrouver des satanistes. Eu égard à ce que ces hommes avaient fait, j'ai trouvé approprié de laisser une marque sur leurs ordinateurs. J'ai donc trempé un pinceau dans le sang de Jacob et peint un pentagramme sur l'écran. Et c'est aussi pour cette raison que j'ai renversé le crucifix dans la chambre à coucher, quand...

Il s'interrompit et vida son verre avant de s'en resservir un autre.

– J'ai pris le raccourci par les bois, même si c'était difficile. Le presbytère était plongé dans l'obscurité quand je suis arrivé. La clé était toujours sous le pot de fleurs et après avoir enfilé les protège-chaussures et les gants, je suis entré et monté à l'étage pour me faufiler dans la chambre à coucher. Ils dormaient tous les deux. J'ai d'abord tiré sur le pasteur, puis sur son épouse. Ils ne se sont pas réveillés.

Tandis qu'il reprenait une bonne gorgée, on n'entendait plus un son venant de Rebecka. Christian reprit d'une voix mécanique :

– J'ai effacé les disques durs et fait main basse sur tous les CD et DVD que j'ai pu trouver. Beaucoup de CD, mais trois DVD seulement. Comme j'avais peint un pentagramme sur l'ordinateur de Jacob, j'ai fait la même chose là aussi. Mais j'ai utilisé le sang du père et de la mère. Cela m'a paru... justifié. Car ils étaient complices. Puis je suis revenu par la forêt. Et bien sûr, j'ai brûlé les DVD et les CD, ainsi que mon imperméable, les gants et les protège-chaussures. J'ai gardé le sac plastique pour y mettre mes bottes sales quand j'ai repris la voiture, pour éviter de salir l'intérieur de mon sac de voyage. J'ai rangé le pull dans le sac et enfilé ma belle veste et les chaussures propres restées dans la voiture. J'ai roulé jusqu'à l'aéroport, où je suis allé aux toilettes pour me laver et me raser. Personne n'aurait pu voir que je venais d'assassiner trois personnes. L'avion a décollé à sept heures trente du matin, heure suédoise, et il a atterri à huit heures vingt, heure anglaise. Je n'ai pas dormi dans l'avion, parce que je n'étais pas fatigué. Au contraire, j'étais presque gai. Je n'ai jamais regretté d'avoir abattu ces salauds, mais parfois je me demande si cela en valait la peine...

Il tourna la tête en direction de Rebecka, toujours aussi silencieuse.

– Elle a tout de suite compris que c'était moi qui les avais tués. Mais elle n'a pas voulu que nous en parlions. Elle pensait que c'était sa faute s'ils étaient morts. Elle se reprochait de s'être confiée à moi de ce qu'ils lui avaient fait endurer. Oui, ils ont réussi à la briser, c'est comme un lavage de cerveau.

Il eut un petit rire nerveux puis prit une autre gorgée de whisky.

– À présent vous savez tout. J'ai programmé ces ordinateurs pour que tout soit effacé, et on ne pourra rien retrouver. Vous relaterez tous les deux ce que je vous ai raconté. Pour Rebecka et moi, notre décision est prise. Il n'y a pas d'issue heureuse. C'est la fin.

Il se leva et disparut de l'écran. Peu après retentit un coup de feu. Suivi, quelques secondes plus tard, d'un autre.

Irene et Glen restèrent assis, comme pétrifiés, à regarder la belle étagère de livres et le dossier vide d'un fauteuil sombre en bas de l'écran. Soudain, l'écran devint tout noir, et l'ordinateur s'éteignit.

Aucun des deux ne put parler pendant un bon moment. Enfin, Glen étendit la main et arrêta le dictaphone.

– Encore une chance que je l'aie eu sur moi. Tout ce qui vient d'être dit a été enregistré sur cette bande.

Chapitre 20

Les techniciens purent localiser la conversation de Christian sur son téléphone mobile : il était à Mayfair, autour de Berkeley Square. Impossible d'obtenir davantage de précisions. D'abord, Irene se demanda si Rebecka et Christina pouvaient se trouver dans le cabinet du Dr Fischer, mais il se trouvait trop loin de là.

– A-t-il déjà été question d'une adresse à Mayfair au cours de l'enquête ? demanda-t-elle.

Glen secoua la tête.

Toujours dans le bureau de Christian, ils réfléchirent à la manière d'orienter leurs recherches.

– L'étagère était pleine de livres et fabriquée dans un bois clair, dit Glen.

– Avez-vous pu lire quelques-uns des titres ? demanda Irene.

– Non, la distance était trop grande.

Ils avaient eu beau essayer de rallumer l'ordinateur, il paraissait mort. Glen appela un spécialiste en informatique au sein de la Metropolitan Police qui leur indiqua patiemment les démarches à suivre pour le faire redémarrer. Quand tous les essais échouèrent, l'expert conclut :

– Il doit avoir placé une bombe à l'intérieur.

– Une bombe ! s'exclama Glen.

– Pas de panique, pas le genre de bombe auquel vous pensez. Je veux parler d'un virus informatique qui efface toutes les données du disque dur. Il peut avoir été dans le disque dur un certain temps, à l'état latent, avant d'être activé à un certain moment ou en une certaine occasion. Dans ce cas, il est impossible de faire redémarrer l'ordinateur, comme vous l'avez constaté.

– Il n'y a donc rien à faire ? demanda Glen avec dépit.

– Rien.

Glen le remercia pour son aide et jeta à Irene un regard désemparé.

– Alors, qu'est-ce qu'on fait ?

– Essayez de joindre Andrew St Clair. Il est sans doute le seul à savoir où se trouve Christian.

Elle fut interrompue par la sonnerie du mobile de Glen. Le visage de celui-ci s'éclaira quand il reconnut la voix au bout du fil. Il fit signe à Irene de se rapprocher et dit :

– Bonsoir, monsieur St Clair. En effet, nous avons cherché à vous joindre pendant toute la soirée… ah, par la police locale d'Édimbourg… je comprends. Oui… ce sont des circonstances tout à fait dramatiques qui ont justifié notre insistance à vous joindre.

D'une voix posée et de manière méthodique, Glen exposa les événements de l'après-midi et de la soirée. Au début, St Clair refusa de prêter foi à ce récit, mais quand Glen parla du dénouement avec les deux coups de feu, il y eut un long silence. Quand Andrew parla, sa voix trembla, tant il essayait de maîtriser son émotion.

– Vous avez dit que la conversation venait d'un lieu situé autour de Berkeley Square. J'ai toujours mon appartement à Londres. Il se trouve à Hill Street, qui donne directement dans Berkeley Square.

– Est-ce que Christian a les moyens d'entrer dans votre appartement ?

– Oui. Il a les clés.

Si le spectacle qui attendait les techniciens de la Metropolitan Police dans l'appartement n'avait rien de surprenant pour eux, il n'en restait pas moins tragique.

Rebecka était assise, le dos enfoncé dans un fauteuil blanc en cuir. Ses yeux étaient fermés. Juste au-dessus de la racine du nez, béait un trou noir. Le haut dossier derrière elle était baigné de sang.

Assis par terre à ses pieds, Christian avait la tête posée sur les genoux de Rebecka. Il s'était tiré – de manière classique – une balle dans la tempe. Le pistolet était un Magnum, et les balles de gros calibre avaient été mortelles, faisant exploser des parties de leur crâne en ressortant de l'autre côté.

Irene eut, un bref instant, la vision de la fin d'une tragédie grecque. Ou d'une variante de Roméo et Juliette. Sauf qu'ici il n'y avait pas de pères sévères ni de vieilles querelles de familles pour entraver l'amour de deux jeunes gens, mais des crimes commis longtemps auparavant qui provoquaient d'autres crimes. Qui étaient vraiment les victimes et les assassins, dans toute cette histoire ?

Situé au sommet d'un vieil immeuble en pierre de l'époque victorienne, l'appartement était un loft à la mode avec un grand espace ouvert. Tout respirait le luxe, que ce soit dans le choix des matériaux ou la réalisation du maître d'ouvrage. L'aménagement lui-même comportait de beaux meubles de design contemporain, avec de l'acier inoxydable, du bois clair naturel et des touches de noir. *Quel contraste saisissant avec le musée en Écosse qu'Andrew St Clair appelait aujourd'hui sa maison !* pensa Irene.

Le fauteuil où était assise Rebecka faisait face à un poêle carré avec des portes en verre de chaque côté. Il était placé au milieu de la pièce avec, tout autour, un grand canapé et quatre fauteuils en cuir blanc. Par terre se trouvait le plus grand tapis persan qu'Irene ait jamais vu. Hormis deux tableaux de couleur vive, seul le tapis apportait une autre tache de couleur dans la pièce, avec ses tons rouge rubis et bleu acier. Les tableaux étaient visiblement du même peintre, l'un rouge, l'autre bleu. Irene repensa aussitôt aux portes d'entrée de Rebecka et de Christian, à Ossington Street. Les deux tableaux avaient reçu un coup de couteau. Sur la toile rouge, le coup avait été porté au centre, et sur le tableau bleu, en bas dans le coin à droite. Ce genre de peintures, elle en avait vu à la Tate Modern, mais impossible de se souvenir du nom de l'artiste.

Dans l'un des bow-windows, Andrew avait installé son bureau. On aurait pu croire que c'était comme une alcôve, en réalité c'était presque aussi grand que le salon d'Irene. Deux grandes tables avec un ordinateur sur chacune et deux chaises de bureau

en cuir noir – de fait, des petits fauteuils tout confort – consti-
tuaient l'espace de travail. Le mur derrière les tables supportait une étagère de livres encastrée. Les architectes d'intérieur
avaient choisi un bouleau clair aussi bien pour l'étagère que pour
les tables de bureau. Sur l'ordinateur tourné vers le mur, il y avait
une webcam.

Une ouverture dans le mur avec l'étagère permettait d'accéder
à un petit couloir à deux portes. L'une donnait dans une grande
chambre à coucher, et l'autre sur une salle de bains entièrement
carrelée dans un bleu méditerranéen. Dans un angle, Irene remarqua un Jacuzzi assez grand pour accueillir plusieurs personnes.

Elle retourna dans la grande pièce et trouva Glen devant l'ordinateur. Il essayait de le faire démarrer, mais sans succès. Il paraissait tout aussi éteint que celui du bureau d'Ossington Street.

– Il a dû placer aussi une bombe dans celui-ci ! Et merde !
s'écria-t-il en donnant un coup sur l'ordinateur.

Un des techniciens qui s'affairaient autour des cadavres sursauta et tourna la tête dans leur direction. Ne les voyant pas
bouger d'un pouce, il se dit qu'il avait dû mal entendre et se
concentra de nouveau sur son travail.

Chapitre 21

Que se passait-il de l'autre côté de la mer du Nord ? Qu'est-ce qui avait pris à ce type, ce Lafayette – ou un nom comme ça – d'enlever Rebecka ? Ça servait à quoi, hein ? C'était toujours comme ça quand on envoyait Irene quelque part. Il se passait des trucs insensés. Mais il fallait reconnaître qu'elle finissait toujours par reconstituer le puzzle. Cela dit, ça coûtait cher à son service, cette virée à Londres avec une nuit supplémentaire, ou davantage encore !

Ils auraient dû faire revenir Rebecka dès que les meurtres avaient été commis. Peut-être sous escorte policière et accompagnée de ce psy, mais ils auraient mieux fait de la ramener ici. Au moins, le Français et le docteur n'auraient pas pu les empêcher de la voir et de l'interroger. Elle ne pouvait quand même pas être à ce point malade qu'elle était incapable de parler ! Elle avait bien ouvert la bouche au début de l'enquête, non ? Et ça leur aurait coûté moins cher.

Sven Andersson ne s'était pas donné la peine d'allumer la lumière, malgré l'obscurité qui gagnait son appartement. Assis dans la pénombre, il savourait sa canette de bière – à vrai dire sa troisième, en ce vendredi soir d'avril. Mais il pouvait quand même faire ce qu'il voulait, non ?

Quand on sonna à la porte d'entrée, cela le contraria d'abord terriblement. Il jeta un coup d'œil sur sa montre, par automatisme, et vit qu'il était presque neuf heures. Sa première idée fut de ne pas aller ouvrir, de jouer les absents. D'un autre côté, ce n'était pas tous les jours qu'on sonnait chez lui. Finalement, la pure curiosité le fit quitter son fauteuil pour ouvrir la porte.

Il fut surpris de découvrir son cousin Georg sur le perron. Il était seul, sans sa Bettan toujours si pleine de vie. Oh, on ne pouvait rien dire de mal sur sa femme, mais elle finissait parfois par être un peu fatigante.

– Salut, Sven, dit Georg.

Andersson remarqua que son cousin, d'habitude si sûr de lui, était visiblement mal à l'aise, se balançant d'un pied sur l'autre.

– Salut. Qu'est-ce que tu veux ?

Georg, nerveux, se passa la langue sur les lèvres et fit un sourire forcé.

– Je peux entrer, juste une minute ?

De nouveau, la curiosité s'empara du commissaire. Le fin limier en lui s'était peut-être réveillé. C'est en tout cas ce qu'il choisit de penser, encore que bien souvent la simple curiosité ait permis de résoudre bon nombre d'affaires.

Sven recula pour laisser entrer son cousin. En passant, il repoussa discrètement du pied des bottes qui traînaient par terre, là où il les avait jetées en revenant de la pêche, le week-end précédent. Sa seule journée de congé pendant ce week-end de Pâques, il l'avait passée à pêcher, son passe-temps préféré. Sinon, il aimait bien aussi jardiner, mais s'était gardé d'en parler à son travail.

Il se rendit compte que cela faisait un bon moment qu'il n'avait pas fait le ménage dans cette petite maison.

– Fais pas attention au bordel, il se passe plein de choses en ce moment. Les meurtres des Schyttelius et la guerre des gangs qui s'est déclarée à Pâques... j'ai dû rester tard au boulot.

Et puis, si Georg trouvait à y redire, il n'avait qu'à passer lui-même l'aspirateur ! Ce bordel, ça lui allait parfaitement, à Sven. Encore que là, il devait avouer que c'était pire que d'habitude. Pour que la couche de poussière sur les meubles ne se voie pas trop, il n'alluma qu'une lampe.

– Tu veux une bière ? proposa-t-il.

– Non merci, je conduis.

Évidemment, qu'il conduisait. Bettan et lui vivaient à Billdal, de l'autre côté de Göteborg. Andersson réprima un soupir, mais

316

en même temps il était plutôt content, car il n'y avait plus que trois bières dans le réfrigérateur.

– Alors un peu de café ? fit-il à contrecœur.

– Non, merci. Rien. Je voulais juste te parler de… quelque chose.

Georg s'assit avec précaution sur le bord du canapé vert. Était-ce pour ne pas salir son beau costume clair ? Il faut le reconnaître, le canapé était passablement sale et défoncé après toutes ces années. À plusieurs reprises, Andersson avait envisagé l'achat d'un jeté de lit pour cacher cette misère, mais il n'avait jamais trouvé le temps de le faire. Il s'assit dans son bon fauteuil en cuir qui épousait la forme de son corps, un fauteuil qu'il s'était lui-même offert en cadeau pour ses cinquante ans. Sa canette de bière à demi vide était posée devant lui, sur la table en teck couverte de taches.

– Bon. Tu disais que tu voulais me parler de quelque chose, alors vas-y, je t'écoute, on est entre amis, lança Andersson d'un ton jovial, satisfait de sa propre plaisanterie.

Georg n'eut pas l'air de comprendre que son cousin avait essayé de détendre l'atmosphère. Toujours aussi troublé, il s'éclaircit la voix, hésita, puis finit par dire :

– C'est au sujet de Jacob Schyttelius. Naturellement, cela n'a rien à voir avec son meurtre. Le père de la fillette et moi aussi, on a pensé qu'il valait mieux ne pas faire de vagues… et laisser les morts où ils sont. Si on commence à creuser, cela peut faire encore plus de dégâts. De toute façon, Jacob est mort. Et il ne peut pas se défendre. Quant à elle, c'est probablement mieux pour elle qu'il en soit ainsi. Comme ça, elle pourra plus facilement tourner la page. Ça oublie vite, les enfants.

Gêné, Georg jeta un regard désespéré à son cousin. Andersson, lui, était perplexe. Comme il ne trouvait rien à dire sur le moment, il prit sa canette et en but une gorgée. Qu'est-ce que Georg essayait de lui dire ? Une histoire qui concernait Jacob et une enfant ? D'un air pensif, il reposa la canette.

– Et si on commençait par le commencement ? Et de préférence dans l'ordre chronologique ?

– Oui, bien sûr.

317

Georg pinça le pli permanent de son pantalon et se racla encore la gorge.

— Je sens que ça me fait du bien de t'en parler… J'ai eu ce poids sur la conscience… même si cela n'a rien à voir avec l'enquête elle-même… Bref, pour aller droit au but… Le lundi soir où Jacob a été tué, un parent d'élève était venu me voir. En vérité, il m'attendait devant la porte de mon bureau quand je suis arrivé ce matin-là. Il était très en colère, ce qu'on peut comprendre si ce qu'il affirme est vrai. Mais comment savoir ? Ces gens-là, ils ont une autre culture où les relations entre profs et élèves sont beaucoup plus strictes, plus autoritaires. Il se peut qu'ils aient mal interprété la relation plus détendue instaurée à l'école en Suède, entre les élèves et les profs…

Andersson s'était redressé dans son fauteuil.

— Mais de qui tu parles, quand tu dis « ces gens-là » ? fit-il en l'interrompant.

— De ces Syriens. Ce sont des Syriens chrétiens, répondit Georg.

— Pourquoi le père était-il dans tous ses états ?

Georg parut embarrassé. Il était visiblement très mal à l'aise, que ce soit à cause du canapé ou de la situation.

— Il m'a raconté que sa petite fille de huit ans avait fait une crise de nerfs pendant le week-end. Et elle a dit que Jacob lui a fait faire « des trucs sales ».

— Quel genre de trucs sales ?

— Le père dit que Jacob lui aurait montré son « machin » et l'aurait forcée à se déshabiller entièrement… puis il l'aurait… à ce qu'il paraît… touchée.

— Et ça se serait passé où ?

— À l'école. Après les cours. Jacob s'est apparemment proposé pour donner des cours de soutien à la petite fille. Elle a des problèmes de langue et n'ouvre guère la bouche en classe. Et elle ne suit pas non plus en maths.

Andersson regarda son cousin habillé si élégamment. Puis il dit lentement, en appuyant sur chaque syllabe :

— T'es vraiment un imbécile !

Georg sursauta, mais ne dit rien.

Furieux, Andersson se leva de son fauteuil et arpenta la pièce.

— Tu te rends compte de ce que tu as fait ? Tu as gardé pour toi des éléments décisifs dans une enquête criminelle ! Tu es passible de poursuites ! Bon sang, dire que tu connaissais un mobile pour le meurtre et que t'as rien dit !

Andersson dut reprendre son souffle, et Georg en profita pour essayer de se défendre.

– Mais Jacob a nié ces accusations. Il a protesté de son innocence en disant que la fille s'était méprise sur sa gentillesse. C'est elle qui aurait voulu grimper sur ses genoux. Il avait même été obligé de refuser ses avances. Elle s'était peut-être fait tout un cinéma. À moins qu'elle n'ait cherché à se venger.

Andersson fixa son cousin.

– Une fillette de huit ans ? fit-il sèchement.

– Euh… ça ment, les enfants.

– Qu'est-ce que Jacob a dit sur le fait qu'il l'aurait forcée à se déshabiller ? Et qu'il lui aurait montré son sexe ?

– Naturellement, ces accusations l'ont horrifié. Il m'a juré par tous les grands dieux qu'il était innocent. L'idée d'une enquête le terrifiait. Il pensait à ce que diraient ses parents. T'imagines, avec un père pasteur ?

– Qui est surtout un bon ami à toi. Et tu l'as cru ?

– Oui… Il paraissait sincère.

– Et il n'y a jamais eu la moindre enquête après ces accusations ?

– Non, puisqu'il est mort. Cette nuit-là.

– Ça a dû être un soulagement pour toi. Pas de mauvaise publicité pour l'école, pas de risque de perdre tes subventions ni de crainte de voir les parents venir se plaindre au nom d'autres enfants. Du coup, tous les problèmes étaient réglés, hein ?

Le ton d'Andersson s'était fait sarcastique.

Georg se leva du canapé. Il faisait une bonne tête de plus que son cousin. Dans une dernière tentative pour regagner sa dignité perdue, il répéta :

– Je suis venu ici pour t'informer de ce qui s'est passé le matin du crime. Je vois que j'ai eu tort, cela n'a rien à voir avec les meurtres…

En trois pas, Andersson le rejoignit. Il renversa sa nuque et regarda fixement son cousin.

– Comment sais-tu que ça n'a rien à voir avec les meurtres ? Comment sais-tu que ce n'est pas le père, les oncles de la fillette ou qui sais-je encore dans la famille, qui a fait le coup ?

– Mais pourquoi… pourquoi ils auraient tiré sur Jacob et ses parents ?

Toute l'arrogance de Georg s'évanouit et il détourna les yeux pour enlever une poussière imaginaire sur une de ses manches.

– Tu n'as jamais entendu parler de *vendetta ?* Toute la famille peut y passer pour obtenir vengeance et laver l'affront. Quand je pense au temps qu'on a perdu dans cette enquête, tout ça parce qu'on ne trouvait pas de mobile ! Et voilà enfin qu'on en a un sérieux…

Georg fit une dernière tentative pour battre en retraite dignement :

– C'était une erreur de ma part de venir ici t'importuner avec ces détails sans importance, toi dont le temps est si précieux…

– Avoue que tu as su dès le départ que c'était sacrément important et que tu as préféré la boucler ! Ah, il faut vraiment que tu en aies lourd sur ta conscience de bon chrétien pour avoir traversé toute la ville ce soir et venir te soulager !

Dans la pièce gagnée par l'obscurité, les deux hommes se jaugeaient. Georg fut le premier à battre en retraite.

– Bon, je m'en vais, dit-il très raide, avant de disparaître dans le vestibule.

Andersson entendit la porte d'entrée se refermer violemment. En soupirant, il alla vers la table basse prendre sa canette de bière.

– C'est ça ! Et bien le bonjour à Bettan ! lança-t-il d'une voix forte, en levant sa canette de bière en direction de la porte.

Chapitre 22

Irene regarda ses collègues. Ils venaient d'entendre le dernier coup de feu retentir sur la bande magnétique. Comme tétanisés, ils écoutaient depuis une heure le récit des événements qui s'étaient déroulés en Angleterre et en Écosse. Personne n'avait envie de rompre le silence. Finalement, le commissaire Andersson s'éclaircit la voix.

– Georg Andersson... le directeur de l'école où travaillait Jacob... est venu me voir, vendredi. J'étais jusqu'au cou dans ces histoires de gangs rivaux, et puis voilà qu'il se décide à cracher le morceau. Il avait besoin de soulager sa conscience, à ce qu'il m'a dit.

Andersson marqua une pause, et Irene vit son visage s'empourprer. Elle ne fut pas surprise de le voir frapper du poing sur la table devant lui et s'exclamer :

– Si seulement cet imbécile avait parlé plus tôt ! On aurait résolu l'affaire plus vite... et peut-être sauvé des vies ! Mais la seule chose qui l'intéressait, c'était de préserver la réputation de l'école, et comme Jacob était mort, il ne voyait pas l'intérêt d'étaler tout ça au grand jour. Les parents de la fillette aussi ont jugé qu'il valait mieux étouffer l'affaire. Quelle ordure, ce cousin ! Je ne me suis pas privé de lui dire ses quatre vérités.

Visiblement, ce cousin avait fait un sérieux faux pas et il ne rentrerait pas de sitôt dans les bonnes grâces d'Andersson.

– Mais de quoi s'agit-il, au juste ? voulut savoir Irene.

– Eh bien, le matin du meurtre, c'est-à-dire lundi, le père d'une écolière est venu voir mon cousin – le directeur – dans son bureau.

321

Cet homme était à la fois atterré et en colère, ce qu'on peut comprendre. Sa petite fille de huit ans lui avait raconté en sanglotant que son professeur l'avait plusieurs fois obligée à faire des choses sexuelles. Je vous laisse deviner qui était le professeur.

– Jacob Schyttelius, répondirent en chœur plusieurs collègues.

– Exactement. Georg a convoqué Jacob dans son bureau et répété les accusations du père, mais Jacob a tout nié en bloc. Ces gens d'une autre culture auraient tout compris de travers, surtout l'esprit d'ouverture et la liberté entre les professeurs et les élèves, ici, en Suède. La famille de la fillette est syrienne, je crois. Alors j'ai pris des renseignements auprès de la police du Norrland, où Jacob a enseigné avant son divorce.

Le commissaire brandit une liasse de fax :

– Ils viennent d'arriver il y a une heure. Ce salopard de Jacob a été renvoyé pour avoir fait des avances sexuelles à ses élèves. En fait, il a préféré démissionner avant que ça se gâte. Puis il est venu ici, et les poursuites ont cessé. Là-haut, dans le Nord, ils étaient trop contents d'être débarrassés de ce salaud !

Irene se souvint de Kristina Olsson, l'ex-femme de Jacob, triste et intimidée, qui avait déménagé à Karlstad. On comprenait mieux, maintenant, son chagrin. Mais elle non plus n'avait rien dit…

– Ah, si seulement quelqu'un avait parlé ! explosa le commissaire.

– J'ai repensé à ce que Svante Malm avait fait remarquer, intervint Irene, songeuse. Il a dit que le diable était en chacun de nous. Quand le diable se manifeste par des crimes abominables, c'est facile de le voir. Dans le cas de meurtres, de crimes, de viols ou d'abus sexuels, c'est clair et sans appel. Mais il est moins facile de lutter contre des diables de verre.

– Qu'est-ce que tu racontes encore ? s'emporta Andersson.

– Un diable de verre, c'est quelqu'un dans lequel le diable est comme transparent, invisible. On ne le voit pas, même s'il est là en permanence. La face de lui-même que le diable montre à l'extérieur aveugle les gens. Personne ne voit le mal dans un vieil homme d'église qui porte une croix d'argent autour du cou et des chasubles rehaussées d'or. Et qui a vu le mal dans un beau et jeune professeur sympathique et apprécié par ses élèves ? Personne. Et personne non plus ne veut le voir.

Le commissaire considéra Irene comme s'il n'en croyait pas ses oreilles.

– Écoute... Tu es sûre que tu vas bien ?

– Je t'assure que j'ai beaucoup appris pendant cette enquête. Les victimes du diable de verre gardent le silence parce qu'elles savent que personne ne les croira, et elles ont peur que ça ne fasse qu'empirer les choses. Rebecka a affirmé jusqu'au bout que c'était sa faute si sa famille avait été tuée. En un sens, la prophétie du père s'est accomplie : si jamais elle racontait à qui que ce soit ce qui se passait, il arriverait des choses terribles à sa famille et à elle aussi. Et c'est exactement ce qui s'est produit.

Voici le discours de remerciements du commissaire Sven Andersson pour son soixantième anniversaire :

« Comme vous savez, je suis un piètre orateur, mais comme vous m'avez fait un beau cadeau – je ne parle pas de cette fête –, je me sens obligé de vous dire quelques mots de remerciements. Je n'ai pas su trop quoi dire, tout à l'heure, quand Tommy, dans son discours, a expliqué qu'il ne s'agissait pas d'un cadeau sous la forme d'un objet, mais sous la forme d'une aventure. Je me suis tout de suite méfié... Mais maintenant, je vous dis merci, et encore merci ! On n'a pas soixante ans tous les jours ! »

Quelqu'un remplit à nouveau son verre de champagne.

« Bon, où en étais-je ? Ah oui, donc une aventure. C'en sera une, pour sûr, de revoir Londres après toutes ces années. Je n'y ai pas remis les pieds depuis le début des années soixante... oui, j'y étais en 1961, on avait pris le bateau, et j'ai eu un sacré mal de mer !

Ce sera mieux avec l'avion. Enfin, j'espère. Ce... c'est quoi, son nom, déjà ? Il est où, le papier ? Glen Thomsen ! Il m'a l'air très bien, ce garçon. Il va venir me chercher à l'aéroport, il a son propre hôtel... Qu'est-ce que tu dis, Irene ? Ah, c'est l'hôtel de sa sœur. Je resterai là trois nuits, et il a réservé tous mes repas dans un restaurant dans le coin.

J'ai reçu une carte de la dame qui tient le restaurant, elle m'écrit qu'elle sera aux petits soins pour moi. Voilà qui paraît prometteur. Elle s'appelle Donna. C'est peut-être une petite blonde ? Ha, ha !

Pour finir, j'ai demandé à rester un an de plus à la tête de cette brigade. Hé ! vous êtes censés avoir l'air contents d'apprendre ça ! En fait, j'ai pensé qu'Irene et Fredrik mijotaient un coup foireux, à les voir tout le temps en train de chuchoter. J'ai tout entendu. Irene, t'en fais pas, je verrai bien le moment venu qui prendra la relève… Ici, personne ne me dit rien. Mais c'est peut-être comme ça quand on a son anniversaire. Alors merci pour tout, pour cette super fête et votre magnifique cadeau… pardon… pour ce voyage, qui promet. À votre santé à tous ! »

Composition : Compo-Méca S.A.R.L.
64990 Mouguerre

Imprimé en Espagne par JCG
Dépôt légal : mars 2010
N° d'impression :
ISBN : 978-2-7499-1202-8
LAF 1231